Mata Doce

Luciany Aparecida

Mata Doce

4ª reimpressão

ALFAGUARA

Copyright © 2023 by Luciany Aparecida

Grafia atualizada segundo o Acordo Ortográfico da Língua Portuguesa de 1990, que entrou em vigor no Brasil em 2009.

Capa
Ale Kalko

Imagem de capa
Beyond the Peonies, 2021, de Harmonia Rosales. Óleo sobre painel de madeira, 91,44 × 121,92 cm.

Preparação
Julia Passos

Revisão
Adriana Bairrada
Jane Pessoa

Os personagens e as situações desta obra são reais apenas no universo da ficção; não se referem a pessoas e fatos concretos, e não emitem opinião sobre eles.

Dados Internacionais de Catalogação na Publicação (CIP)
(Câmara Brasileira do Livro, SP, Brasil)

Aparecida, Luciany
   Mata Doce / Luciany Aparecida. — 1ª ed. — Rio de
Janeiro : Alfaguara, 2023.

   ISBN 978-85-5652-200-9

   1. Ficção brasileira I. Título.

23-162552   CDD-B869.3

Índice para catálogo sistemático:
1. Ficção : Literatura brasileira   B869.3
Aline Graziele Benitez – Bibliotecária – CRB-1/3129

Todos os direitos desta edição reservados à
EDITORA SCHWARCZ S.A.
Praça Floriano, 19, sala 3001 — Cinelândia
20031-050 — Rio de Janeiro — RJ
Telefone: (21) 3993-7510
www.companhiadasletras.com.br
www.blogdacompanhia.com.br
facebook.com/editora.alfaguara
instagram.com/editora_alfaguara
twitter.com/alfaguara_br

Mas tens um cão.

Carlos Drummond de Andrade

I. Rosas brancas	9
II. Máquina de escrever	49
III. Ponto de cruz	117
IV. Careta	189
V. Retrato	267

I
ROSAS BRANCAS

1

Maria Teresa parou em frente ao boi vivo e arrancou sua careta. O animal perdeu seu sentido controlado de direção, mas não tinha mais como escapar. A mulher achava justo que a morte se apresentasse de frente. Quando ela encarava o boi, o sangue da vida ainda corria quente por baixo da sua carcaça.

Ambos entendiam a hora chegada. A vontade da mulher era dar vazão à sua mágoa. A vontade do animal, agora preso para o abate, um dia havia sido escapar. Mas a careta de couro que puseram nele, para o encaminhar com obediência até o abatedouro, o havia distraído dos seus sentidos de fera. Naquele ponto ela e ele tinham desejos, se entreolharam. Mas ela, dominante, tomou a direção do movimento e, com as costas do machado, acertou a primeira pancada na altura exata da cabeça que tombaria à sua dor. O boi tremeu. Outra porrada e a definitiva queda. Ele caiu sobre uma cama verde de folhas de bananeira, que havia sido feita para aquela cerimônia.

Em Mata Doce, matar boi era tradição de homem. Mas naquele alvorecer, Maria Teresa estreava uma nova tradição.

— A menina chegou.

— Maria Teresa?

— Sim, a filha das mulheres do lajedo.

— Deixa passar.

— Deixa?

— Deixa.

O orvalho daquela manhã umedecia o leito verde que recebia o peso do boi, aplainava em ondulosas curvas o ar que descansava sobre a queda. Maria Teresa respirou fundo. Pela primeira vez após o acontecido, a mulher conseguiu exalar o ar sem que a ponta das recordações a asfixiasse. O boi estava no chão. Toni de Maximiliana dos Santos, vaqueiro oficial daquele curral, disse:

— Agora é sangrar.

Maria Teresa enfiou a faca e puxou o corte da garganta até a papada. O sangue escorreu seu curso. A folha de bananeira fresca e orvalhada foi canteiro prestimoso para aquele infinito se esvair.

Nessas primeiras horas do retorno do giro do sol o brilho é de não tem jeito, a vida insiste. Aquela mulher enxergava os sombreados das curvas do tempo e por isso ela buscava se proteger das horas do meio do dia de sol a pino. Horário que o branco das injustiças faz mulher de visão perder o tino e correr desvairada. Mas Maria Teresa não correu, não. Maria Teresa ficou para matar bois.

— Quem tá no curral hoje?

— É Filinha.

— Quem?

— Maria Teresa, filha das mulheres do lajedo.

— O quê?

O vaqueiro nem pôde seguir com a resposta, o coronel Gerônimo Amâncio viu a menina sair do curral com um avental branco e a faca toda ensanguentada.

— Bom dia. Não sabia que a menina estava matando boi na minha propriedade.

— Estou.

— Com ordem de quem?

— Olhe a matança que eu fiz e depois volte pra implorar que eu siga meu serviço.

Maria Teresa, que agora era Filinha Mata-Boi, respondeu ao fazendeiro e seguiu caminho para o lajedo. No curral o boi já não era nem lembrança. As partes da carne, os cortes do couro tinham a precisão de uma máquina. Lai já havia recolhido os fatos e junto com Venâncio faziam a limpeza das partes na beira do rio.

— Quem aprontou essa pilhéria? — gritou o coronel Amâncio do meio do curral, duvidando que aquela menina, cria das mulheres das ruínas do lajedo, pudesse dar conta de nada.

— Foi Filinha, Maria Teresa, filha das mulheres do lajedo, seu Amâncio — repetiu Toni.

Amâncio arregalava o olho. Maria Teresa ria. Seguia no caminho de volta ao casarão com a faca exposta. O sangue finalmente secando. Ela rindo do desejado assombro que, sabia, começava a provocar. Seria a matadora de boi oficial daquelas terras.

Aquela disposição inquietou Gerônimo Amâncio, homem alvo, herdeiro de terras e medroso de futuro. O que seus ancestrais sempre lhe ensinaram foi que água se represa, terra se incendeia, árvore é para o corte, flor se arranca e gente se derruba na unha. Com fé no merecimento próprio, Gerônimo seguia a cartilha de sua linhagem familiar.

A presença inesperada daquela mulher no seu curral tocou na sua vaidade, que vinha magoada havia anos pelo desaparecimento do seu único filho homem. Filhas mulheres o coronel não contava como crias. Seu pesar se refletia naquela Mata-Boi, pois havia sido a mãe dela, a professora Mariinha, que um dia o chamou na estrada e lhe disse que havia visto, em sonho, que o menino dele morreria. E morreu. Tinha oito anos e foi levado pelas águas. A represa pocou e a água enxotou sua cria. Não teve jeito. O povo de Mata Doce foi lamentar a desaparição da pobre criatura.

A professora Mariinha pouco sonhava, naquela vez ela parou o carro do coronel e lhe deu esse alerta porque recebeu essa incumbência de seus Orixás. Com o passar dos acontecimentos da vida a professora compreendeu que essa intuição havia sido intriga do tempo.

Debaixo do que restava do roseiral, ela esperava o retorno da filha. O dia já estava de tudo amanhecido. O roseiral poderia até sonhar em reflorescer.

Um brilho apontou lá na subida do lajedo. Era ela. Sua menina.

— Maria Teresa! — Mariinha gritou e Tuninha surgiu na porta.

— Filinha! — Tuninha também chamava pela filha.

— Uh! — A menina respondeu ao longe.

As mães choraram. Era a primeira vez, após o dia daquele forte acontecimento, que a menina falava. Mariinha viu a faca na mão da filha.

— Ela matou Gerônimo Amâncio! — a mãe expressou alto o desejo.

Tuninha botou a mão na cabeça. As duas se deram as mãos e ficaram no peitoril do casarão esperando a chegada da filha. A menina se aproximou. Usava um avental branco de corpo inteiro. A vestimenta estava grudada de sangue seco. No contraste do vermelho no branco a imagem da filha não lhes era estranha. Mas agora uma faca se acendia por entre as manchas do sangue. Maria Teresa sorria. Chegou. Subiu no peitoril e se virou para o lajedo. Parou. Descansou e após uma pausa disse:

— Agora sou Filinha Mata-Boi.

Chula entrou por entre as mulheres lambendo suas pernas. Tuninha buscou Mané da Gaita com o olhar. A aparição da cachorra era sinal de que o músico se aproximava. Ainda do meio do lajedo arrastando a muleta, Mané gritou:

— Filinha matou boi no curral do coronel Amâncio!

Mariinha sentiu as pernas fraquejarem e não caiu porque foi amparada pela companheira até a mureta do peitoril.

— O que tu fez, Maria Teresa?

— Mamãe, eu matei um boi — a menina respondeu e caiu no choro.

As mães acolheram a filha. Levaram-na para o quintal. Mariinha se sentou com Maria Teresa num banco que arrodeava o roseiral. Tuninha tomou a faca da menina, lhe tirou o avental e os descansou numa bacia embaixo do pé de ingá. Colheu na proximidade umas folhas de alecrim. Macerou o alecrim entre mãos e dispôs aquele remédio de modo que as três pudessem cheirar. Maria Teresa chorava como não chorou naquele dia. A menina chorava tão forte que as mães a seguravam como se o corpo da moça fosse partir. Ela era mesmo que uma rosa em grande ventania segurada pelas ramas.

Mané da Gaita alcançou o passadiço da cerca, viu a cena, mas não quis entrar. Se voltou para o peitoril e sentou no batente. Descansou a muleta de um lado, o tabuleiro do quebra-queixo de outro, tirou a gaita da bocapiu e se botou a tocar. A música tomou o mundo. Maria Teresa redobrou o choro. As mães, os abraços. Chula se amaciava entre as pétalas caídas ao pé do roseiral. Botões da rosa branca apontavam nascimento.

2

Possuir um pé de rosa branca naquele lajedo só poderia mesmo ser história de mulher valente. Maria Teresa da Vazante, ou como a maioria a chamava, Filinha Mata-Boi, tinha o mais sublime roseiral de toda Mata Doce. Planta que teve tempos de seca, mas que o que mais sabia fazer era embelezar o mundo com seus cachos.

O soberano estava plantado na lateral da casa, e por seguidos anos não foi qualquer vivo que conseguiu avistar aquela formosura. No tempo do corte das ramagens, para se admirar aquele pé de rosa branca era preciso se achegar até a cerca, atravessar o passadiço, passar pela cachorrinha Chula, seguir pelo pé de ingá, não se distrair por entre a diversidade de plantas, para só aí se deparar com o roseiral. A rosa era recordação de mistério que Maria Teresa havia herdado de sua mãe, a professora Mariinha.

Mas quem alcançava enxergar aquele vestido de noiva, como muitos o chamavam, era encontro com o prazer, era parar em admiração. O roseiral de Filinha possuía galhos brotados de um caule denso cravejado de espinhos ossudos como se fossem nódulos de dor. As folhas eram de cor verde sumo e verde mais escuro, bem largas e aureoladas por espinhozinhos menores, que a qualquer breve aproximação pinicavam dedos e geravam feridas. Mas tinha as rosas. O cheiro. A vertigem dos cachos pesados. Mesmo que o sangue do dedo escorresse, deparar com aquele encanto aquietava a ansiedade e transformava toda a espera em alívio. Vista que se assemelhava com aquela sensação macia de brisa, que assopra de uma sombra, em meio de tarde quente na caatinga.

Filinha Mata-Boi apreciava sua herança. Reverenciava suas mães. Guardava naquela jardinaria a Maria Teresa da Vazante que um dia quase foi. Com o roseiral vistoso, enramado, carregado de rosas, como estava, o tempo se distendia. Ela se lembrava das mães, e aquele cheiro macio dos botões se abrindo em flor era a presença delas. Mariinha e Tuninha estariam eternamente enrodilhando a filha entre pétalas.

Filinha Mata-Boi era, agora, a velha do lajedo. Sua morada há muito já tinha deixado de ser a casa da professora Mariinha para ser a casa de Filinha Mata-Boi. Parada na balaustrada de seu lugar, Filinha encarava o lajedo, sem rir, sem chorar, sem ver assombro, apenas sentindo a baforada do tempo entrecortada pela brisa da saudade que chegava no cheiro dos botões que se abriam no roseiral. Era tão destacado aquele aroma que ele quase limpava a morrinha do sangue seco das unhas, dos braços e do avental de Filinha Mata-Boi, que de pé, sozinha, recostada àqueles talhes de madeira, figurava uma imagem de rejeição, valentia e pena. Imagem que se quebrava pela presença da Chula, a cachorrinha que era a assombração mais viva daquele casarão do lajedo de Mata Doce. Ela se intensificava com o assombro das ramagens do roseiral, que haviam voltado para o peitoril e que com liberdade, ou abandono, formavam uma faixa de mistério que aureolava o casarão e a imagem da mulher.

Seca, carregada de noventa e dois anos, ereta, com olho bem vivo, Filinha se apresentava vestida com calça de brim cáqui, vestido de estampa pequenininha floral verde, com mangas até o cotovelo e comprimento até os joelhos. O traje se completava com o avental branco que tinha nó no pescoço e na cintura e no pé um calçado do qual já não se distinguia detalhe pelas marcas do sangue. A frente de Filinha era toda ensanguentada. Naquela pausa, a velha repousava uma das mãos no bolso do avental e a outra, pendida, sustentava uma larga faca de corte. Havia chegado de uma manhã de abate. Tinha matado, sangrado, ordenado os exatos cortes de repartimento do animal e como de costume, no retorno à casa, havia parado naquela cerimônia de encarar o lajedo.

Era manhãzinha de sábado. Filinha vinha sentindo que lhe faltavam forças para sustentar as partes do boi na hora de destrinchar as carnes. A mulher já começava a avaliar que era tempo de parar. Pensava que se limparia daquele sangue. Mas ainda ouvia com orgulho o espanto das vozes ao saber da aparição de Filinha Mata-Boi, tantas décadas atrás. Ela se apegava a essa vaidade e ia seguindo.

Havia sido no alvorecer de um sábado a primeira vez em que, a contragosto de suas mães, ela tinha matado um boi e esbanjado valentia em Mata Doce. Foi no entardecer de um sábado que a menina Maria Teresa, em companhia de suas mães, plantou a mudinha daquele pé de rosa branca que, agora imenso, tomava o peitoril. Havia sido ao meio-dia de um sábado, ao sol a pino, que Maria Teresa da Vazante tinha se visto vestindo felicidade pela última vez.

Houve um tempo em Mata Doce que o sábado era dia de viagem para a feira de Santa Stella, cidadezinha mais próxima ao povoado. Nessa época Thadeu, filho dos Fontes, era quem fazia viagem para a cidade. Eles tinham uma caminhoneta e todo sábado iam vender farinha. Venâncio, o ferreiro de Mata Doce, aos sábados ia para Santa Stella como ajudante de Thadeu. Ele ajudava a carregar e descarregar os sacos de farinha e a aprumar o tino do motorista.

Nesse período, quando alguém precisava de apoio, o contato em Santa Stella era a juíza, filha do Sales. A denominação de juíza era uma alcunha e não uma posse de lei. Um jeito que se deu para chamar legalmente aquela mulher da família dos Sales, que tentava resolver, para aqueles de Mata Doce, tudo que fosse sobre documento.

O casarão da família de Filinha Mata-Boi era o mais antigo do lugar. Ela morava no lajedo, de cara para as grandes pedras. Aquele gesto cerimonioso, de parar em frente à sua morada na chegada do matadouro, ainda toda ensanguentada, a enfrentar o lajedo, ficou sendo sua exposição de valentia. Movimento que Filinha desempenhava em ação de afugentar os abutres, aves de terra revoada, que em pouso pareciam gado e se vistos muito de perto se assemelhavam a homens brancos. Animais que a Mata-Boi passou a enfrentar depois daquele dia que se mirou no espelho, em desejo de esperança, mas viu a cegueira do brilho do sol a pino. Parada ali, nenhuma assombração poderia olhar duas vezes para aquela mulher e lhe roubar a festa.

Mas o tempo dela agora diferençava. A senhora começava a sentir que não tinha mais controle sobre a ramagem das rosas que se estendiam até aquela balaustrada. No começo, ao regressar do matadouro com a faca do corte do boi em mãos, antes de parar em exposição de assombro, Filinha aparava as ramas do roseiral que teimavam em seguir caminho antigo. Mas agora a velha Mata-Boi deixava o crescimento de mão, e o altivo já havia voltado a ser como era naquele dia do grande acontecimento, todo enramado no peitoril.

Naquele dia, Maria Teresa da Vazante recolheu os cachos das rosas brancas para o terreno da lateral da casa e cortou toda a ramagem. No lugar de ver as rosas brancas da casa da professora Mariinha, se via a imagem da mulher Mata-Boi que podia sustentar animal de porte na valentia. Mas naquele momento de trégua o cheiro dos botões espalhou sua força pelo terreiro do lajedo e uma ave pequena de arribação riscou suas vistas. A velha Filinha soltou os braços, tentou acertar a ave com a faca como se aquela imagem estivesse próxima a si. Não conseguiu, pois não estava. O tempo se derramou e a chuva lambeu o resto daquele sábado.

— É, é tempo chegado de recolher a faca — pensou e respirou fundo e entrou na casa pela porta do quintal, deixando a banda de cima aberta, presa por um pedaço de arame enroscado num prego. A banda de baixo da porta ela fechou na tramela.

Filinha estava sozinha. Todos os seus já haviam falecido, inclusive os inimigos. A cachorra apareceu à meia-porta como se pedindo entrada. Filinha destramelou a passagem e deixou Chula lhe trazer companhia. Chula rodou por entre suas pernas, Filinha alisou o animal pensando que aquela cachorrinha era a mesma fiel companheira de Mané da Gaita e, por instantes, por palavras e por desejos de sua saudade, quis que toda a sua gente ainda estivesse ali com ela.

— Chula, Chula — chamou a cachorra e se sentou no banco, repousando a faca ao lado. A cachorra ficou empezinha em suas pernas, lambendo seu rosto, lhe fazendo carinho, indiferente à morrinha do sangue seco que rondava a vida daquela senhora. Filinha sentiu um frio na espinha. Quis soltar Chula, mas abraçava a cachorrinha mais e mais. Quis fechar a meia banda aberta da porta do quintal, mas não quis se livrar do dengo. Sentiu frio. Se levantou de vez, afagando a cabeça de Chula. Colocou a faca numa bacia de alumínio sobre uma mesa de madeira e se voltou para remexer a brasa do fogão a lenha.

Era começo de inverno. Chula buscou seu lugar na beirada do fogão e se arrodilhou entre os panos que já ficavam no formato de seu querer. Filinha pegou a bacia e foi ao quintal, parou embaixo de um pé de ingá, arrumou a bacia num jirau, desatou os nós do avental e o pendurou num galho da árvore, recolheu água na cisterna e lavou a faca, o rosto, os braços e jogou a água daquela solidão no avental pendurado. Enfiou a faca no jirau e a cobriu com a bacia emborcada. Na parede da meia-porta descalçou os sapatos. De entre as telhas puxou umas chinelas. Retornou à casa. Fechou as duas bandas da porta e se aquietou ao lado do fogão vendo a brasa vermelhar. A saudade que sentia de gente resfriava ainda mais o dia.

Chula ressonava. Filinha não queria mais comer. Era a mesma cachorra de Mané da Gaita, mas Chula não achava jeito de revelar isso a Filinha e se deixava por ali dando e recebendo comunhão. O dia gelava de tudo. A chuva bem fininha já era neblina que cristalizava o fundo da bacia, a faca não sentia frio pois ainda guardava a raiva daquela matança. No jardim do roseiral tudo se abria em novo broto. Dentro da casa Filinha pensava que talvez já não aguentasse mais um inverno, mesmo que aquela forte neblina sempre lhe tenha trazido prenúncio de coragem, mas agora alguma coisa nela secava e esmorecia. Chula já havia vivido momentos assim. Aquilo para a cachorrinha era apenas mais uma passagem do tempo.

Filinha olhava para a cachorra supondo que ela estava entendendo e concordando com seus pensamentos. E de fato estava. Chula lembrava que havia sido num dia mesmo desse que a felicidade tinha se achegado àquela morada. Foi o dia que Mané da Gaita recebeu o recado que deveria ir à casa da professora Mariinha tocar pois a filha dela havia chegado.

Maria Teresa da Vazante era filha de Mariinha da Vazante e de Tuninha da Vazante, que fazia uso orgulhoso do mesmo sobrenome da companheira. O sobrenome de Mariinha era reverência a Eustáquia da Vazante, sua avó, mulher que em fuga para a liberdade havia começado aquele povoado de Mata Doce.

Mariinha tinha sessenta e sete anos quando foi à cidade assinar os documentos de adoção de Maria Teresa. O carro de farinha parou na porta da casa da professora, que desceu da cabine de mãos dadas com Tuninha e com Teresa. Venâncio, que vinha em cima, estendeu às senhoras as sacolas da feira. Um cesto pequeninho ele entregou à menina. Ali dentro daquele embornal estava a muda da rosa branca. Maria Teresa da Vazante tinha oito anos quando foi a Santa Stella com as mães e ganhou aquele pezinho de rosa.

— É rosa branca, viu, igualzinho como o da tua bisavó Eustáquia da Vazante — disse Mariinha entregando o cesto à filha.

O casarão da professora Mariinha era conhecido em Mata Doce. Era casa de peitoril de madeira, coberta por telha vermelha e batente alto na porta, janelas ao redor de toda a casa, que era cercada por um largo terreno, nas laterais e ao fundo. Ali, no casarão do lajedo, moravam as três mulheres da Vazante, Mariinha, Tuninha e Maria Teresa.

Eustáquia da Vazante, avó de Mariinha, chegou primeiro àquele lugar por intermédio de gente que trabalhava no movimento de acolher o caminho de quem escapava para a liberdade. Ali, guardada com um machado, arma de sua proteção, ela tomou prumo e fez do casarão sede de amparo. A rosa branca era recordação de fé de Eustáquia. Lembrança de um roseiral, onde ela alimentava sua fé, que ficou pra trás na fuga. A senhora sempre contou esses casos à neta Mariinha e encerrava a história dizendo que um dia aquela planta voltaria para elas. No dia em que Mariinha chegou a Santa Stella para assinar os documentos de Maria Teresa e viu na porta do estabelecimento uma velha vendendo uma roseira branca, a neta de Eustáquia da Vazante não teve dúvida de que se dava ali um reencontro com a fé de sua avó.

3

Era tradição desde o tempo de Eustáquia que o padre de Santa Stella realizasse missa em Mata Doce, no terreno da frente do casarão. Esses acordos diziam de um jeito de conquistar proteção. Eustáquia ensinou a neta a sobreviver nesse jogo. E Mariinha havia trabalhado como professora em Mata Doce contratada pelo Colégio Sacramentina e Silva, que vivia, também, em comum acordo com a Igreja. Esse costume seguiu assim e foi num desses dias de missa de domingo, em Mata Doce, que se deu o reencontro das comadres Lai e Tuninha. Lai estava como ajudante do padre Américo, grávida. Havia sido expulsa do puteiro e o padre a acolhera. Lai reconheceu Tuninha de imediato. A travesti ilustre demorou para reconhecer a mulher grávida, pois Lai era uma criança da última vez que se haviam visto.

— Eu te conheço — Lai foi logo dizendo. Tuninha supôs de onde seria, mas não quis crescer o assunto, porém a mulher deu seguimento e expôs sua situação. — Tuninha, eu não quero essa cria.

— Isso foi abuso?

Lai fez que sim com a cabeça e tornou a falar.

— Eu lembro de tu do puteiro. Fui tua comadre, lembra que tu me deu uma boneca de pano uma vez e brincou comigo da gente se apelidar de comadre?

Tuninha se lembrou de tudo. A criança já era uma mulher de tempo.

— Lai, eu sinto demais. Tenho um ódio tão grande por tudo isso.

— Me botaram pra fora. Estou com o padre Américo. Minha barriga está grande. Eu não tinha mais como esconder. Tentei três vezes me livrar dessa cria e não teve jeito. O homem é de força lá de Santa Stella, todo dia me ameaça. Estou sem saber como proceder. Minha vida acabou, o padre não pode me valer nessa situação.

— Lai, tu te acalma que vou conversar tudo com Mariinha e vamos arranjar um jeito de te ajudar.

— Não, isso que não quero, não, levar problema pra tua casa. Ela sabe do puteiro? E se julgar errado tu me ajudar? O povo daqui sabe da tua vida lá?

A mulher estava banhada em lágrimas. O padre se aproximou. Mariinha também.

— O que está se passando? — perguntou Mariinha, que tinha os olhos na barriga de Lai.

— Nada não — respondeu Lai.

— Comadre Lai é minha conhecida de Santa Stella, Mariinha, vi essa senhora menina, menor que um tamborete. Começamos a nos chamar de comadre por brincadeira quando ela era criança e eu lhe presenteei com uma boneca de pano e ficamos acertadas assim que seríamos comadres nos cuidados daquela boneca. Tu entende, Mariinha, tudo isso era modo de enganarmos aquela vida.

Mariinha fez com a cabeça que entendia sim e se aproximou de Lai para lhe acariciar a barriga. Aquele gesto enchia Lai de repulsa. O padre em piedade pela comoção da moça a livrou do incômodo daquele carinho.

— Lai, vem comigo agora ajeitar aqui umas coisas pra missa — e arrastando a grávida pela mão a tirou daquela pena.

A missa em Mata Doce acontecia de fronte ao lajedo. O padre subia no peitoril e falava aos fiéis que salpicavam pelo terreiro. Naquele dia, após a missa, Tuninha quis se confessar. A senhora começou a fazer vários rodeios sem falar nada de exato. O padre ia entendendo que Tuninha queria fazer curva até chegar à gravidez de Lai e arrumava jeito de, em confissão, lhe pedir ajuda para ajustar o arranjo, delas ficarem com a cria. Mas o pároco não queria se ver envolvido naquele acordo. Tuninha entendeu a fuga e decidiu ir direto a Lai. A moça desvalida ouviu tudo e aquietou. Teve medo de prejudicar a senhora que em tempo passado tanto bem havia lhe feito. Lai se sentia como uma peça maldita, apodrecida. O carro do missionário abriu caminho de retorno até Santa Stella e Tuninha ficou do peitoril vendo sua ideia partir. Chula correu por entre elas. E aquilo fez Mariinha sorrir.

4

Tuninha vivia em Mata Doce, nunca mais queria voltar a Santa Stella. Mas naquele dia ela foi. Foram as três pegar os documentos de adoção de Maria Teresa, que agora era filha de Mariinha de papel passado. Tudo que era caso de providência de papel daquela casa quem realizava era Mariinha, pois apenas ela tinha documentos de existência. Mas agora a filha delas, Maria Teresa da Vazante, também tinha papel de comprovação de sua vida neste mundo. As três estavam radiantes. Tuninha vinha no carro pensando que faria um doce de mamão verde com coco para a sobremesa do almoço do domingo. As três tinham agradecimento a Luzia, a juíza, filha da família dos Sales, que tinha um menino da mesma idade de Maria Teresa, Zezito. Os Sales também eram pretos de Mata Doce, como as senhoras e como Filinha, bem como quase toda a gente dali. A diferença de cor de Mata Doce era só Gerônimo Amâncio.

Na mocidade da juíza, os Sales haviam seguido para a cidade, porém sempre estiveram em contato com o povoado. Até o ponto de voltarem para residir naquelas terras. A essa altura, a rosa branca já havia crescido e enramava o peitoril até quase cobrir a frente da casa, e Zezito já tinha pelos vinte anos. Maria Teresa e Zezito, então, se arranjaram e dois anos depois, quando decidiram se casar, a ramagem do roseiral já enchia a frente da casa de cachos de flores e aroma doce.

Mané da Gaita continuava a ser chamado para tocar na casa da professora Mariinha. Mané tinha visto aquelas duas crianças crescerem comprando quebra-queixo em sua mão e agora se alegrava com os arranjos para o casamento. Um lajedo é um lugar de pedra. Sobre a natureza dura de Mata Doce as mulheres daquelas terras sustentavam suas histórias. A primeira havia sido Eustáquia da Vazante, avó da professora Mariinha, mas no encalço dela muitas chegaram ali. Uma delas foi Agostiniana dos Santos, a fundadora da Casa de Oió, terreiro dedicado a Xangô, que em Mata Doce se fixou no meio do povoado, num trecho de mata que ficava entre o lajedo e as terras do rio Airá. Com o tempo e a história, Mata Doce foi sendo um lugar de acolhimento e amparo para mulheres desvalidas.

Um caso desses havia sido a chegada de Josefa Fontes, a mãe dos irmãos gêmeos Thadeu e Angélica. Josefa havia escapado de um marido acossador, e o primeiro lugar que tinha ido pedir proteção foi a escadaria da igreja. A fugitiva contava que havia avistado a imagem de Santa Stella, uma mulher bem alta, de pele escura, cabeça coberta, uma bata branca larga atravessada por um tecido verde bem avantajado.

— Era mesminho que ver Santa Stella. — E Josefa ainda completava a aparição dizendo: — Até o arco e flecha de Oxóssi era o mesmo da santa.

A excelência havia lhe dito:

— Tenha fé em si mesma, nenhuma mulher merece viver esse castigo de surra a diário. Tenha fé. Tudo ficará melhor.

O vento tremeu e resfriou ainda mais aquele amanhecer. Era sábado, dia de feira, e o movimento em Santa Stella já começava a dar sinais de gente. Josefa, ainda na escadaria, juntou os gêmeos perto de si e lhes beijou as cabeças. Num risco de nascer do sol, surgiu à frente deles a juíza dos Sales, que vinha com uma garrafa térmica de café. Ao reconhecer Josefa a juíza lhe estendeu a mão para que a mulher se erguesse e pegou uma das malas. Seguindo em frente, disse:

— Vem, Josefa, traz os meninos. Vamos pra sacristia.

Aquela quase procissão em obediência à juíza caminhou para a portinha na lateral da igreja. A juíza colocou café para as crianças abrandarem o frio e falou:

— Josefa, vamos lá pra casa.

Josefa cochichou à juíza que não poderia continuar em Santa Stella. A juíza dos Sales arrumou logo jeito e levou Josefa e os gêmeos para viverem na sua casa em Mata Doce.

— Lá tu vai viver melhor, tem a professora Mariinha, neta de Eustáquia da Vazante, que foi quem de nós primeiro carreou liberdade — completou a juíza.

Assim Josefa Fontes chegou a Mata Doce, se afeiçoou ao lugar e passou a viver por lá, primeiro na casa dos Sales depois construindo a própria morada. Com brevidade veio a falecer, mas seus filhos não quiseram mais voltar para Santa Stella.

Filinha Mata-Boi e o roseiral eram sinais daquele lugar, eram registros dos caminhos da Velha Eustáquia, eram provas da coragem daquelas mulheres. Mas agora Filinha queria seu tempo de trégua. A chuva abria neblina melando o sábado. Alisando a cachorra, Filinha pensou que antes um sábado de chuva que um dia claro de sol a pino que te enche de esperanças à toa.

Ela se levantou e renovou as lenhas do fogo. Ainda não tinha dado meio-dia, ela ficaria ali dentro de porta cerrada e fogo aceso. Voltou ao banco, se enroscou entre a parede e o fogão e bateu na coxa para a cachorra subir. Chula se aquietou no colo da senhora, pensando que se Filinha Mata-Boi ainda pudesse ouvir as valsas de dança de Mané da Gaita, talvez vestisse de novo a felicidade.

5

Tempo de festa em Mata Doce foi o período da preparação para o casamento de Maria Teresa com Zezito. Naquele tempo o roseiral estava todinho enramado pela frente da casa, e Mané da Gaita, em companhia de Chula, tocava na porta, enquanto lá dentro as mulheres ajeitavam o vestido da noiva. Era a última prova, o casamento aconteceria no dia seguinte, no domingo. Tuninha chorava, da hora que Lai chegou com a roupa até aquele momento, de ver a filha vestida nos trajes do casamento.

Tuninha nunca havia estado tão próxima de uma noiva. Ela mesma nunca tinha se vestido assim. Seu choro cruzava olhar com Mariinha e as duas se emocionavam, as duas sabiam que chorar ali era muita coisa. Era inclusive respirar um alívio de que sua filha não ficaria desamparada após o acabamento delas duas que já iam para mais de oitenta anos e que vinham sentindo os cansaços do tempo.

Mata Doce estava em festa, o botequim de Jó Praiá tinha redobrado os litros de pinga. A professora Mariinha havia feito cinco formas de biscoito de goma para deixar servindo à vontade na sua casa desde sábado, dia da última prova do vestido, até o domingo todinho, quando ia ser o casamento.

Na frente da casa o tabuleiro de quebra-queixo de Mané da Gaita estava à disposição para quem quisesse doce. Zezito estava na feira de Santa Stella, mas podia, sem elas aperceberem, se apresentar e surpreender a noiva vestida de branco. Para isso não acontecer, Mariinha deixou Mané da Gaita de prontidão na frente do casarão. O pior que poderia ocorrer naquele dia, elas imaginavam, era o noivo ver a noiva antes do tempo ajustado. E Mariinha sempre tentava afastar toda má sorte da filha.

Mané da Gaita sabia que ninguém chegava de carro a Mata Doce sem antes ser anunciado pelo vento. Aquele lajedo era só paradeiro, e qualquer coisa mesmo de longe se ouvia ali. A simples queda de algum objeto naquela paragem era susto de cachorro latir. Zezito fora para a feira de Santa Stella no carro de Thadeu Fontes, que só voltava depois do meio-dia. E pelo brilho do sol não eram ainda nem nove horas da manhã. Ele então poderia ir no botequim de Jó aventurar uns goles. Era dia de prenúncio de festa e em Mata Doce nunca havia comemorações, então Mané da Gaita já quase sentia o gosto da quente descendo na goela. Mas Mariinha, muito viva como era, disse logo ao vendedor de doce:

— Mané, toque aí que minha filha já vai se vestir.

Mané da Gaita sabia que Filinha ainda estava na cozinha, com Lai, acabando de decorar os três andares do bolo. Mas tocou em obediência à professora e pelo meio das cantigas ia se distraindo dos anseios da cachaça, bem mesmo como era o plano de Mariinha.

Lai costurou e bordou o vestido e agora ajudava no confeito do bolo do casamento. Filinha tinha assado suspiro com raspa de limão para ornamentar cada andar. Estava como ela mesma gostava, capa crocante e derretendo na boca. As duas olhavam os três andares escolhendo por onde começariam a cobrir com os sacos de glacê branco nas mãos. Maria Teresa da Vazante sabia de confeitaria.

Mariinha e Tuninha fizeram de um tudo para que ninguém tivesse nada que dizer de sua filha, para que ela tivesse um futuro, pudesse fazer escolhas. Maria Teresa não fazia vergonha a ninguém. Havia tirado diploma de datilografia, aprendido bordado ponto de cruz, sabia fazer doces e salgados, pintura em tecido e cobertura de bolos de festa.

Terminaram a ornaria. As quatro mulheres estavam satisfeitas. Era sábado, seria um dia de felicidade. Lai nunca tinha visto um bolo bonito assim. Nunca havia estado num casamento. Foi o primeiro vestido de noiva que ela costurou para uma delas. Estava orgulhosa do seu serviço e da estima que as comadres e a afilhada demonstravam. Deixaram que ela, a madrinha de Maria Teresa, participasse efetivamente daquele momento, fazendo a roupa com a qual a menina delas realizaria o sonho de se vestir de noiva.

O bolo de três andares estava luminoso, todo encoberto com o glacê branco, gota a gota os bicos sendo postos pela noiva e a madrinha. A primeira base Filinha cobriu sozinha, Lai ficou observando como deveria deixar a mão na hora de apertar o saco para a saída do confeito.

— Vem, madrinha, faz agora.

Lai foi e cobriu o segundo andar com os pontinhos brancos.

"É quase mermo que costurar", pensou Lai, entregando o saco de confeito para que Filinha terminasse o terceiro andar.

— Mainha, traz os suspiros.

Mariinha estava na beira do fogão a lenha e foi atender ao chamado da filha e pegar os doces que estavam na despensa. Tuninha estava no quarto terminando de passar o vestido que a filha iria provar em seguida. Chula estava na porta da rua aos pés de Mané da Gaita, que seguia tocando. Na frente do lajedo se alastrava um paradeiro grande. Um silêncio tão largo. Mané começava a esquecer que era dia de festa e emendou uma cantiga de saudade. Da despensa se ouvia melhor o som da gaita. Mariinha reconheceu a cantiga.

— Sim! É de meu pai.

Era aquela mesma cantiga que seu pai tocava. Já nas primeiras notas ela reconheceu. A professora Mariinha sentiu uma dor. Uma fisgada entre o braço e o peito que lhe tirou na mesma hora o ar. E o que se ouviu foi o tombo do desamparo.

— Mamãe! Mainha!

Maria Teresa correu até a despensa. Encontrou a mãe envergada sobre a gamela de farinha, entre as mãos e os peitos os suspiros inteiros, nem quebrados nem amassados. A gamela havia sustentado a queda da mãe. A mãe tinha salvado os suspiros da filha.

— Mainha, Mainha, o que se deu?

— Nada, nada, toma os doces, termina o bolo.

Da porta, Lai encarou a comadre.

— Não foi nada, comadre, estou velha, tropecei — Mariinha afirmava e se ajustava.

Filinha entregou o doce a Lai e fez jeito de amparar a mãe. Tuninha chegou à porta da despensa e foi perguntando:

— Teresa, ouvi teu grito.

— Não foi nada, mamãe. Me assustei à toa.

Chula se remexia no chão, de barriga para cima girava para um lado e para o outro. Estava feliz. A cachorra estava feliz. Mané da Gaita riu de canto de boca com a ingenuidade da bichinha, largou aquela valsa triste e emendou uma cantiga animada. A dor no peito de Mariinha se aliviou. A velha passava a mão no peito e dizia:

— Minha filha, não foi nada, já disse.

Mariinha respirava fundo e olhava largo para a comadre Lai como lhe pedindo ajuda para acalmar a menina. Lai correspondeu e disse para a afilhada:

— Filinha, é a emoção do dia. Tua mãe tá feliz.

Mãe e filha se olharam e se puseram a chorar. Abraçadas, Mariinha sentia o cheiro da filha, alisava suas costas, passava a mão na cabeça da menina sem desajeitar o pano que cobria os cabelos enroladinhos em papelotes. Tuninha se achegou ao abraço beijando a testa da menina.

— Ei, não chora, meu amor, não foi nada, estamos aqui sempre com você.

Filinha abriu um sorriso largo e enxugou as lágrimas. Não podia deixar que as mães entendessem seu medo. Não queria que sentissem aquilo que a perturbava desde a infância, o medo da repetição da orfandade. Naquela véspera de casamento de Maria Teresa, Mariinha já chegara aos oitenta anos e Tuninha beirava os setenta.

Mariinha dentro do peito guardou a memória da fisgada daquela dor.

— Minha madrinha, o suspiro!

Lai estendeu a mão e Filinha foi arrumando em cada ponta do bolo três suspiros, imitando uma flor, a rosa branca. Ao final, três suspiros no centro do último andar. Nesse sábado a casa estava recheada pelo aroma das rosas. A planta tomava toda a balaustrada do peitoril. Mané da Gaita tocava com as flores em cima dele. Mariinha preparou um pires com biscoito de goma e um copo de café para o tocador. Mané parou a música e recebeu o doce. Já deviam ser dez e tanta da manhã, ele se alegrou. Chula se levantou na hora. Antes mesmo de beber um golinho do café ele jogou um biscoito para sua parceira. Ela comeu ligeira e ele alisou sua cabeça. Chula deitou novamente, agora na parte de dentro do peitoril, e ficou balançando as perninhas como se tocasse nas rosas.

Mané colocou a gaita no bocapiu a tiracolo, que ficava sempre pendurado no corpo para facilitar seus movimentos, ajeitou uma perna na muleta, descansou o pires na outra, se virou para ficar em frente ao lajedo e bebeu de pouquinho em pouquinho o café. O homem não tinha nem tanto interesse no biscoito, se alegrava mais em compartilhar o doce com a cachorra que em comer.

Não era tão fácil para Mané atravessar o lajedo, caminhar por cima das pedras, por isso ele gostava de fazer esse trajeto no quente do dia. Mané achava que o sol amaciava as estradas. E mais em Mata Doce as noites eram das assombrações. As pedras mudavam de lugar e os matos fechavam as estradas. Só homem de mistério, que gritava ao incompreendido, como era o caso do ferreiro Venâncio, podia caminhar por ali nas trevas. Venâncio era a aparição mais velha e mais jovem. Dominava os segredos das dobras da noite. Só Venâncio poderia viver a glória de caminhar por dentro das matas em noite de lua cheia sem se afundar nos abismos da beleza. As noites de lua cheia naquele lugar cobriam o mundo de paixão. Toda a gente, ao ver aquela luz acolhedora nascendo sobre si, começava a fantasiar caso de amor e desejo e, se não se segurasse forte em casa, se entregaria ao desaparecimento. O músico conhecia as artimanhas da natureza e, por isso, gostava mesmo de caminhar era na cegueira do dia.

Mané ia carregando suas marcas, uma gaita, um embornal, o caixote do quebra-queixo, uma muleta, uma perna que ia até o pé e outra que ia até o joelho. Era um músico afamado e um vendedor de doce adorado pelas crianças e pelas idosas. A casa da professora Mariinha era parada certa. Ali, Mané era recebido com honrarias e ainda tinha o jeito amoroso que Filinha tratava Chula. Mané da Gaita estava descansado. Nada de ruim podia acontecer naquele peitoril recoberto pelo roseiral. Levou o copo de café à boca e sentiu uma beliscada.

— Ah! Mardita.

Mané da Gaita apertou uma formiguinha entre os dedos. Já era. A mordida tinha se dado. Acabou o café, de tão adoçado havia atraído aquela cena traiçoeira. Agora ele ficaria com um pedaço da boca inchado e ainda tendo que tocar, e tocaria. Lembrou que no dia seguinte ali mesmo haveria quem lhe servisse cachaça e não café e se alegrou, mas voltou a pensar que ainda faltava para o meio-dia e achou de novo tão sem jeito ter dado a palavra a Mariinha de que ficaria ali de guarda para lhes avisar caso Zezito chegasse.

— É o que isso? Vocês não querem ver Zezito em chegada? — Mané perguntou a Tuninha quando Mariinha lhe solicitou o obséquio.

— Não é nada disso, Mané, é que não dá sorte que o noivo veja a moça de vestido de noiva antes do casamento.

Tuninha podia explicar mil vezes, ele só entendia que elas não queriam ver de primeira o noivo na chegada. Mas ninguém seguiu mais com aquela conversa porque o certo era que ele nunca diria não a nenhum pedido de Mariinha.

— Quer mais café, Mané?

— Quero!

Ele queria ter dito que preferia pinga. Mas sabia que pedir isso na casa da professora era briga. O povo de Mata Doce passa as vistas por cima para o entendimento que ali naquela casa mandavam as mulheres. Pois sabiam do gênio da professora Mariinha e de Tuninha, a travesti do lajedo. Ninguém em sua casa indagava nada sobre suas vidas. A menos que elas mesmas decidissem contar seus casos, e cabia a toda a gente apenas silenciar e ouvir.

Mariinha era a representante das mulheres da Vazante, as fundadoras de Mata Doce, desde quando tudo começou lá atrás com sua avó Eustáquia da Vazante. Ela só podia mesmo ser uma mulher de coragem, que tinha como Orixá de guia de sua cabeça Oxóssi, então Mariinha era o que era, valente e certeira em encantos.

Essa história era orgulho daquele povoado, todo mundo sabia o caso de Eustáquia, que em um verão de tempo passado havia fugido da fazenda onde vivia como cativa e chegado ali e se posto a trabalhar, a plantar feijão, mandioca e milho e carrear para vender nos arredores da localidade de Santa Stella. Dizem que nesse mesmo tempo chegaram os Sales, vindos de uma fuga da região do mar, e que ali se fizeram nas benesses da amizade. Eustáquia, junto com a fundadora da Casa de Oió, Agostiniana dos Santos, ficavam em Mata Doce na plantação e na adivinhação, que todo sonho delas se revelava verdade, enquanto os Sales caminhavam para fazer as vendas e para recolher mais gente a se atrever a atravessar liberdade naquele riacho.

Mata Doce tinha o rio Airá de água fresca e corrente lá pra depois do lajedo, depois da região da mata, vegetação que dava nome à comunidade. Aquele pedaço de mata atlântica era um lugar de chamar a atenção, que muitos desejavam, mas que nem todos dominavam os entendimentos de entrar e sair.

6

Mariinha sonhou com a chegada de sua menina antes dela aparecer. Foi num período de inverno, num sonho com sua avó Eustáquia da Vazante, que ela compreendeu o recado que receberia uma menina para criar e que essa menina deveria ser tratada com detalhes de cuidados e muita rosa branca pois era filha de Yemanjá Sabá. A Orixá estava retornando à família e devia ser cuidada com todo o zelo que lhe era apreciado. Mariinha acordou disposta a cumprir com o compreendido, mas preocupada, pois sabia que filhas de Yemanjá Sabá carregavam a sorte da reserva e da solidão.

— Mas deixa estar, minha senhora, eu entendi a importância do meu compromisso e viverei por ele. Viverei por alisar e acarinhar a minha única filha.

No dia que Tuninha entrou em casa com a criança pequenininha nos braços, dizendo que a havia encontrado perdida na roça das bananeiras, ela reconheceu ali sua filha, tomou a menina no colo, alimentou, banhou e disse à mulher que aquela seria a companhia delas, que viveria para sempre com elas e que lhes chamaria de mãe. E assim foi, ninguém nunca abriu a boca para contestar aquela história ou para requerer posse daquela criança que passou a ser mesmo a filha da professora Mariinha e de Tuninha da Vazante. A menina chegou sem fala. Viveu anos assim, foi muito trabalho que Mariinha fez para a voz da pequena apontar nascimento. A professora fez tudo com toda a devoção necessária. A felicidade maior era ela estar recebendo em sua casa e tendo aos seus cuidados aquela menina que se ligava a sua antepassada.

Nesse mesmo tempo de aparecimento de Maria Teresa, Lai chegou a Mata Doce. Chegou com o juízo alto. Suspensa da vida pela fome e pela miséria. Apareceu e foi acolhida naquela casa sob os mesmos cuidados com os quais as senhoras acolheram a criança. Desvendar ou não a chegada de ambas ao mesmo tempo era caso que ninguém quis narrar.

Com o tempo inicial passando e a menina sem falar, elas começaram a chamá-la de Filinha. O nome ficou. A voz da criança veio, mas sem nenhuma indicação de enredo anterior. Então Mariinha, em comum acordo com Tuninha, escolheu o nome de Maria Teresa para aquela criança, e a partir dessa decisão chamavam a menina de Teresa ou Maria Teresa e ela prontamente atendia. Menos Mané da Gaita, que já tinha pegado jeito em chamar a pequena de Filinha e assim ficou, e ele e toda a gente de Mata Doce chamavam Maria Teresa sempre de Filinha. Lai foi aprendendo a pegar gosto por aquela criança a partir do convívio com aquelas senhoras de sua devoção. Lai era mulher moça que não havia tido mãe e, portanto, a proximidade com Mariinha e Tuninha foi abraçando sua vida inteira.

Mané da Gaita, ali, naquela véspera de casamento, sentado em frente ao lajedo, tocando para distrair o tempo, se admirava da importância daquela sua posição de músico guardador da chegada do noivo. Mané nunca tinha visto uma noiva. Aquilo era um presente que ele nunca esqueceria. Chula se refestelava na vasilha de água fresca, Mané da Gaita chorava. Uma nuvem pequena passou ligeira cobrindo o sol, foi movimento suficiente para Mané se alertar, olhar o céu, ver que não era chuva, olhar o horizonte e não achar nenhum sinal da caminhoneta de Thadeu, como era mesmo o esperado àquela altura da manhã, e voltar a tocar.

As quatro mulheres abraçadas admiravam o bolo. Mariinha via a sorte de sua filha sendo doceira, ela tinha jeito para isso e agora com o apoio de Zezito poderiam até fazer encomendas e levar para Santa Stella. Mariinha sabia que Zezito não impediria sua filha de trabalhar, mas ficava cismada de o julgamento do povo influenciar o homem. Afinal, ele era filho da juíza.

Luzia Sales não estava mais por si. Ainda era viva, mas não era mais aquela mulher que um dia tinha sido. Havia ficado dela só a lembrança e a alcunha de juíza. Desde o regresso a Mata Doce a mãe foi paralisando. Aquela mulher grande de tudo mesmo que foi lugar de crescimento na vida agora vivia parada numa cama. As irmãs de Zezito eram como eram, tinham a fobia de sair para fora, mas dentro de casa davam conta de todos os afazeres e cuidavam da mãe. Fora de casa, de todo modo, restou ao menino mais novo assumir os cuidados da mãe, das irmãs e ainda mais da briga maior do povoado: o acesso livre às terras da beira do rio Airá.

7

As quatro mulheres entraram no quarto juntas para a prova do vestido. Tuninha de mãos dadas com Filinha, que segurava a mão de Mariinha, que era abraçada por Lai. Ao chegarem ao ambiente avistaram logo o vestido. O quarto era fresco, bem sombreado, ficava embaixo da cumeeira da casa. Era o quarto das senhoras, que preferiram arrumar tudo da noiva ali para oferecerem mais conforto à menina. E ainda porque o antigo quarto de Maria Teresa agora havia se transformado no quarto do casal Teresa e Zezito, que se mudariam para viver ali na casa da professora Mariinha.

— A casa agora é de vocês. É minha alegria, Zezito. Fica mais fácil assim. Essa casa é grande pra nós. E, meu filho, eu e Tuninha já estamos velhas.

Tuninha olhava para o noivo da filha com esperanças de que ele concordasse que vivessem ali, pois ela não saberia ficar em paz longe de sua menina. Zezito disse que sim, era o justo mesmo, era o melhor.

O quarto que foi de Filinha, que agora seria deles dois, ficava no corredor. A casa da professora Mariinha tinha três quartos. O primeiro junto da sala de entrada, com janela para o peitoril, o do meio, no corredor, e o de Mariinha e Tuninha, que dava para outra sala, antes da cozinha.

Para a manhã daquele sábado, dia da última prova, o espelho de corpo inteiro que ficava anexado à lateral do móvel da penteadeira ansiava pela visão da moça vestida em seu traje oficial. Tuninha tirou o mosquiteiro e deixou no lugar um cabide onde pendurou o vestido passado. A luz daquela hora da manhã, onze horas, entrava de viés por uma das telhas, batia no jarro grande, herança das mulheres da Vazante, que estava sobre a penteadeira carregado de rosas brancas, e iluminava o espelho, que fazia um reflexo direto no tecido branco do vestido da noiva.

A mocinha que elas criaram arrodilhada por rosas brancas agora iria se casar. Mães, filha e madrinha se emocionaram com aquela imagem. O vestido longo, comprido, era bem alvo, possuía um corte redondo nos seios, mangas curtas na altura dos ombros finalizadas por bordados, os mesmos que fechavam a costura da roda do vestido, que era todo por um, acinturado pela carreira de botões que fechavam as costas. O véu, que na parte da frente iria até o queixo, e nas costas até a cintura, estava sobre a cama. Filinha se sentou em frente ao espelho, as mães ao seu lado. Lai tirou o vestido do cabide.

Tuninha sugeriu que para que aquela prova fosse mesmo como seria no dia do casamento a filha tirasse por um breve momento os papelotes do cabelo e experimentasse também o véu. A mulher estava mordida pela ansiedade e emoção de ver a filha nos trajes que nenhuma delas havia vestido. Ela mesma daria conta de ajudar a colocar todos os papelotes depois. As três riram do desejo da mãe e Filinha começou a soltar os nós.

O cabelo ia ganhando volume e coroando a cabeça da noiva. Com um pente garfo Filinha foi dando formato aos cachos crespos que aos poucos iam se armando. As senhoras admiravam aquela criança que até já sabia se arrumar feito mulher. Lai a aguardava segurando o vestido aberto. Maria Teresa se levantou e entrou no que seria sua última prova. A despedida de um tempo para o começo de outro.

Com a ajuda da madrinha o vestido foi se ajustando ao corpo. Tuninha se emocionava mais e mais. Mariinha passou a sentir um formigamento no braço esquerdo e foi ficando calada. Foi crescendo uma preocupação de que aquela pontada no peito na despensa pudesse significar algum passamento ruim que estivesse por arrebentar dentro de seu coração. O vestido se fechava em vários botõezinhos. Lai havia forrado com brim branco engomado cada pecinha daquelas, bordado em pontos de cruz em formato de rosa cada casinha que receberia aqueles botõezinhos. E agora começava a fechar a ramagem que cobria as costas da cintura até o pescoço.

Mariinha sentou na cama, sentiu que precisava buscar ajuste para respirar. Mané da Gaita começou a tocar uma valsa triste. Aquilo fez Mariinha confirmar o que vagueava em seu juízo de recordação do seu pai, o músico José Vicente. A dor no peito da professora parecia mesmo que havia se achegado e que achava jeito de ficar.

— Mainha, busca um copo de água pra mim.

Mariinha se levantou. A música seguia. Parecia mesmo que era seu pai que estava na porta tocando para que ela fosse abrir. Mas seu pai não tocava gaita. Tocava sanfona. E agora o que ela ouvia era mesmo o som da sanfona. A Professora guardava uma mágoa de o pai haver ido embora. E pode ter sido esse o motivo do abatimento que levou sua mãe à morte precoce. Mariinha saiu do quarto e não virou em direção à cozinha, foi até a porta da rua. Precisava receber o pai. Ela havia podido lhe amar. Mas agora iria lhe abraçar por fim. Ralhar com ele pela ausência, rir da alegria de ver aquele sorriso negro em seu rosto. Mariinha caminhou leve, o peito não doía mais. Seu pai estava ali. Seu pai não haveria mesmo de lhe abandonar num momento importante como aquele.

— Essa é minha filha, meu pai. Olha minha filha, meu pai.

Foram essas palavras que Mariinha gritou no quintal no dia que chegou de Santa Stella com os documentos de adoção de Maria Teresa. Ela nem pensou que a menina não tinha o sobrenome do avô. Ela nem pensou que ela mesma não usava o sobrenome do pai. Caiu de joelhos na terra, chão que era de sua mãe, e chorou. A professora Mariinha guardava recordações encantadas do pai, mas nada definido. Eustáquia da Vazante nunca lhe narrou com definição esse caso. Dizia apenas que a mãe tinha morrido de paixão, quando ela era ainda muito menina, depois que o músico José Vicente havia partido para tocar e nunca mais regressou. Ela não sabia se o músico partiu antes ou depois do falecimento da mulher. Mariinha nunca perguntou detalhes à avó. Aquilo foi uma mágoa que a professora preferiu silenciar. Mas agora, com a chegada da velhice, com a experiência da maternidade, passou a se voltar a esses casos seus.

O cheiro da rosa invade suas lembranças, Mariinha está perto de abrir a porta da rua.

— Não é meu pai. Não é meu pai — pensa e deixa a mão cair sem abrir a porta.

— Mainha, a água! — Maria Teresa reclama do quarto.

Mané da Gaita segue emendando uma e outra valsa triste. Mariinha, ligeira, vai até a cozinha e volta com a água para a menina. Os botões chegam na metade. Lai aproveita cada momentinho daqueles para admirar seu serviço e ajustar algum ponto do bordado. Filinha bebe a água e devolve o copo.

— Eu vou ser feliz, num vou, Mainha?

— Vai sim, minha filha, vai ser feliz demais. Zezito te ama, Maria Teresa. — Foi Tuninha que respondeu.

Ela lança um olhar de repreensão para Mariinha. Tuninha lembra que a mulher tinha aquela cisma de que, por ser Maria Teresa filha de Yemanjá Sabá, não conseguiria se dar com entrega à felicidade. Olhou para Mariinha quase em súplica de que se livrasse definitivamente daqueles pensamentos.

Mariinha sentia que podia ser um carrego ruim para aquele momento da sua filha e fez jeito de se levantar e ir para a cozinha com a desculpa de que precisava ver uma panela que podia ter deixado no fogo. Mas a comida daquele sábado elas já haviam feito na véspera. Ao se levantar, Mariinha derruba o jarro de rosas.

O estrondo retumba como sino de igreja. Chula começa a latir e a arranhar a porta da rua querendo entrada no casarão.

— O que foi, gente? Se quebrou o que aí?

Mané da Gaita pergunta, mas nem espera resposta, a pausa na música o faz perceber que já está quase na hora do carro de Thadeu pintar horizonte e que por fim irá beber uma pinga em Jó.

Dentro do quarto Filinha ri para disfarçar a ansiedade e para aliviar a queda do vaso das mulheres do casarão.

— Mainha, a senhora está bem, é o que importa, foi só um susto, vidro quebrado é sorte. Foi alguma coisa ruim que estava por aqui e, ao invés de nos pegar, a bisa nos protegeu e a coisa pegou o vidro.

Mariinha finalmente respirou aliviada, haveria mesmo de ter sido isso. A bisavó da menina, Eustáquia da Vazante, haveria de estar ali com elas. Maria Teresa suspendeu o vestido para se mover e se certificar de que suas mães estavam bem.

— Não, não, não se mexe não — disse Lai.

— O jarro está inteiro! — gritou Maria Teresa.

— Prova que é forte — respondeu ligeira Tuninha para aliviar qualquer angústia de que a não quebra daquele vidro pudesse nevoar a noiva.

— Mainha, a senhora está bem, num tá? Senhora Tuninha e senhora Mariinha estão bem?

— Estamos, minha filha, estamos bem — responderam juntas.

— Vidro quando cai e fica inteiro é sinal de boa sorte — inventou Tuninha.

Lai segurava o vestido como podia para que ele não molhasse.

Nenhuma gota daquela água havia chegado perto do vestido. A herança estava inteira e daria para seguir sendo usada. Tuninha recolheu as flores e o vaso e já estava na cozinha o enchendo novamente com água. Mas dessa vez não levou para o quarto delas, mas para o dos recém-casados. Era justo deixar aquele jarro fresco de rosas perfumando o ambiente, que no domingo seria o cômodo da união eterna.

Mariinha entrava no quarto com pano de chão para secar a parte que ficou molhada. O derrame havia refrescado o ambiente. Chula latia tanto na porta que Filinha pediu que a deixassem entrar. Tuninha abriu e fechou a porta. A cachorra entrou e se deitou aos pés da noiva e ficou assim quietinha se aliviando do calor naquele cimento recém-secado. Mané da Gaita avistou um amarelidão no horizonte, deveria ser o carro de Thadeu se achegando, sua pinga estava quase na boca. O tempo mostrava presença e ajustava tudo como havia de ser.

Tuninha chorou de soluçar quando Lai fechou o último botão do vestido. Filinha parou defronte ao espelho vendo Zezito ao seu lado, arrodeando o braço na sua cintura e lhe cochichando ao ouvido:

— Nega, como tu é bonita.

Era mesmo que ela estivesse ouvindo a voz dele lhe dizendo isso. Teresa sorria e olhava para sua felicidade com doçura, encantamento e esperança.

— Oh, madrinha Lai, ficou bonito, num ficou?

Lai estava orgulhosa. Ela que havia feito aquela peça que encantaria qualquer um que visse.

— Isso é uma joia, Lai. Só podia mesmo ter sido feita por tu, minha comadre. Maria Teresa, minha filha, tu é a mulher mais bonita que eu já vi — Tuninha dizia emocionada e todas concordavam.

Lai estava muito feliz e se espraiava em satisfazer as comadres. Vivia sozinha ali naquele povoado para depois do lajedo e a professora Mariinha era o seu apoio, como era para muitos dali. A professora lhe havia ensinado a assinar o nome. Com muita emoção ela aceitou o título de ser madrinha da filha de Mariinha e de Tuninha. Agora a menina estava moça, na sua frente, vestida de noiva, como nenhuma delas nunca havia se vestido, pronta para viver a felicidade naquela peça que ela havia costurado e bordado.

Nenhuma das mulheres de Mata Doce havia se casado de papel passado. Nem mesmo Angélica, que veio da cidade.

— Preta também casa. Pode ter papéis. Um lugar nosso. Temos muitos direitos.

Lai ouvia e reouvia essas palavras de Mariinha, que sempre espalhou esperança para aquele povo. Era justo, naquele momento, que todos se unissem para fazê-la feliz. Que comemorassem com ela a festa do casamento da sua filha Maria Teresa com Zezito, filho da juíza dos Sales.

Lai queria dançar e dançaria.

— Oh, Mané, vem cá, vem tocar aqui, toca uma valsa de dança — Lai chamou.

Mané entrou pela cozinha, recostou na soleira da entrada da antessala que dava acesso ao quarto e começou a tocar. Maria Teresa levantou a pontinha do vestido e ensaiou uns passinhos de dança. Lai pegou Chula no colo e começou a girar. Tuninha chorava porque tudo era felicidade, e Mariinha, aliviada, se permitia aquele relaxamento pois queria acreditar que o derrame da água do jarro as havia livrado do mal.

No dia seguinte todo mundo estaria mesmo ali em comemoração, até duas das três irmãs de Zezito — duas porque uma haveria de ficar cuidando da juíza. Mata Doce estava em festa. O casamento se daria no peitoril recoberto de cachos de rosas brancas.

O roseiral sabia da importância daquele dia para Maria Teresa, filha de Yemanjá Sabá, e se enfeitou como nunca antes havia florido. Angélica, a irmã de Thadeu, ajustara com o padre de Santa Stella que viesse ao povoado em dia que não era de missa para realizar a cerimônia. E Américo aceitou, pois jamais negava um favor em benefício da professora Mariinha. Depois do casamento a festa se daria ali mesmo, no peitoril, quando o altar passaria a ser o lugar dos tocadores, Mané com a Gaita e Venâncio com a sanfona. Os filhos de Dinha de Jó haviam também preparado um número para a cerimônia. No dia seguinte a casa estaria cheia num entrar e sair de gente em comoção.

Mané da Gaita com o juízo na pinga seguiu tocando, para que Lai e Chula dançassem. Mas foi se ajustando com a muleta e voltando para a frente. Era o noivo chegar e ele penderia logo para a quitanda de Jó. Enquanto o músico se afastava, Teresa ouvia com mais nitidez a voz de Zezito lhe dizer ao pé do ouvido:

— Nega, como tu é bonita.

— Madrinha, Zezito já está por chegar. Coloca logo o véu pra gente terminar essa prova que quero correr pros braços de meu noivo assim que ele apontar na estrada.

Lai foi pegando o véu na cama quando Mariinha, com os olhos alagados, disse:

— Deixa, Lai, deixa pra mim — e com o filó nas mãos foi até a menina. — Abaixa a cabeça, minha filha — todas sorriam e choravam. — Agora deixa eu te ver, deixa — e suspendia o queixo da moça.

Mané da Gaita já havia alcançado a frente da casa e sentado no peitoril. Chula estava de pé ao seu lado. Mané aprumou as vistas e voltou a ver um sinal amarelo no horizonte, que dessa vez veio acompanhado do som de um carro se aproximando. Eram eles.

Mané viu a cabine amarela da caminhoneta de Thadeu vindo, e ao fundo um carro branco.

— Afinal a professora tava mesmo certa, eles saíram de lá antes do meio-dia — Mané falou para Chula, que correu para o casarão, atravessou a porta da cozinha e ficou aos pés de Maria Teresa como que para lhe avisar da chegada do noivo.

A cabeça de Maria Teresa estava coberta com o véu. Foi com as vistas embaraçadas pelo filó que ela ouviu a aproximação dos carros, os disparos e o aviso de Mané da Gaita:

— Mataro! Mataro! Mataro Zezito!

Maria Teresa da Vazante correu para a porta da rua de vestido de noiva e véu. Mané da Gaita não parava de gritar:

— Mataro! Mataro! Mataro Zezito!

A menina tentava girar a tramela para abrir a porta.

— Não! — foi o grito de confirmação da cena que a noiva viu ao abrir a porta.

Ouviu-se o desmoronamento de Teresa, que correu da casa para a beira da caminhoneta onde, ajoelhada, arrastava o corpo de bruços de Zezito, ainda quente, para o colo. O sangue que o vestido de noiva absorvia caminhava pelo tecido abrindo geografia de pena.

— Não! — ela gritava segurando e tentando reerguer aquele dia quente de sol a pino.

Ao longe se via uma grande nuvem de poeira arribada pela fuga do carro branco do assassino. A areia desenhava no ar uma ave imensa que cobria o céu em carne viva.

Thadeu olhou no relógio de pulso e era meio-dia em ponto. Atinou força, desligou o carro e desceu, se jogando no chão com as mãos na cabeça. Ao seu lado, o tocador de gaita, as mães da menina e a madrinha. O animal de areia e vento revoava, empestava o ar de cheiro forte de carniça.

— Não! — a noiva gritava e abraçava aquele desgosto.

O grande animal surgido da areia e do vento violentados pela fuga do matador pousou ao seu lado, cheirou seu corpo vivo. Assombrou todas as almas que ali presenciavam aquele acabar de esperanças. No chão, a ave parecia um boi. Mariinha e Tuninha se arrastaram até a menina. Queriam cobrir o corpo da filha e protegê-la do que elas ainda nem entendiam.

Abraçaram Maria Teresa, que abraçava o corpo de Zezito.

— Quem fez isso? — Mariinha conseguiu gritar.

O animal se afastou. Mané da Gaita buscou jeito de puxar a muleta, se colocar de pé e anunciar:

— Foi Gerônimo que matou o menino.

Thadeu confirmou com um gesto de cabeça e acrescentou:

— Certeza que foi pelas brigas da terra do rio.

8

Naquele instante, a assombração, formada de areia e vento, em parecença de boi, não estava mais entre nós. Tampouco Zezito.

II
MÁQUINA DE ESCREVER

1

Do casarão da professora Mariinha, Mané da Gaita viu a caminhoneta de Thadeu fazer um ponto amarelo no horizonte e se alegrou pensando que talvez ali viesse alguém que compraria um troço de quebra-queixo. Maria Teresa estava atenta àquela chegada pois Zezito voltava da feira. Fazia uma semana que ele lhe havia pedido em casamento e todo o tempo agora era de ansiedade para a festa de união que se daria dali um ano. O carro parou defronte ao lajedo como de costume.

Teresa já esperava na porta junto com Mané da Gaita e Chula, que latindo e correndo logo se aproximou do carro. Tuninha roçava uns matos na beira do roseiral e Mariinha diminuía a brasa do fogo.

Zezito desceu do carro com um grande embrulho, que foi logo apoiando no batente do peitoril, e voltou para pegar os embornais que Venâncio ia lhe entregando da carroceria. Filinha ajudava o noivo. Mané da Gaita passou a tocar uma valsa doce na intenção de vender seu quebra-queixo. Thadeu, da boleia, alisava a cabeça de Chula, que pulava na porta do motorista. Angélica Fontes, que também vinha com o irmão, cumprimentou Maria Teresa. Tuninha e Mariinha apareceram no passadiço, cumprimentaram os recém-chegados e lhes sugeriram que descessem e aceitassem um café com biscoito de goma.

Os gêmeos dos Fontes, Angélica e Thadeu, eram do carinho das senhoras do casarão. Mariinha se aproximou ainda mais deles após a situação que os deixou em orfandade. A professora e Tuninha deviam a Josefa, mãe dos gêmeos, aquele retrato em que apareciam juntas como casal, cercadas pela filha, a cachorra Chula e sinais de Mané da Gaita, todos defronte ao casarão coroado pelo roseiral. Mariinha tinha esse retrato como peça de elevado valor. A senhora lembrava do dia que Josefa chegou à sua porta na companhia do retratista.

— Professora Mariinha, ô de casa, boas tardes.

— Boas tardes, se aproxime, pode chegar.

— Professora, este aqui é o retratista que lhe falei. Ele já fez as fotografias dos meus filhos e tem um pouco de pressa. Expliquei a situação, e ele sabe que a senhora pagará por apenas uma pose.

— Sem problemas isso, dona Mariinha — emendou o retratista. — Vamos caprichar nessa pose de sua família. A senhora terá um lindo registro e lhe agradeço pela atenção em me confiar o serviço.

As senhoras já estavam aprumadas. Mariinha queria aquela recordação de prova dela com a esposa e a filha, além de Chula, o roseiral, o casarão, sua vida. Tuninha luzia elegância num largo chapéu. Todas ficaram paradas defronte ao casarão. O retratista armou o equipamento e o estralo aconteceu. Tempos depois as imagens chegaram pelas mãos de Josefa. Ao abrir o envelope aquele riso, aquele encantamento. No retrato, ao verso, a assinatura do artista.

Assim Angélica e Thadeu eram sempre muito bem recebidos. Sabiam da tradição de parar na casa da professora para tomar café e comer biscoitos, mas toda a gente de Mata Doce também compreendia que voltar da cidade tinha suas urgências.

— Desta vez não, professora, na próxima é certeza — Angélica disse e logo emendou: — Seu Manuel, traga aqui um pedaço desse quebra-queixo pra meu irmão.

Os pertences de Zezito já estavam sobre o batente. Mané da Gaita tirou um troço do doce e recebeu as moedas de Thadeu. O carro deu partida e todos os olhos e ouvidos o acompanharam até passar pelo lajedo e chegar à estrada de terra fininha quase laranja que levanta desenhos de sol no ar. Thadeu passou nesse trecho bem devagarinho para não levantar fantasia. Da casa da professora Mariinha só se viam os carros que desciam até esse ponto do encantamento. Depois sumiam.

— Adivinha o que é isso aqui?

Zezito ainda na frente do casarão ficou segurando um objeto todo enrolado num pedaço de coberta dorme-bem esperando a resposta de Maria Teresa. Tuninha estava ao lado da filha. Mariinha, já dentro da casa, abriu a porta da rua.

— Entra, entra, Zezito. Pode entrar.

Chula atravessou as pernas e se deitou num tapete da sala que ficava entre um sofá de três lugares e uma poltrona. O sofá tinha braços de madeira e estava forrado com um tecido de remendo de pano com bico de crochê de cordão.

— Licença.

— Zezito, entra — Mariinha repetiu enquanto abria duas janelas.

Mané da Gaita ficou sentado no passeio, recostado na soleira da porta. A sala arrumada com duas poltronas e um sofá era decorada com plantas dispostas em latas forradas com páginas de revistas e jornais e suspensas em aparadores de ferro. Outras maiores ficavam direto no chão, sobre um pedaço de adobe. Mariinha e Tuninha ocupavam as poltronas. Teresa se sentou na ponta do sofá na beira de Chula.

— O que é isso, Zezito? — a menina perguntou feliz.

— É um presente, Teresa, num vê? — quem respondeu foi Tuninha.

— Nega, é pra tu. Mas primeiro adivinha o que é. O que tu mais quer? — disse Zezito, apaixonado.

— Nosso casamento — respondeu a noiva.

Do lajedo se ouviram as risadas, pois aquelas pessoas entendiam que isso já fosse dela. A vida daquele homem era inteirinha de amor a Maria Teresa. Então isso aquele presente não poderia ser. Chula, de barriguinha para cima, girou de um lado para o outro como se estivesse rindo do tempo que só passava.

— Nega, é teu presente pelo diploma de datilografia.

Tinha um mês que Maria Teresa da Vazante havia tirado o diploma. Mariinha e Tuninha fizeram de um tudo para que a filha conseguisse aquele curso. Mariinha, por intermédio de Angélica, que ainda ia à cidade, arranjou uma vaga com desconto no Sacramentina e Silva, pelo vínculo que tinha com a instituição, e fez a matrícula de Maria Teresa, que todo sábado, por seis meses, carreou até Santa Stella para comparecer às aulas.

Esse foi um período difícil e de muita privação para todas elas, porque além do preço do curso tinha o transporte, que elas pagavam para Thadeu. E todo sábado ajeitavam a menina para a viagem, que a filha delas não poderia passar vergonha.

A angústia de esperar a manhã do sábado inteira, com a menina indo e voltando sozinha, as castigava. Toda madrugada, antes de o carro partir, Mariinha fazia centenas de recomendações a Thadeu para que ele não viesse embora sem Maria Teresa. A senhora tinha confiança nele, existia aquela união entre os Fontes e as mulheres da Vazante, mas a professora não conseguia controlar seu medo. Durante os seis meses que o curso durou, a mãe agoniava o motorista com advertências e precauções.

— Não, eu não acredito — Maria Teresa trocava olhares de felicidade com o noivo e as mães. — Será aquilo, mainha? — a menina estendeu o braço para segurar a mão de Tuninha.

— Abre, nega! É tua! Foi um trabalho danado de conseguir, desde antes do teu curso acabar que venho fazendo esse plano — os olhos do noivo dançavam como o alívio de chuva que cai em tarde de sol refrescando a areia.

Mané da Gaita achou bonito tocar uma valsa doce naquele momento. Com a porta da casa aberta, o cheiro das rosas adocicava ainda mais o ambiente. Maria Teresa foi descobrindo, descobrindo, abrindo o que estava guardado naquele embrulho de coberta.

— Sim! É uma máquina, mamãe!

O vento trouxe um som de rodas e se viu um carro branco parar na porta do casarão. Maria Teresa cobriu a máquina com ligeireza. Chula começou a latir. Mané parou a música.

— Zezito, aparece se tu for homem! — gritou Gerônimo do volante.

— Mas era só isso que faltava pra eu ser homem? Se for, estou aqui — respondeu Zezito se encaminhando na direção da janela do motorista.

Todas as bocas caíram na risada. Ao lado de Gerônimo estava Prenda Maria de Sá Gonçalo Amâncio, que, ainda rindo, desceu do carro e foi direto arrancar cachos de rosa. Gerônimo estendeu o braço para fora e apertou a mão do rapaz, que lhe respondeu ao cumprimento.

— Por que não me esperou pra voltar comigo da feira? Ficar indo pra cidade com aquele avariado. Isso lá é jeito? — Gerônimo falou.

— É que sou macho valente pra andar com qualquer um — Zezito respondeu, e as risadas não cessaram.

— E Filinha gostou do presente? — perguntou Prenda Amâncio, já regressando ao carro carregada de flores.

— Querem entrar pra um café? — disse Mariinha, desejando que aquelas rosas retiradas sem seu consentimento, nem ao menos um pedido, furassem os dedos da esposa do Amâncio até sangrar.

— Uai! Que isso não é espinho, é faca! — gritou Prenda.

— Professora, a senhora sabe que consideração aqui só tenho pela senhora, mas agora essa mulher tá doida pra chegar em casa e eu pra tomar uma pinga. Café agora faz até mal — Gerônimo respondeu enquanto ligava o motor do carro.

— Ela gostou sim — disse Zezito.

— Amei! — reiterou Teresa.

— Que presente? — Gerônimo quis saber.

— Comprei uma máquina de escrever pra Maria Teresa, que agora tem diploma de datilografia — orgulhou-se o noivo.

— Uma máquina de datilografia velha, isso lá é presente! — Gerônimo gritou a ofensa, apertou a buzina e seguiu seu caminho, arrastando terra e levantando um vendaval após passar pelo lajedo.

Todas as caras se reviraram para o desejo do esquecimento daquele breve desgosto. Repugnadas, se voltaram a suas vidas, tentando se espraiar daquele mal. Maria Teresa ficou envergonhada pensando que o noivo sempre fazia de um tudo por ela, a ponto de se expor àquela humilhação. Buscar na cidade entre os ricos quem tinha uma máquina de datilografia usada para vender era uma larga declaração de amor. Porque seria impossível para aqueles amantes a compra de uma máquina nova.

Tuninha fez sinal que Mané da Gaita arrodeasse para o quintal e começou a fechar a frente da casa. Na sala, quase escurecendo com o fechamento das janelas e portas, Teresa pegou as mãos do noivo e lhe disse:

— Eu te amo. Amo seus gestos de beleza.

Zezito desejou abraçar forte a noiva, sentar no sofá e chorar. Mas não teve tempo dessa queda. Mariinha estava atenta a seus movimentos na sala com luz diminuta. Teresa desenlaçou suas mãos, pegou o embrulho e foi descansá-lo na mesa de refeição. Zezito chegava na cozinha com as bolsas da feira. Algumas daquelas coisas ficariam no casarão e outras iriam para a casa de sua mãe. Maria Teresa, com todo o cuidado, desembrulhou o presente para o deixar a olhos vistos. Era uma malinha verde. Dentro estava a máquina. Zezito tirou do bolso duas caixinhas com fitas de máquina de escrever e as entregou à noiva. Maria Teresa tinha os olhos banhados d'água. Depois do pé de rosas brancas, essa era a melhor coisa que já havia ganhado.

— Eu sempre vou te agradecer!

O noivo era todo contentamento, mas precisava logo seguir para casa, iria almoçar com as irmãs e com a mãe. Todo sábado Zezito precisava voltar para a família. Teresa já entendia isso e sabia que mesmo depois do casamento, quando estivessem vivendo juntos ali no casarão, seu marido precisaria ir, aos sábados, almoçar com a mãe e as irmãs. Maria Teresa já era conformada com isso.

O menino levantou os embornais e seguiu caminho pelo fundo do casarão. Zezito morava logo depois do lajedo e a pé ele trilhava cortando caminho ali por trás. Logo apareceria na porta da cozinha de sua casa. Maria Teresa ficava olhando o noivo virar naquelas curvas entre as árvores e seguir sina.

Essa ladainha de chegar em casa no sábado era cisma de Carminha Sales, a caçula das três irmãs. Nininha, como era chamada, não vivia se não tivesse notícias do irmão, principalmente nesse dia da semana, que marcava o desaparecimento do pai. Nininha e Zezito ainda se recordavam disso e de tudo que mais ninguém lembrava que eles tinham vivido na cidade grande. E ninguém teria lembrado que pais podem sumir num sábado se Nininha não houvesse carregado com ela aquela cisma de ficar em frente à mesa do santo, ajoelhada, de terço na mão, em prece pelo regresso do irmão.

Ele lampejava na porta do quarto do santo. Ela soltava um suspiro:

— Louvado seja Nosso Senhor Jesus Cristo, que para sempre seja louvado. Amém.

— Essa invenção de Nininha é pra não fazer nada dentro de casa. Quem num sabe? — dizia Nalvinha, a irmã mais velha. — Tá aí prostrada desde que tu saiu. Eu disse, num disse, Zinha? Eu disse: que mal há de passar a Zezito?

Zinha, a irmã do meio, estava no quarto dando comida para a mãe, a juíza Luzia Sales, que já não vivia por suas próprias vontades.

— Zezito, tive que dar comida a mamãe porque estava tarde. Tu me desculpa, irmão?

Zezito beijou a cabeça de Zinha, beijou a cabeça da mãe e foi se sentar à mesa. Nalvinha entregou o prato de almoço do irmão já pronto e chamou Nininha.

Era meio da tarde de sábado, e Maria Teresa seguia na cozinha pois havia decidido fazer um bolo para presentear o noivo e sua família em agradecimento ao honroso presente. Àquela hora, Mariinha e Tuninha já estavam descansadas dos serviços da casa e só faziam companhia à filha. As duas senhoras sentavam juntinhas no banco na beira do fogão a lenha. Era ainda finalzinho do inverno, o frio castigava suas juntas, os joelhos e ombros doíam. Maria Teresa havia trazido de Santa Stella para as mães meias grandes que cobriam até os joelhos, mas Tuninha não quis usar. Mariinha estava com as suas. As duas, de vestido floral e casacos de lã até o meio das pernas, se aninhavam ainda como no tempo da mocidade, no começo do namoro. Teresa achava bonito que o amor das duas fosse assim estendido no tempo e pensava que ela também viveria algo tão grande com Zezito.

Maria Teresa precisou de limão e foi ao quintal. Não havia nenhum fruto maduro nos galhos de baixo. Então Filinha puxou um de cima, e gotas geladas caíram sobre seu rosto. Era comecinho da caída da tarde e a librina já intensificava. As mães na certa cochilavam na quentura do fogão, pois se estivessem despertas já teriam gritado que passasse para dentro de casa, que saísse daquela friagem. Maria Teresa esfregou a mão no rosto para se livrar do frio e pressentiu o vulto de um boi. Passou a mão novamente na cara para aprumar as vistas e não viu mais nada.

Ali, no lajedo, elas não tinham bois. Quem criava boi em Mata Doce era Gerônimo Amâncio. Filinha, como se estivesse precisando se proteger, buscou um objeto para se defender e lembrou da faca de corte que a mãe, Mariinha, deixava guardada embaixo da bacia de alumínio no pé de ingá. Sem pensar se estava ainda vendo ou não um bicho, Filinha desemborcou a bacia e levantou a faca. Trovejou.

2

Chula passou correndo para dentro da casa e se resguardou embaixo do sofá. No terreiro, em frente ao peitoril encoberto pelo roseiral aberto em cachos, sob a conivência de todas as pedras do lajedo, o vestido de noiva já estava lavado em pena, todo enramado de sangue e areia. Ali, naquela altura do sábado, sob o sol a pino, ninguém duvidava da morte de Zezito.

Maria Teresa esfregou o rosto para se livrar do suor quente, levantou correndo e, ensanguentada, foi até o pé de ingá, desemborcou a bacia e pegou a faca, sustentando-a no punho. Depois, voltou para perto do corpo de Zezito e por uma pausa que pareceu uma vida todinha ninguém teve coragem de mexer naquela ferida. Maria Teresa de pé, ao lado do corpo do amor assassinado, de vestido de noiva mapeado em sangue, arribava uma faca de corte agigantada contra o tempo.

A professora Mariinha foi a primeira que pensou que precisaria fazer algum movimento de continuação da vida. Mas o quê? A dor era uma falta de desejo no juízo que paralisava qualquer impulso. Junto ao corpo todos os vivos gelavam.

— Thadeu, Lai, me ajudem, vamos colocar Zezito no carro. Tuninha, segura Maria Teresa, corre pra dentro de casa e fecha tudo.

Cada ordem que ela dava era pensando na menina. Queria livrar a filha daquela cena. Tudo o que sempre quis tinha sido livrá-la daquela sorte de solidão, e havia falhado. Eram esses os pensamentos que começavam a se amuar em seu juízo.

Quando o corpo de Zezito estava na caminhoneta, Maria Teresa subiu e segurou a cabeça do noivo no colo, como se com esse movimento ele fosse voltar a respirar. A pena foi tão grande que as mães não a interromperam, e o carro partiu para Santa Stella com Mariinha na cabine e Lai, a noiva e o noivo na carroceria.

O vento quente arrepiava ainda mais o corpo e o véu arrastava a cabeça da noiva. A ventania queria levar a rosa, mas Maria Teresa pouco sentia a velocidade. Com a cabeça de Zezito ao colo, ela apenas o via sorrir. Aquela era uma intimidade à qual ele poucas vezes havia se entregado. Lai deu um jeito de amarrar o véu na altura do queixo da menina, como se fosse um lenço que mantinha a cabeça coberta e protegia a noiva das lapadas do tempo.

Maria Teresa estava séria, quis chorar, sentia o cheiro da umburana do dia quando sustentou pela primeira vez a cabeça de Zezito ao colo. Não havia sido naquele carro em movimento, mas embaixo de um pé de umburana carregado de florzinhas brancas que acamavam de aroma o chão. Maria Teresa estava sentindo o mesmo cheiro. Esperava que essa memória pudesse lhes salvar, mas o odor de sangue e terra e suor varria todas as flores. Filinha insistiria com sua memória e para sempre traria Zezito para perto de si.

Naquele dia, Maria Teresa tinha soltado o lenço azul que segurava o volume do seu cabelo num laço, o colocara sobre o colo e dissera ao namorado:

— Deita aqui.

Zezito olhou a namorada ali entre aquelas florzinhas brancas de umburana. Sua saia vermelha avivava o chão. Tinha receio de colocar seu ouvido no tempo daquela pausa e perder o controle do mundo. Se curvou assustado, sentou sem jeito, com receio abaixou o corpo e se entregou ao mar. Pousar o ouvido no colo da amada foi como escutar um mugido guardado entre movimentos de águas e ventos. O rapaz ouvia a concha e pela primeira vez quis se perder de si mesmo.

Com carinho, Maria Teresa foi buscando um jeito de abrir caminho com seus dedos naquela cisma de história guardada. No colo da amada, na suspensão da dor, sentia como se quem repousasse não fosse ele, mas seu pai. Zezito fechou os olhos e sentia prazer na memória dos cortes no rosto que ardiam quando o suor passava ao cavalgar por entre a caatinga com o pai, o vaqueiro João Sena. Ele era menino, o pai o segurava na frente da sela. O cavalo corria adentrando o labirinto branco de galhos secos da caatinga. Os homens eram riscados por espinhos e ventos e corriam com o animal, fazendo vida daquelas feridas. Na boca de retorno ao mundo as mulheres choravam pela graça alcançada de ver maridos e filhos de volta. Os feridos riam. Aquilo era uma das tradições da vaquejada. João Sena desaparecera. Zezito guardava a dor do sumiço do pai e por isso não gostava de descansar. Porque toda pausa lhe parecia o momento de ouvir a chegada do incompreensível.

João Sena era filho de Manuel Querino, o poeta sonhador, o guardador de mapas. Homem de leitura e de escrita. O vaqueiro um dia partiu para a cidade grande, levando junto os dois filhos menores, Zezito e Carminha. As crianças ficaram no meio da praça vendo o pai ser arrastado por enxames de policiais. Carminha segurou a mão do irmão e pensou que aquela desaparição era coisa do dia da semana, e que num sábado o irmão também poderia nunca mais regressar, como o pai. Será que ele virou corpo afogado nos ferros da cidade grande? As duas crianças não tinham respostas.

— Uma mulher que voltava para Santa Stella nos devolveu pra mamãe — Zezito seguia a prosa com Maria Teresa.

— Ela encontrou vocês na praça?

— Não lembro mais. Só sei que nos trouxe a Santa Stella e mamãe chorou. E foi aí que voltamos a morar em Mata Doce. Mamãe deve ter ficado com vergonha do sumiço de papai.

— Zé, mas procuraram teu pai na cidade grande?

— Devem ter buscado.

— Zé, eu não entendi como ele desapareceu.

— Nem eu.

Maria Teresa parou com aquelas perguntas e voltou a abrir caminhos com os dedos por entre os cabelos do namorado. A umburana dengava o ar. Uma lágrima, que nem era choro, mas descanso, umedecia seu colo. Ela deixava cair.

Agora Maria Teresa segurou a cabeça de Zezito e voltou a sentir a terra, o sangue, a morrinha, e voltou a envergar a cara. A caminhoneta de Thadeu seguia na rodagem, Mariinha tentando orientar um destino. Em Santa Stella, a parada no pronto-socorro, o corpo morto, o óbito oficial da boca daquela legião estrangeira. O retorno, a solidão e o silêncio.

— Mataro Zezito! — Mané da Gaita ficou na porta do casarão, gritando e suspirando quando a caminhoneta partiu.

Tuninha se prendeu dentro de casa. Trouxe um machado para perto de si e pensava como iria na casa da juíza comunicar o acontecido. Mané, por fim, tomou a direção da quitanda de Jó. Chula seguiu Mané. Tuninha fez força no pensamento e se ergueu em coragem. Foi cega de tudo até a casa dos Sales.

— Ô de casa!

— Quem é?

— Nalvinha? É Tuninha.

— Senhora Tuninha, o que se deu? O que se passou? E essa cara? Entra, entra, vou pegar um copo d'água.

O copo caiu na cozinha e se ouviu o grito da irmã acompanhado com choro.

— Foi alguma coisa com Zezito? — quis saber Nalvinha.

Zinha estava no quarto da mãe. Carminha de joelhos em frente ao oratório. A juíza, como morta.

— Nalvinha, atiraram em Zezito, na porta lá de casa, na chegada da feira, em frente a Maria Teresa. Ela estava provando o vestido de noiva. Ficou tudo melado de sangue.

A força. Os gritos. A tristeza. A incompreensão do canto dos ventos em alto-mar dentro da caatinga. O silêncio. A vertigem. O recomeço dos padecimentos. O tempo em vai e vem como ondas.

— É mentira, isso não se deu com nosso irmão, é mentira, é mentira, é mentira — Zinha gritava do quarto da mãe.

A juíza abriu os olhos e se sentou na cama. Estendeu os braços, a filha se deitou em seu colo.

— Onde está meu irmão? Cadê o menino? Cadê? — Nalvinha gritava e chorava.

Tuninha chorava muito, sem braços para segurar aquela história.

— Foram no carro de Thadeu.

Ouviu-se o tombo. Carminha em convulsão se debatia no chão. Tuninha e Nalvinha foram socorrer a menina. A juíza ordenou:

— Tragam minha filha pra minha cama. E busquem correndo um vestido branco pra ela.

Deitaram Nininha na cama da mãe. A proximidade ao cheiro dela foi segurando suas forças. Nalvinha trouxe o vestido e trocaram a roupa da irmã. Zinha foi ao quintal recolher brotos de laranjeira e de pronto voltou pra cozinha.

Agora na sala, Nalvinha chorava abraçada a Tuninha.

— Quem fez isso com meu filho? — a juíza questionou.

Tuninha foi até a porta do quarto.

— Juíza, estão dizendo que foi Gerônimo.

— Como?

— Estávamos dentro de casa, no quarto, fazendo a prova do vestido de noiva, e ouvimos os tiros e os gritos de Mané da Gaita.

— Ele viu?

— Viu.

— Ele viu quem atirou?

— Ele disse que foi Gerônimo.

— Como foi que isso aconteceu?

— Eu não sei. Não sei lhe dizer.

— A senhora não estava lá?

— Eu estava, como lhe disse, em casa, no quarto, fazíamos a última prova do vestido de Maria Teresa — pausa. — Ficou todo banhado em sangue — choro.

— Onde meu filho estava?

— Estávamos fazendo a prova antes dele chegar. Mané ficou na porta pra avisar quando eles chegassem.

— Eles?

— Mamãe, Zezito estava na feira com Deu — Nalvinha falou como se a mãe tivesse acabado de voltar de uma viagem e precisasse ser notificada dos movimentos dos filhos com precisão.

— Deu viu quem atirou?

— Na certa viu. Ele estava com Zezito. Tinham acabado de chegar, nos apressamos ainda mais quando ouvimos o carro se aproximando pra desvestir a noiva, mas aí vieram os tiros.

— Os tiros?

— Quando ouvimos corremos pra o terreiro. Maria Teresa abraçou o corpo de Zezito e viveu junto dele aquela corrente de sangue.

Na cena de sua dor, o vestido branco de noiva era todinho um mapa pintado de sangue, decorado com terra seca. Essas imagens não paravam de se repetir no juízo de Tuninha. Seria a primeira vez que ela teria visto uma delas vestida de noiva.

Na carroceria em movimento, Lai evitava olhar a menina. Talvez um jardim secreto sempre tenha existido entre ela e a afilhada. As nuvens corriam. O sol abria vida sobre elas e aquele defunto. Lai abandonou seus esconderijos e abraçou Maria Teresa, apenada daquela angústia. A caminhoneta de Thadeu rodava em sentido de retorno. Entrava em Mata Doce.

3

Era domingo, e o almoço na casa da professora Mariinha foi para comemorar o diploma de Maria Teresa. Estavam Lai e

Zezito. A menina havia concluído o curso de datilografia, mas ainda não tinha uma máquina, mesmo já tendo um diploma. Na hora da sobremesa Maria Teresa se levantou para trazer o pote de doce de leite que havia feito, e enquanto distribuía o doce a mãe lhe mostrou o quadro.

— Mainha!

— Mandamos fazer.

— Mainha, mas não precisava colocar no quadro.

— Precisava sim — Tuninha afirmou.

Ali estava o diploma da menina. Tuninha e Mariinha pararam na sala defronte ao quadro, orgulhosas da filha. Felizes da vida com o que vinham construindo com a menina. Lai admirava Maria Teresa não como madrinha, mas de outro modo. Zezito abraçou Maria Teresa e lhe deu um beijo na cabeça e ficou de mãos dadas com ela. O pensamento do rapaz era a máquina de datilografia com que ele, um dia, iria presentear a namorada. As senhoras seguiram para a cozinha e os deixaram na sala. Sentaram quase ao mesmo tempo no sofá. Um do ladinho do outro. Joelhos unidos. Teresa pegou o braço de Zezito e passou sobre os próprios ombros. Ele se ajustou ao movimento e a abraçou.

— É meu dengo?

— É sim.

— Preta, sabe aquele dia na umburana?

— Sim.

— Naquela noite sonhei com papai.

— Jura, Zé? E como foi?

— Não lembro, Teresa. Mas, sabe, eu nunca havia sonhado com meu pai.

— Faz um jeito de lembrar, Zé.

— Parece assim...

— Sim...

— Eu não sei dizer.

— Diz, dizendo…

— Tinha uma casa… nossa.

— Aqui em Mata Doce?

— Preta, era em outro lugar.

— Será que em Santa Stella?

— Outro lugar.

— Na cidade grande que vocês foram?

— Era outro lugar.

— Como era essa casa, Zé.

— Era diferente.

— Tuas irmãs estavam?

— Não, nega, estávamos apenas papai e eu.

— Zé, que arrepio. Não quero mais saber desse sonho.

— Nega — ele disse, rindo e abraçando ela ainda mais.

— Não quero mais essa conversa.

— Preta, que cisma foi essa?

— Cismei e pronto.

— Teresa, eu lembro que era como se morássemos dentro do mar. Apenas papai e eu.

— Acabou. Num já disse que não quero mais saber.

— Dengo.

Ele a puxou para ainda mais perto de si e ia falar mais alguma coisa quando ela lhe tomou a boca com um beijo.

— Que silêncio é esse aí na sala? — perguntou Mariinha.

— Mamãe, que silêncio — ouviu-se a risada dos namorados. — Estamos aqui numa prosa danada.

— É bom mesmo. O melhor é conversar.

Nisso se ouviu o som da gaita e do latido de Chula. A janela da sala está aberta e não demora em aparecer a figura de Mané.

— Arrodeia — Mariinha grita da cozinha. — Teu prato ainda tá quente.

O músico e vendedor de quebra-queixo tinha como certeza que todo domingo, ou quando a fome mais lhe apertasse, ele teria valida no casarão do lajedo.

— Boas tardes, professora e demais.

— Vem da quitanda de Jó, Mané?

— Venho não, professora. Vim dos Fontes. Eu tava trabalhano com Venâncio.

— Trabalhando ou abusando o ouvido do pobre — emendou Lai.

— Oia, professora, Venâncio diz que vai vir aqui pra escrever uma carta.

— Carta pra quem? — Lai perguntou e logo se recolheu arrependida por estar dando valia à conversa de Mané da Gaita.

O povo de Mata Doce considerava o juízo de Mané da Gaita igual ao de um menino. O homem de idade, que ninguém sabia de onde surgira, vivia de andar de canto em canto. Sabia tocar, entendia de fazer quebra-queixo, nada disso ninguém negava, mas o prumo de suas prosas todos colocavam em peso de leve medida. Tinha vez que, após Mané da Gaita contar uma história, muitos ali se viravam para Chula a pedir confirmação. E um tanto de gente conta que a cachorrinha, muito mais velha que Mané, confirmava ou desconfirmava seus casos. Essa cisma do povoado em nada incomodava Mané da Gaita, pois ele sabia que a valia do mundo estava mesmo na composição musical e no acerto do ponto do doce. Ele até achava era graça daquela pilhéria do povo gostar de buscar certezas e confirmações nas coisas.

— Mas ora, eu que vou lá saber pra quem ele quer escrever carta — respondeu Mané, rindo em si mesmo das suas desconversas.

E ficava por isso. Ainda mais se tratando de prosa com o nome de Venâncio. O ferreiro era homem de mistério. Corria na boca da noite de Mata Doce a lenda de que o ferreiro e fazedor de caixão era alma encantada. Venâncio morava no terreno dos Fontes, tinha um cantinho seu onde vivia e trabalhava com o ferro. Era o único ali que dominava aquela técnica. Qualquer pessoa ou encantamento que precisasse de alguma coisa ou algum acontecimento com ferro tinha que ir até ele. Vinha gente até de Santa Stella buscar encomenda. No sábado, dia em que Venâncio acompanhava Thadeu, quando chegavam a Santa Stella já tinha um amontoado de gente esperando por ele.

Thadeu tinha uma plantação e uma casa de farinha e, no tempo de raspar a mandioca, Angélica, sua irmã, ajuntava as mulheres. A casa de farinha ficava para dentro dos matos e tinha passagem pela casa de Venâncio, e era nesse tempo que mais se repetiam as histórias de assombração que envolviam seu nome. Ninguém queria ficar por último no serviço. A parte do trabalho na casa de farinha se completava com Deu e Venâncio, um colocando a mandioca no motor, o outro mexendo a farinha no forno. Às mulheres cabiam a raspagem da raiz e o cuidado com o ponto da puba. No tempo desses trabalhos quase toda Mata Doce se envolvia. Mané da Gaita e Chula eram mesmo a diversão de toda aquela gente. Tuninha é quem dava as ordens às mulheres. Angélica já tinha esse trato certo com a senhora. A professora ficava no casarão ordenando as coisas da menina. Nem Tuninha nem Mariinha queriam que Maria Teresa seguisse a sina das trabalhadoras da roça. Por isso que o aperto no peito das senhoras cresceu após o dia que presenciaram o aparecimento da Filinha Mata-Boi: não era aquele o destino que elas haviam cultivado para a filha.

Tuninha reprimia em si os pensamentos de Mariinha sobre a ideia de que Maria Teresa pudesse ter uma vida de solidão. Era um dia bonito de domingo, o casal apaixonado estava feliz na sala. Ela e seu grande amor estavam felizes na cozinha recebendo visitas, fazendo e ofertando bons alimentos. Tudo estava bem. Tuninha pensava e amansava seu pavor. As duas amantes tinham uma conexão tão grande que da beira do fogão Mariinha sentiu a angústia apertar o peito da mulher e foi ao quintal colher um cacho de rosa branca, que ofertou à esposa na cozinha.

— Toca uma valsa de dança, Mané.

Mariinha fez o pedido ao músico e estendeu a mão para Tuninha. As duas senhoras se puseram a dançar na cozinha segurando o ramo de rosas brancas. Parece que à medida que elas dançavam o cheiro tomava o ar e acalmava qualquer premonição de fim de mundo. Zezito e Teresa chegaram e se puseram a dançar também. Chula pulou no colo de Lai, e aquela família ficou respirando alívio.

4

Amanheceu um dia bonito. O sol esquentava um arrepio na espinha que havia gelado o corpo de Mariinha naquele amanhecer. Era final de maio e o frio, o frio do tempo já dava sinais, mas não havia de ser esse o motivo daquele arrepio. Aquilo era algum aviso. Algum temor de suas ancestrais que em proximidade do seu corpo lhe davam um alerta. Maria Teresa chegou à porta e ficou de longe avistando a mãe. Mariinha pressentiu a presença da filha, mas deixou quedar, sem se virar logo para vê-la. Maria Teresa olhava a mãe regar umas plantas para lá do pé de rosa e notava um pesar. Mariinha olhou para a filha com um largo sorriso. A menina animava seus sonhos de futuro. Era sua vida todinha.

Naquele dia Maria Teresa abriria o serviço como datilógrafa. Estaria com o armazém pronto para quem quisesse algum serviço de escrita. A menina nem pensou em procurar trabalho na cidade. As mães já estavam velhas e se afastar delas não era uma possibilidade. E os dias passados em Santa Stella para tirar o diploma foram sacrifícios que ela não fazia questão de repetir.

Tuninha apareceu atrás da filha.

— Mariinha! — gritou a mulher e voltou a atenção para a menina. — Maria Teresa, eu quero te encomendar uma carta.

— Quando a senhora quiser, mamãe, a carta estará em suas mãos.

— Não, minha filha, eu quero contratar seu serviço.

— Mamãe, a senhora está querendo me dar serviço. Está com medo que ninguém apareça pra nada, senhora Tuninha?

— Não, não, não! Até porque vão aparecer. Estou apenas com essa necessidade e quero aproveitar o momento.

Mariinha entra na cozinha com um ramo fresco de rosas brancas e entrega a Maria Teresa.

— Bom dia, minha filha — elas se abraçam.

— Bom dia, minha mãe, a senhora dormiu bem?

— Dormi sim, e tu?

— Eu também, e acordei ansiosa. Hoje é o dia que abro meu serviço. E adivinha? Já tenho uma encomenda.

Tuninha e Mariinha riram juntas e se abraçaram. Maria Teresa buscou um vaso para as rosas. No casarão elas tinham um jarro de vidro que rememorava um tempo mais antigo que Mariinha. Talvez viesse da época da bisa Eustáquia. Afinal, havia mulheres vivendo naquele casarão fazia mais de um século e coisas do tempo de cada uma foram ficando. Maria Teresa preferiu não levar o vaso da bisa para o armazém. Queria preservá-lo para o casamento. A ramagem ficou enfeitando seu primeiro dia de datilógrafa.

O armazém ficava ao lado do casarão e era utilizado pelas senhoras para guardar algumas ferramentas e o material de quando Mariinha dava aula. As classes antigas da professora aconteciam ali mesmo antes do colégio Sacramentina e Silva contratá-la como alfabetizadora do povoado. A contratação fazia parte das ações sociais que a escola realizava na região de Santa Stella. Manuel Querino e Mariinha sabiam ler e escrever em português e latim. O avô de Zezito tinha aprendido as letras com Eustáquia da Vazante. Agora, na velhice, Mariinha ainda recebia uma pequena quantia da instituição pelos serviços prestados e por algumas traduções que vez ou outra ainda fazia.

Tudo naquele armazém foi reaproveitado. A mesa que a mãe usou por anos no trabalho com o ensino foi onde Maria Teresa colocou a máquina. Por encomenda das mães e desejo da madrinha, Lai fez todo o enxoval para decorar o ambiente. O armazém havia ficado um primor. Cadeiras para quem chegasse, com uma mesa pequena onde se poderia servir um café com biscoitos de goma ou oferecer uma água. Para essa mesinha, Lai teceu um pano verde com bico branco que fazia par com a toalha que cobria a mesa da datilógrafa, sobre a qual estava a malinha repousada. Ainda nessa mesa estavam dispostas algumas folhas de papel, um lápis, uma borracha e uma delicada toalha de secar as mãos. Na parede de trás, prateleiras com alguns livros, mais folhas em branco, envelopes e duas caixinhas, uma com fita reserva para a máquina e outra com rosas secas.

O espaço estava preparado com muito carinho para aquele dia de começo. Maria Teresa abriu a porta com as mães e ficou parada vendo como cada objeto ali era um sinal de amor. Foi até a mesa e deixou as flores. Fecharam a porta de novo e foram tomar o café da manhã juntas, como era costume. Mariinha estava muito feliz e por isso enjoava daquele arrepio na espinha que lhe gelava o respirar desde as primeiras horas da manhã. Tudo se aprontou. O dia se abriu. E a datilógrafa inaugurou a tenda de escrever e ficou à espera de quem fosse em busca de seus serviços.

5

Estou hoje voltando a estas memórias como se não fosse eu. Como se não tivesse vivido nada disso. Como se não fosse eu a estar aqui agora com meus noventa e dois anos, ainda na mesma máquina de datilografia — já que máquinas de datilografia não envelhecem —, a contar esses casos desconformes. É maio novamente, é sempre domingo, nunca é sábado, porque sábado não existiu, aqueles tiros explodiram meu dia e para sempre ficou sendo domingo. O dia do casamento, que foi dia de velório. Eu não queria voltar a estas memórias. Me sinto injusta ao querer deixar no mundo casos de morte. Vou até a porta, encaro o lajedo. Não como a Filinha Mata-Boi, mas como a jovem Maria Teresa que eu queria que tivesse vivido até hoje em mim.

Essa máquina ainda escreve. Eu ainda escrevo e, neste momento, rejuvenesço. Penso assim: será que sou Maria Teresa? Será que hoje é aquele primeiro dia que abri esse mesmo armazém e sentei nessa mesma mesa e cadeira a aguardar qualquer esperança? Não pode ser. Pois mamãe não está mais aqui. Nenhuma das duas está mais comigo. As lágrimas turvam minhas vistas, voltei a chorar com frequência, tenho desejado parar estas recordações, mas esse som do bater da máquina me aviva, me anima, guia meu corpo para além de mim mesma. E essa imensa cobra branca me incentiva a seguir. Comecei esta história em terceira pessoa pensando que os casos ganhariam mais valia. Aos poucos vou me perdendo nesse narrar vidas fora de mim, mas que não deixam de ser eu mesma.

6

Chula entra no armazém latindo como se afugentando o que ninguém vê. Corre de canto a canto do espaço. Late até que Maria Teresa a chama para perto de si e afaga sua cabeça. Chula se vira de papo para cima e Maria Teresa abaixa para acarinhá-la, e a cachorrinha fica assim até que a primeira pessoa entre. É Venâncio o primeiro que aparece naquele dia de começos.

— Opa! Bons dias.

— Bom dia. Como está, Venâncio?

— Bem. Vim porque tenho necessidade de uma carta e soube que a filha da professora hoje começa esse negócio de escrever.

— É isso sim! Entra. Tome assento. Vamos conversar do que se trata a carta.

— Sobre o pagamento...

— Vamos primeiro conversar sobre a carta.

— Apois eu quero deixar umas palavras em escrito para minha mãe.

— Ah! Muito bem. Vamos fazer. É pra lhe enviar notícias?

— É sim.

— E o senhor tem o endereço dela? Ou é para entregar em mãos?

Um silêncio tomou o armazém. Maria Teresa ficou sem saber o que dizer, como seguir aquela prosa. As feições de Venâncio caíram como chuva grossa.

— Venâncio, me perdoe a intromissão, eu só lhe perguntei assim para poder ver aqui os começos do escrito.

Maria Teresa até então nunca ouvira ninguém falar sobre a mãe de Venâncio. Parada ali, diante daquele homem chuvoso de idade próxima à de suas mães, ela meditava que talvez não existisse mais para ele uma mãe viva.

— Venâncio, fique à vontade. Eu vou me sentar aqui na mesa com a máquina, já vou colocar o papel e, quando você quiser, tudo que quiser dizer para sua mãe eu vou bater aqui na máquina e vai sair no papel e pronto. Assim teremos o que havemos de ter.

Ele deu início a seus dizeres.

Bênça, mãe. Bendito seja as mata e a lua cheia. Mamãe, essa é nossa primeira conversa assim na máquina. Mamãe, eu estou lhe deixando um presente de ferro. Quero dizer, estou fazendo um desenho no ferro. Mamãe, aquela foto três por quatro é da senhora? Eu penso que sim. Vou colocar aquela figurinha, que sua imagem ali naquela fotografia parece uma figurinha. Mamãe, eu vou deixar aquela figurinha no seu presente. Pedi a Mané que fosse me trazendo uns pedaços de madeira assim bem ajeitadinhos e estou fazendo uma caixa de madeira pra colocar dentro o teu presente, e assim por cima da caixa vou fazer uma moldurinha no canto da tampa pra encaixar tua figurinha. Mamãe, eu desenho com ferro. Eu queria ter vivido com a senhora. Sinto falta de sua parecença e de como poderiam ter sido nossos dias. Aquela imagem da senhora indo embora ficou na minha cabeça, mas eu sei que é mentira. Sei que eu não me lembro de nada. Mamãe, não quero ser injusto com a sua morte. Porque o velho Querino me contou uma história de como a senhora morreu na cidade grande de uma queda. Eu não quero ser injusto com a história de sua morte. Tenho pra mim que ele sabia de mais coisas e não quis me contar. Eu sei que a senho-

ra busca por mim. Sei que a senhora vem me ver de longe. Toda mulher que eu encontro em Stella fico encarando pra achar sua figurinha. Querino me contou casos de mulheres valentes e me falou da senhora. Querino me contou de luta de caboclo, de luta de negro, de coisas que vocês viveram em Santa Stella, de coisas da Casa de Oió, do fogo. Querino deve saber mesmo, e ele deve ter me contado o que eu posso saber. Me perdoa, mamãe, se eu duvido, se eu busco saber mais do que poderia. Eu sei dos encantamentos. Querino um dia me disse assim: "Tu te alegra, Venâncio, que tudo isso é teu e dela". Mamãe, foi de tanto ele me dizer isso e eu pensar mistério que comecei a querer deixar teu presente. Cismei e fiquei com um pensamento assim no juízo: e se mamãe chegar? Ela vai precisar ter recordação de mim. Então comecei a fazer esses desenhos com o ferro. Vou deixar dentro da caixinha. É uma mãe e um menino juntos. Meu desenho para a senhora. É uma recordação da minha vida. Minha vida foi boa, mamãe. Estou dizendo assim porque é como eu estou lhe deixando. Deixando registros de minha vida, pode se dizer. Então é como eu gostaria de lhe dizer que os encantados estão sendo cuidados, que todo sábado vou pra feira com Deu, que vivo em Mata Doce, na baixa, perto dos Fontes, a menina Angélica e Deu. Dona Josefa, que Deus a tenha, já é morta. Foi bem cedo que ela se encantou. Quero lhe dizer que eu vivia aqui desde muito antes, na beira de Manuel Querino. Quando eu cheguei Querino já era homem sozinho com o filho João Sena, que já estava em tempos de casamento com a juíza dos Sales. Luzia em princípio não era juíza, mas já tinha muito entendimento. Foi o velho Querino que a fez rábula, que a levou pra esse caminho. Querino era homem de leitura e o filho virou vaqueiro. Luzia parecia ser mais filha de Querino que propriamente o marido. João Sena vivia de se meter nos matos em vaquejada e sair com a cara toda listrada. Mamãe, eu gosto de cajá-umbu de vez, nem maduro, nem verde, quero deixar aqui anotado pra senhora saber. Gosto de jaca dura. Não me dou bem com fruta-pão. E me alegra mais dia de chuva que de sol. Meus maiores amigos aqui são Mané da Gaita e a professora Mariinha, por quem tenho grande estima. E, mamãe, eu sei assinar meu nome, foi a professora Mariinha que me ensinou. Eu sei mamãe, porque Querino me contou, que a senhora é uma mulher de leitura, e por isso decidi junto com o presente que estou lhe deixando fazer também esta carta. Quando Mané me disse que a menina da professora iria bater carta em máquina quando tivesse uma, eu pensei logo que queria escrever esta carta pra mamãe, que combinaria direitinho com o meu presente. Mamãe, eu me dou bem com banho de aroeira. Mamãe, eu nunca me casei, não tive menino, e as crianças correm de mim aqui em Mata Doce. É pelas coisas que o povo alarma. Na feira de Santa Stella muita gente me espera pra eu dizer remédio. Eu digo tudo de cabeça. Mamãe, eu tenho às vezes assim uma lembrança como mesminha que fosse da senhora. Seu cabelo liso que nada segurava e sua pele escura. Querino me diz que nossa cor é a mesma. Mamãe, dona senhora, eu não sou de dizer poesia, mas queria lhe deixar os mais iluminados dizeres de amor. Se eu paro lá na porta de casa e vejo aquele pedaço da mata, que aqui em Mata Doce quase toda gente corre, eu penso que estar junto é assim, coisa de beleza e de assombro, como é avistar a mata. E, mamãe, quando me aproximo da mata sinto ainda mais forte a sua presença, a fresca daquelas sombras, a folhagem que desenha imagens em nossas vistas, o sol entrando e saindo a cobrir e descobrir desenhos. Gosto de quando estou trabalhando no ferro e Mané da Gaita chega tocando uma valsa triste.

Aquilo é mesmo que se eu estivesse recebendo um carinho seu. Mãe, esta carta é carinho meu e seu. É nosso adeus em tempos de querer mais. Fecho lhe pedindo a bênção. Bendito seja a mata e a lua cheia. De seu menino, Venâncio.

Ao terminar, no juízo de Maria Teresa foi como se uma revoada de pássaros tivesse levantado voo. Ela tinha o rosto banhado em lágrimas. Maria Teresa escrevia e pensava nos sonhos de Zezito com o pai, pensava naquilo que não sabia de si mesma. Ao bater aquelas palavras para a mãe de um homem que ela não sabia que tinha mãe, variou o pensamento da fartura dela, já que tinha duas, mas ao mesmo tempo passou a pensar na ausência, já que não sabia quem era sua mãe de nascimento. O largo silêncio voltou a tomar conta do armazém, rompido pelo som da datilógrafa tirando aquela última folha da máquina. A carta de Venâncio foi batida em mais de três folhas, quase sem pausa. Maria Teresa juntou os papéis, dobrou com zelo e os encaixou num grosso envelope, que logo entregou a Venâncio. Aquele homem que até ali ela tanto e nada sabia. Ele, sentado com o chapéu parado no joelho, recebeu o envelope como se recebe um corpo vivo para cuidar. Ambos estavam com os olhos rasos d'água. Teresa lembrou das rosas secas. Ao longo dos meses que antecederam a abertura do armazém, havia deixado rosas para secar, para colocar nos envelopes de quem quisesse levar uma rosa daquelas junto à sua encomenda. Naquele momento pensou em ir à prateleira, abrir uma caixa com rosas secas, expô-las na mesa e perguntar a Venâncio se poderia botar uma junto da carta. Mas não fez isso. Teve medo de que algum espinho seco pudesse arranhar qualquer pedacinho que fosse daquela encomenda feita para a leitura de uma mãe. Maria Teresa não queria mais dizer nada. Queria que o silêncio vivesse um tempo junto dela.

Mariinha, ouvindo o aquietar da máquina, chegou à porta e ofereceu um café com biscoitos de goma. Venâncio se levantou, guardou o envelope na algibeira.

— Carece não, professora, obrigado. Quanto devo à menina?

— Venâncio, sua carta, como primeira, fica na conta de sua confiança em ter vindo aqui fazer essa encomenda comigo.

Mariinha olhou em desaprovação para a menina, mas não iria lhe desdizer na frente de outros. Venâncio entendia que era o começo de um trabalho e queria pagar por isso, mas entendia também que o que eles haviam compartilhado ali era uma ferida que agora precisava de distanciamento, e não de negociação.

— Eu lhe trouxe um ferro — ele tirou da algibeira uma pequena escultura, uma imagem retorcida que se assemelhava a um coforongo, a cabeça de um boi.

Maria Teresa tomou o presente. Venâncio se ajustou à porta de saída. Parou uns segundos antes de dar a passada de volta ao mundo e disse:

— Fico na dívida pela carta, depois ajustamos, a professora me dirá como haverá de ser. Bons dias.

Maria Teresa se aligeirou para pousar no peitoril e ver aquele homem caminhar com uma revoada de pássaros acompanhando sua cabeça. Ele andava como se tivesse acabado de perder e de reencontrar a mãe. Em sua algibeira seguiria para sempre aquele colóquio de ausências, marca deles dois, mãe e filho unidos e separados nas marcas de tinta e na força que aquela máquina deixou no papel.

Venâncio caminhava poderoso, sem receio de risada alheia. Ali dentro ele carregava sua história. Maria Teresa ficou olhando até ele sumir. Deu um riso de canto de boca, com a sensação de que era aquilo que a faria feliz o resto da vida. Bater cartas na máquina. Virou para regressar ao armazém e, como se um passarinho daquela revoada que seguia Venâncio tivesse ficado para trás e só agora buscasse rumo para acompanhá-lo, ela parou e pensou em quão misteriosa era a imagem daquele homem, que só sabia assinar o nome. E ele agora saía dali com folhas cheias de palavras. Ela estava feliz. Havia encontrado a sua profissão. Se virou alegre e abraçou a mãe, que estava com cara de amparo. No abraço, disse à filha:

— Teresa, já vi que precisarei acertar todos os pagamentos antes do povo se botar a falar e tu, minha filha, a bater seus dizeres.

As duas riram. Fecharam o armazém e entraram no casarão para seguir o dia.

7

Chula começou a latir esparramando pensamentos pelo chão. A noiva baixou a cabeça para olhar a cachorrinha e viu a poça de sangue. Maria Teresa estava com a faca na mão e a certeza aos ouvidos de que devia ter sido mesmo Gerônimo Amâncio que matara seu noivo. Ela pensava em seguir viagem até a casa do Amâncio, chamá-lo à porta e esfaqueá-lo como nunca deveria se fazer a um animal.

O tempo se voltava para trás como ondas. O carro branco saía da tempestade de areia e, dentro dele, Prenda Amâncio gritava:

— O que tu fez? O que tu fez?

— Cala a boca, desgraça. Eu não fiz nada.

— E agora? E se alguém buscar vingança? E se eles vierem atrás de nós?

— Vierem por causa de quê? Eu não fiz nada.

Prenda tremia e começou a desejar se lembrar de uma oração. Gerônimo dirigia agitado, como de costume, sentindo o calorzinho da pólvora entre as mãos e o volante. O sol ardia. Se seguisse quente assim era arriscado ele começar a perder gado. Foi o que pensou.

Na frente do casarão Zezito escorria na areia quente entre os braços de Maria Teresa, a noiva que ainda não era matadora de bois. Mariinha, Deu e Lai erguiam o corpo de Zezito para colocar no fundo do carro. Ajeitaram o menino. Maria Teresa subiu, sentou e segurou o noivo ao colo. Tuninha entregava documentos e algum dinheiro a Mariinha. Lai subia no carro para ir no fundo com Maria Teresa.

— Tranca a casa toda — Tuninha ainda ouviu da esposa, e o carro partiu de volta a Santa Stella.

Tuninha olhou para as mãos, que também estavam rajadas de sangue. Mané da Gaita estava parado, como se o mundo tivesse esfriado de tudo. Zezito era seu amigo e aquela cena o confundia. Tentava lembrar com alguma ordem o que havia acontecido e não conseguia.

— Vamo entrar, Mané, avia.

Chula, Mané e Tuninha se trancaram na casa. A senhora fechou e escorou as portas e janelas da sala e pegou o machado que ficava guardado na despensa. Ela se segurava àquela ferramenta, tentando achar resignação para fechar seu corpo. Ficaram na cozinha. Chula arranhava a porta tentando sair. Mané queria gritar que Zezito estava morto. Era seu jeito de chorar. Queria ir até a quitanda de Jó e contar o que havia se dado. Ninguém falava, chorava ou ria.

Gerônimo parou o carro branco na quitanda de Jó e saiu dizendo:

— Estão sabendo? Ouvi dizer que atiraram em Zezito, filho de Luzia, aquela amalucada que vocês tomavam por juíza. Bota uma pinga aí, Jó.

— Que caso é esse? Estamos sabendo não — disse Jó colocando a pinga.

— Ninguém aqui ouviu falar disso não — respondeu Toni de Maximiliana dos Santos, vaqueiro matador de gado do curral de Amâncio.

Os homens da quitanda ficaram inquietos. Zezito era uma referência para eles. Prenda baixou do carro e arrancou, como de costume, uns araçás ainda verdes do pé que pendia da cerca lateral da quitanda.

Gerônimo bebia a segunda dose e falava:

— Não tarda o aleijado chegar aqui com a notícia.

— Dinha — gritou Jó —, manda um menino ir agora na casa da professora Mariinha buscar por notícia de Zezito, mas manda passar quieto pela frente da casa da juíza. Isso é notícia inventada, que ninguém nunca que ia fazer nada contra Zezito.

Dinha tinha largo apreço pela professora que lhe ensinou tantas lições, desde o próprio nome que ela sabia assinar e as palavras que ela podia ler até o tino de coragem que costumava ter. Dinha era mulher de orgulho, e soma dessa distinção era por ter ido estudar com a professora Mariinha no lajedo.

Os gêmeos Antônio e Cícero passaram correndo pela quitanda e desceram a ladeira. Pelo caminho encontraram Mané da Gaita e Chula. A cachorra fez festa. Antônio queria quebra-queixo e lembrou que trazia umas moedas no bolso. Se desalembrou de perguntar por Zezito e foi logo querendo saber do caixote de doce.

— Atiraro em Zezito. Zezito tá morto. — Foi o que Mané da Gaita respondeu.

Os meninos saíram correndo para a quitanda. Chula vinha atrás deles e voltava por entre as pernas de Mané, indo assim pra frente e pra trás.

Mané da Gaita avistou o carro branco na porta da quitanda de Jó. Quis voltar e se esconder na cozinha da professora Mariinha, atrás do machado de Tuninha. Bem que ele devia ter ficado sob a proteção daquela mulher. Agora estava em apuros.

Amedrontado, Mané chegou à quitanda e foram logo abrindo espaço para ele entrar e se recostar. Já haviam ouvido a informação dos gêmeos, que agora, a mando de Jó, tinham tomado estrada de novo rumo à casa da professora para buscarem mais informações. Muitos que estavam ali e que ouviram a confirmação dos gêmeos já haviam também partido em disparada para a casa da professora. Todos estavam descrentes daquele acontecimento. Mané da Gaita chorava.

— Prenda, vem aqui. É verdade o que tu me disse que ouviu na feira de Santa Stella, que atiraram em Zezito? — Gerônimo inventava.

Mané da Gaita limpou o rosto.

— Oia, tu sabe, porque foi tu que atirou.

Prenda começou a rir. Ela e o marido nunca tinham sentado para acertar que naquelas situações deveriam fingir que nada havia acontecido. Se acobertarem já era costume deles. Ela sabia que desde o tempo do seu pai era assim, e antes disso, na época do avô, e ainda antes disso, no período das grandes navegações havia sido assim. Branco mentia para justificar suas heranças de selvageria. Era fingir, seguir e dominar, matando na cara. Essa era a lei deles. E suas caras seguiam asseadas com a secular justificativa de que toda matança era em defesa de suas terras.

Prenda foi a primeira a falar:

— Tá doido, Mané, que conversa errada é essa?

— Mané, Zezito tá onde? — perguntou Jó.

Na quitanda todos os ouvidos desejavam que aquela história fosse mentira. Ninguém ali queria ouvir nenhum caso que fosse sobre a morte de Zezito. As bocas de Mata Doce estavam felizes com o casamento que seria no dia seguinte e todas só queriam saber disso.

— É bom que aproveita a comida do casamento no velório, esse dinheiro já não será perdido — disse Gerônimo.

Ninguém duvidava que aquele fosse o assassino. Mas todos desejavam negar o morto, apesar de que não o fariam. Buscariam o corpo de Zezito para cerimoniar sua passagem. Jó cerrou a quitanda. A procissão macambúzia caminhou em direção ao lajedo. Antes da subida para as pedras, pararam na casa da juíza dos Sales e cada pessoa daquele povo foi amparando as irmãs e a mãe. Dinha tomou conta da cozinha e foi fazendo o que ia encontrando jeito de fazer. Mané da Gaita chorava abraçado a Chula. Quando o sol apontava o começo de quebra da luz, o carro de Deu parou na porta da juíza. Em cima o corpo do menino, em retorno de Santa Stella, morto confirmado.

Quando o carro parou o desamparo foi grande. Carminha e Nalvinha correram pra beira do corpo. Carminha, sem trégua, gritava pelo nome do irmão. Nalvinha abraçava a irmã e chorava. Os homens logo se juntaram a carregar o corpo para dentro da casa. Venâncio já tinha terminado o caixão. No quarto depositaram o rapaz que daquele meio para o fim da tarde já havia envelhecido uma vida. A juíza não teve forças de seguir o filho. As três irmãs pararam a olhar o morto. Lai e Tuninha trouxeram os preparos para a limpeza do corpo e vestimenta do último traje. A roupa do noivo estava ajustada no guarda-roupa do menino, fantasiaram o morto de noivo de casamento. Aos pés da fantasia, Maria Teresa era uma noiva de sangue seco e areia pisada. Sua imagem era uma aparição que qualquer um desejava nunca ter visto. Mariinha, Tuninha e Lai, que até então nunca haviam visto uma mulher como elas vestida de noiva, agora tinham esse derrame de vida como primeira aparição.

No quarto, o morto estava arrumado. Na sala, o caixão, com peças recém-pregadas, era espera. As mulheres avisaram e Venâncio e Jó entraram para carregar o corpo. No chão da sala depositaram Zezito como uma semente arranhada. Aquele menino não estava em repouso, seu tempo não deveria ser aquele. Venâncio ainda pensou em levantar Zezito, colocar um dos braços do menino sobre seus ombros e sair correndo pela estrada. Quem sabe numa ação dessas, de velocidade, ele ganhasse vida e abrisse os olhos e dissesse que não morrera.

Lágrimas banhavam a estrada do ferreiro. Jó trouxe Venâncio de volta, solicitando que ele segurasse a tampa para fecharem o corpo. Todos os homens que acompanhavam a cena na sala choravam, Chula latia na porta do quarto. Tuninha, Mariinha, Nalvinha e a juíza conversaram e decidiram que o corpo deveria ser velado no lajedo, no casarão que estava aprontado para a festa do casamento. Naquela noite o quarto das senhoras, que estava recebendo os preparos da noiva, receberia a juíza e suas filhas, e na sala do casarão quedaria o caixão.

8

O sol estava forte, eu me vestia no quarto. Zezito me chamou na porta e começou a chover. Sol e chuva, aquela incompreensão das estações, o tempo que parecia prever notícias estranhas. E se não tivéssemos pensado sobre as injustiças do mundo? E se Zezito não tivesse reclamado as terras do pai que davam acesso ao rio? E se não tivéssemos sede? Todo pensamento passou a querer ser justificativa para o crime.

E se tivéssemos ouvido Carminha, a irmã de Zezito que sempre guardou aquele susto do não retorno do irmão aos sábados? E se tivéssemos dado mais atenção àquele sonho do menino vivendo com seu pai num lugar diferente? Eu me conformava quando pensava que nenhuma dessas compreensões teria feito diferença no existir do assassino.

No dia que meu bem-querer foi assassinado, senti como se visse Carminha pela primeira vez. A abracei como se quisesse lhe pedir desculpas. Ela, chorando, me disse:

— Eu nunca que queria ter visto minha cisma virar verdade.

O acerto do tempo havia chegado. O estranho não é o embaralhamento das estações, mas o silêncio das certezas.

Abri a porta e ele não estava. A chuva recebeu minha cara, mas não chorei. Não reclamei estiagem. Olhei o brilho do mundo avivado pela água em pleno dia de sol e ergui a cabeça. A dor não some. Um aperto que asfixia o peito passa a ser marca do respirar. Cada gota da chuva no roseiral sob o sol aberto parecia um cristal, um ponto de cruz num vestido de noiva. Arranquei as rosas. Puxei as ramagens, cortei aquele bordado. Deixei a planta no pé, mas não mais à frente das minhas vistas. Que ninguém mais pudesse se aliviar naquela imagem, naquele aroma. Eu sentia raiva de Mata Doce. Não queria que o casarão fosse mais uma contribuição de beleza para aquele lugar.

Fechei a porta. Zezito me chamou de novo, e voltei a abri-la. Ele estava embaixo dos cachos de rosas brancas e era um homem novo, escuro, enfeitado de alegria. Começou a chover e fazia sol e cada gota que ficava nas pétalas espelhava o seu sorriso. Nosso amor reluzia. Nos abraçamos e pensei em me entregar, ele em adivinhação me beijou. Era hora de sol forte, era hora do brilho da chuva. A sanfona e a harmônica tocaram uma canção de amor. Ficamos abraçados após o beijo, começou uma festa. Um boi encantado trajado de branco dançava na frente da casa, e parecia que ele não tinha pés, que não tocava no chão. Rimos. Nos alargamos naquele prazer. A roupagem branca avoava. O boi não nos via pois vestia uma careta. Tudo branco. O boi avoava, leve como cantiga de sabiá. Eu me virei para Zezito e beijei sua boca. De olhos fechados também despregamos das certezas do mundo e nos entregamos à dança. Avoamos.

A música parou. Eu caí. Tropecei nas ramagens que havia cortado. Fechei e abri a porta e errei a passada do batente para o peitoril. Mamãe não estava ali para me estender a mão. Zezito era fantasia de festa. Não chorei, não lamentei amparo. Chovia. O boi dançava mesmo sob o peso da água, parecia uma asa-branca aterrissando na caatinga. Palmilhava o chão buscando nada. Queria avoar? Anunciava o fim da seca? Mas chovia. Foi a água? Foi o represamento do Airá? O boi era da cor de terra seca molhada. Cor de sangue pisado. Estava vindo em direção ao peitoril, eu não conseguia me levantar.

— Toda flor conhece a variação das estações e sabe se manter ereta — eu ouvia essa afirmação de minha mãe.

9

Lai correu em casa pra se banhar e depois subiu para ajudar no velório e no trabalho da cozinha da casa da professora. Tuninha ficou ajeitando tudo pra subir com a juíza e as irmãs do morto. O caixão saiu. Chula, Mariinha, Maria Teresa, Dinha, as crianças e os homens foram levando Zezito.

A procissão chegou e Maria Teresa abriu as portas e as janelas para receber o seu noivo. Afastou os móveis e ajustou o sustento do caixão. Os homens já chegavam com o morto.

Com cuidado ela orientou onde deveriam colocar Zezito. Ereta e com o coração aos pulos, apaixonada como da primeira vez que se viram, Maria Teresa abriu o caixão e ajustou os trajes do seu bem-amado. Em cerimônia nupcial, a noiva caminhou até o peitoril e colheu os cachos mais vistosos da ramagem de rosas para cobrir o peito do seu bem-querer. Zezito ficou bonito, como fica mesmo um sertanejo arrumado para casar ou morrer.

Maria Teresa começou a contrastar com a arrumação do morto. O corpo da noiva já começava a feder. Mariinha já havia preparado dois baldes de água morna para o banho da menina. A Professora tinha urgência em banhar a filha. A mãe queria preservar o juízo da menina na passagem das horas daquele avançar da noite. Mariinha foi na sala e tomou a menina pela mão. Maria Teresa segurou firme o caixão.

— Estamos aqui. Vai com tua mãe — disse Jó.

Carminha havia chegado e estava quase deitada sobre o caixão do irmão. Maria Teresa foi puxada pela mãe. Antes mesmo de chegar à cozinha, ao avistar o bolo de casamento, em maior lamento, desfaleceu. Mariinha arrastou a menina até o banheiro e arrancou o vestido que tanto quis ver naquele corpo. Maria Teresa se debatia, não queria tirar seu sonho. Mariinha estava cansada, tinha idade, começou a chorar. Maria Teresa se apiedou da mãe, se ergueu e começou a se desvestir, mergulhando naquele abismo. O vestido estava nu. Filinha segurou a mãe pelo braço e foi, agora, tirando a filha a roupa da mãe. A menina pegou o sabonete e lhe jogou água nas costas. Assim, as duas se banharam. A vida seguia.

Filinha sempre renasceria, achava a mãe, pensando na filha como uma flor.

Mariinha se vestiu de branco como indicava sua fé, mas não queria mais ver sua menina usando branco naquele dia, por isso separou um traje preto e vestiu Maria Teresa. A enlutada passou novamente pelo bolo que ficou na antessala existindo como uma ferida. Ela atravessou a casa até a sala onde repousava o velório. Ali ao lado do seu querer ela se colocou. O casarão encheu, toda a gente de Mata Doce veio para o lajedo. A juíza ficou acompanhada de Zinha na cama que havia sido preparada para a noiva, e as outras duas irmãs volta e meia se trancavam com elas no cômodo. Tuninha, Lai e Dinha cuidavam para que não faltasse nada a ninguém. Biscoitos, café, chás, cachaça ou mesmo a comilança que estava pronta para a festa do domingo já estavam sendo servidos.

No terreiro do casarão da professora Mariinha crescia a rima de que aquele haveria de ser o velório em que mais se viu fartura. Em determinado horário da madrugada, na altura do arrepio do acordar da fome, Dinha olhou para o bolo e disse:

— Professora, isso é uma assombração. Acho melhor se desfazer logo desse doce e dividir enquanto tem gente viva que o coma.

Mariinha não podia nem ver aquele bolo. Se o encarasse era capaz de vomitar. Ordenou que a mulher fizesse o que lhe parecesse melhor. E Dinha partiu e repartiu o bolo. A sanfona que se ouvia no peitoril cantou redobrada. A harmônica riscou por cima. O manjar adoçou o tempo. Até dança passou a ter ao redor da fogueira que chuviscava fogo no vento. Naquela noite as plantas do quintal da cozinha estavam iluminadas por vaga-lumes, tudo reluzia abonança.

Na frente da casa quem cuidava do fogo era Venâncio. Mané da Gaita dizia uns versos. Antônio e Cícero, os meninos de Jó, se revezavam na harmônica. Tocavam de fazer admiração em vivo e morto. Venâncio olhava as brasas. Lembrava das conversas do velho Querino, avô de Zezito, e pensava que o menino agora estaria caminhando por escombros da cidade grande junto com o pai. Venâncio olhava para dentro da casa e via a menina vestida de preto. Ele entendia do axé como Mariinha, Eustáquia e Maximiliana dos Santos. E por isso não entendia por que Maria Teresa vestia preto. O povo de santo, como ele, em cenas de passagem da vida tinha que vestir branco. O olhar do ferreiro desviava da porta da casa para o armazém enquanto tocava na algibeira. Estava ali no seu coração o encontro que a menina havia realizado entre ele e sua mãe. Venâncio tinha essa dívida com ela e agora a seguiria no que ela rumasse a fazer.

Filinha tinha o olho no fogo. O pensamento dela doravante era ferir. E, era matar. Da cara da enlutada não minava água nem de sua garganta se ouvia mais o nascer de uma voz. Acordada ela costurava a direção do seu ódio. No velório do noivo assassinado, Filinha Mata-Boi apontava nascimento. Chula cortava a noite, correndo de perna em perna, dançando, dando vivas, se esticando, lambendo canelas, passando por baixo do caixão, passeando. Desfilava no corredor e na sala. Estava em festa. Estava feliz, tinha companhia. A solidão é devoradora. Chula não tinha motivo para temer, pois a casa estava cheia e tristeza é viver assombrada pelo desamparo.

Num trecho da noite em que o movimento da cozinha acalmou, Lai pegou o vestido da noiva e levou para o mato. O colocou numa bacia com água morna e folhas de limoeiro. A lua lascava o céu. Tudo estava alumiado. Lai começou a cantar e a lavar o sangue daquele vestido que ela mesma havia costurado e bordado. Esfregava, deixava de molho, depois voltava a esfregar e botar de molho outra vez. A morrinha de sangue foi saindo. Após despejar aquela primeira lavagem, acrescentou bicarbonato e renovou a água, deixando o molho quarar para trocar quando o domingo amanhecesse. A noite estava tão cheia de brilho que a costureira se agachou ao lado da bacia, velando o vestido, e tirou dos peitos um envelope. Ali segurava uma carta e uma rosa seca. Naquela noite Lai pensou em contar toda a verdade à filha. Naquela noite ela pensou em dar destino àquela carta.

Tuninha avistou Lai velando o vestido e se preocupou. Com um gesto chamou a comadre, que não se moveu. A preocupação de Tuninha redobrou, ela pegou Antônio pela mão, apontou para o mato e disse:

— Vai lá buscar aquela costureira que vela o vestido.

O menino teve medo quando olhou e viu o brilho da lua refletido na bacia d'água.

— Tu ganha mais um pedaço de bolo — Tuninha reforçou.

Antônio correu até Lai. Chula atravessou a carreira do menino, que se distraiu com a cachorrinha e esqueceu o recado.

10

— Madrinha, pra quem a senhora irá endereçar esta carta?

— Pra minha filha.

Maria Teresa não sabia de nenhuma filha de Lai, mas tampouco sabia de nenhuma mãe de Venâncio. Aquele negócio de escrever cartas estava rendendo muito conhecimento à menina.

Foi no nono dia de seu trabalho no armazém, com a máquina de datilografia em função, que Lai apareceu. Maria Teresa se ajustou na mesa, aprumou as mãos na máquina e disse:

— Pronto, madrinha, pode dizer.

— Pode?

— Pode sim.

— Vou dizer então como se fosse para a carta.

— Isso. Diz, madrinha.

Minha filha, eu não sei como começar a te explicar do que foi minha vida e por isso eu não vou. Não tenho coragem de chegar até tu, filha amada, e me apresentar como tua mãe de nascimento. E por isso esta carta. Também porque surgiu a oportunidade. Minha filha, como tu sabe, foi a professora Mariinha que me ensinou as primeiras leituras. Minha filha, eu assino meu nome.

— Maria Teresa, eu não quero mais fazer.

— O que foi, madrinha?

Lai começou a chorar forte. Maria Teresa se levantou e passou a mão nas costas da madrinha. Ela chorou ainda mais.

— Tenho medo de minha filha não gostar de mim.

— Como ela pode não gostar de uma pessoa tão boa como a senhora, madrinha?

— Eu penso isso, Maria Teresa, que ela não vai gostar de mim.

— Madrinha, acalma o coração.

Maria Teresa foi até o peitoril, arrancou uma rosa, verificou se estava limpa de alguma formiguinha ou pequenininha aranha e a aproximou do nariz de Lai.

— Madrinha, cheira fundo essa rosa. Perfume de rosa branca é calmante.

Lai cheirou aquele cuidado da menina sem mãe de nascença e mais choro brotou de seu peito. Cresceu em si uma vontade de correr pelo mundo, sair lajedo afora e nunca mais regressar. Mas segurou sua angústia por não querer mais perturbar o dia de Maria Teresa.

Lai se levantou, foi até a porta e ficou olhando o sol.

— Madrinha, e se na carta pra sua filha a senhora contasse alguma coisa de sua infância?

— De eu menina?

Lai se volta para o armazém.

— Sim, a senhora menina.

92

Elas se sentam de novo e Lai recomeça a falar.

Minha filha, perdoa tua mãe. Vou te contar um caso d'eu menina. Eu sou filha de mulher da vida. Nasci e cresci no puteiro de Santa Stella. Foram as mulheres que me criaram, nunca soube qual foi minha mãe, se viveu, se morreu. Eu era primeiro dos trabalhos da casa, mas deixa para depois esse caminho. Quero contar uma coisa de menina. Um dia de desfile na cidade. Zuleide, que era mais moça entre as outras mulheres, se arrumou toda pra ir pra o meio da praça ver o desfile passar. Ela queria ver de perto a imagem da santa, já que não deixavam a gente entrar na igreja. Deixar assim se deixava, mas os homens olhavam de cara feia, com medo de algum conhecimento ser revelado. Zuleide adorava santa Stella. E não sei o que deu nela naquele dia de me arrumar também pra me levar mais ela. E lá fomos nós duas. Eu e ela. Ela moça, toda arrumada. Me arranjou umas botas brancas e um vestido azul e no cabelo me fez duas mutucas bem apertadas, uma pra cada lado, amarradas com fita branca. Ela estava com um vestido cor de abóbora de bolinhas pretas e tinha um laço de fita preta que caía assim da cintura pra trás. Chegamos na porta do puteiro e as mulheres aplaudiram. Todas se encantaram de como estávamos arrumadas. Todas queriam um meio de praça pra poder passear sem vergonha com a família num dia de domingo. Zuleide me pegou pela mão e caminhamos. Essa ficou sendo minha recordação de amor. A vez da minha vida que alguém me tomou pela mão. Na praça respiramos fundo, ela apertou mais minha mão e seguimos para o lugar que melhor veríamos a passagem da santa. Lá vinha a procissão, a santa, a nossa Stella, o povo todo segurando ramos verdes. O andor passou pertinho de nós. Zuleide tocou no manto e fez um sinal da cruz, voltou a pegar minha mão e os dedos estavam melados de lágrimas. Em companhia a Zuleide eu também chorei. Ela era minha santa, meu amor, minha mãe naquela manhã de domingo. Acompanhamos a procissão até a matriz. O povo entrou. Teve fogos. Ficamos no pé da escadaria. Ela fez novamente o sinal da cruz, voltou a tomar minha mão e caminhamos em retorno. Paramos na calçada da praça e pude escolher entre algodão-doce e um saquinho de pipoca. Escolhi o saquinho de pipoca e comi buscando o gosto do algodão-doce. No fim não lembrava mais do outro, apenas me divertia amassando o milho entre os dentes. Depois lambi os dedos e ela limpou minha mão com o saquinho mesmo e voltamos a caminhar. Sempre de mãos dadas. Eu, a vida toda, caminhei segurando a mão dessa recordação. E por isso que escolhi essa minha história de menina pra te contar aqui. Pra tu ouvir, minha filha.

Lai se redobrou em choro.

— Madrinha, não chore assim. Está ficando tão bonita a lembrança que a senhora está deixando nesta carta. Sua filha há de gostar.

Lai levantou o rosto e sorriu para Maria Teresa.

— Vamos, madrinha, ânimo. Conta agora pra sua filha alguma coisa aqui de nós, de Mata Doce, como nós amamos a senhora aqui.

Lai retomou a choradeira. Aquele dia foi de pena. Lai não quis dizer mais nada. Maria Teresa não insistiu. Em respeito à madrinha retirou aquela última folha da máquina, a recolheu, dobrou e guardou num envelope que entregou a Lai com a rosa seca dentro. A madrinha recebeu aquele cuidado de Maria Teresa e partiu. Foi embora e demorou quase uma semana para retornar à casa da professora Mariinha.

11

O dia amanheceu e trouxe o padre que já estava marcado para vir celebrar o casamento e que agora faria o velório. O sepultamento seria às onze horas daquela manhã. Angélica foi receber o pároco e explicou a situação. Américo já sabia da morte de Zezito. Santa Stella estava entristecida e abismada com a notícia. Antes de entrar no casarão os dois conversaram.

— Minha filha, como se deu essa situação?

— Foi crime matado, padre.

— Foi Amâncio?

— Dizem que foi.

— Quem diz?

— Thadeu e Manuel da Gaita.

— Que alarme. Onde tudo isso vai parar? E agora ele vai deixar de vez o Airá represado?

— Ninguém sabe.

— Não bastou o castigo das águas levarem o filho? O que mais esse homem quer! Quer matar o povo de sede e fome? Quer acabar com Mata Doce?

— Agora, sem Zezito, muitos estão dizendo que Mata Doce se acaba.

— Ô minha filha, isso aqui é terra de mulher valente. Não se acaba assim não. Mas claro, a pena agora está esparramada nessa terra. Matar um homem como Zezito! Temos nem o que dizer. Vamos logo começar nossas orações.

E seguiram para o interior do casarão.

— Professora, como está? Meus sentimentos a todos — disse padre Américo ao adentrar a sala do velório.

Mariinha não teve voz. Maria Teresa estava sentada ao lado do caixão, recostada em Zezito. O padre tirou duma maleta uma estola lilás, a pôs no pescoço, ajustou o terço na mão e começou uma reza, que foi seguida por todos. Lai foi repondo e acendendo as velas que já haviam se findado.

Nesse compasso, antes mesmo da terceira oração ser concluída, no de repente de uma porta que se fecha pelo vento, Amâncio entrou na sala. E na beleza de um redemoinho, Maria Teresa foi até o coronel e apertou sua goela como se tentasse quebrar o pescoço de uma galinha no abate. Ninguém fez nada, aquele movimento era só admiração. Prenda Maria de Sá Gonçalo Amâncio, vendo que o marido sufocava, começou a puxar a menina. Nesse instante as irmãs de Zezito se desataram em exoradas de choro. Do quarto de preparação da noiva a juíza começou a gritar como o som de um vendaval. Mariinha puxou o braço de Prenda.

— Solte minha filha. Vão se embora daqui, seus enviados do satanás.

O padre foi tentar soltar os dedos de Maria Teresa do pescoço de Amâncio. Dois capangas do coronel entraram na sala. Mariinha gritava:

— Saiam daqui. Larguem mão dessa ofensa, seus demônios.

Se o padre conseguia soltar um dedo, o outro ficava ainda mais preso. O homem não perdia o ar porque o pároco forçava a entrada dos ventos naquele corpo.

— Livrem o meu marido da sanha assassina dessa mulher! — gritou Prenda para os capangas.

— Não toquem em minha filha, suas desgraças. Larguem de minha casa, demônios dos infernos! — gritava Mariinha.

Um dos capangas se aproximou de Maria Teresa. Venâncio tomou a frente e em proximidade disse à menina:

— Larga, Filinha, larga.

Maria Teresa soltou e se manteve ereta em frente ao velho Amâncio.

— Não sei por que estão me tratando assim — disse ele puxando o respiro. — Vocês tudo num sabem da amizade que eu tinha a Zezito?

Maria Teresa despachou um tapa na cara do coronel. As irmãs cessaram o choro e a juíza, do quarto, silenciou.

— Vamos embora — disse Prenda ao marido.

Naquele instante, todos naquele velório estavam molhados e cansados como se tivessem corrido em forte temporal buscando abrigo.

— Vou porque é da minha vontade — falou Amâncio.

— Vai embora porque esta é minha casa e quem está lhe botando pra fora sou eu! — gritou a professora Mariinha.

— Todos são testemunhas de minha bondade! — gritou Amâncio do meio do terreiro. — Quero ver aparecer homem aqui que diga que eu atirei ou mandei atirar em Zezito!

Angélica segurou o braço do irmão temendo por sua vida. Todos que ouviam aquele discurso do coronel sabiam que ele era assassino e que continuaria a matar de tiro, sede e fome. Mané da Gaita estava na cozinha desde que pressentiu o som do carro do velho Amâncio se aproximar. Chula estava deitada no passeio do peitoril e apreciava a cena.

No pescoço do velho eram visíveis as marcas dos dedos da noiva. Amâncio se sentia perseguido pelo povo daquele lugar. Nem a morte do seu filho havia juntado aquele tanto de gente. Veio de sua fazenda sabendo que a noite do velório de Zezito havia sido das mais animadas e já ganhava eternidade em versos de cantiga de folheto. Para Gerônimo Amâncio, ter matado e aparecido no velório eram sinais de macheza. Mas, ao seu ver, nada disso mais parecia ter efeito no mundo, esse mundo, que para o velho coronel, parecia estar se perdendo em desarranjos de mulheres e pobres tendo querer. Amâncio entrou no carro, segurou o volante e demorou para dar a partida. Pensou em pegar sua arma quente, que ficava alojada debaixo do banco do motorista, a mesma com a qual havia disparado várias vezes pelas costas de Zezito, e entrar naquele circo e atirar na cara daquela mulher sem respeito que tinha quase lhe tirado o fôlego. Nesse pensamento ficou parado enfrentando o abismo em que a mão da menina lhe havia empurrado. Não doíam as marcas dos dedos no pescoço nem a vermelhidão do tapa na cara, doíam as palavras batidas à máquina que ele carregava no bolso da casaca, a premonição de Mariinha anunciando a morte do seu único filho homem, o desprezo daquela gente pelo seu sofrimento de homem branco. Represar a água e matar a descendência dos que não eram os seus era marca da sua origem. Mas assistir a um filho seu desaparecer? Não era certo.

Esses pensamentos paralisavam o corpo do coronel. O assassino ficou sem movimentos. Apenas lembrava. Chula, deitada no peitoril, acompanhava o juízo do homem branco e sorria.

Foi num domingo como aquele. Ele se dirigia a Santa Stella quando Mariinha parou o seu carro na frente do casarão.

— Bom dia, professora, quais são as necessidades?

— Bom dia, Amâncio, preciso lhe falar. Pode descer pra um café?

— Posso não. Estou indo a Santa Stella pegar a mulher que ficou lá de ontem pra hoje mais o menino. Mas diga lá, que meu negócio é de corpo presente, quer falar, fale.

— Tome com calma o que vou lhe dizer.

— Apois diga.

— É coisa de cerimônia, não queria lhe dizer assim nessas condições.

— Pois então não me diga é nada, professora.

— Tive um sonho que seu filho vai ser levado pelas águas.

— Agora! Era isso? Que pilhéria. Onde já se viu filho homem do coronel Gerônimo Amâncio ser levado pra lugar nenhum que não seja de minha permissão e de minha vontade. Apois se era isso que tinha a me dizer pegue essas suas palavras do diabo e volte com elas para o inferno.

Maria Teresa chegou na porta. Era moça em crescimento.

— Quer dizer que agora a professora cria uma menina.

— É minha filha.

— É sua filha? E quem foi que veio aqui lhe emprenhar?

O coronel soltou uma grande risada. Mariinha ouvia aquelas ofensas sem entender por que seus Orixás lhe haviam posto a obrigação de revelar o sonho àquele homem.

— Seu Amâncio, o que tinha de lhe dizer já disse. Vá! Siga seu caminho.

— Não adiantam essas suas invenções, podem vir junto com o satanás que o rio ficará fechado. Acha que não entendo que essa conversinha de sonho é motivo pra me pedirem pra deixar vocês tudo passar e pegar minha água? A represa serve à minha fazenda, ao meu gado, e gente nenhuma de vocês vai pisar nas terras que são minhas. Isso não tem o que discutir. Quero ver homem de coragem entrar ali pra buscar água. Tá decidido — disse Gerônimo e saiu arrastando o carro.

Mariinha daquele dia em adiante passou três semanas acendendo vela para seus santos, pedindo pela saúde do menino mais novo do coronel. O homem tinha quatro filhos. Três meninas e o herdeiro menor. O filho homem que ele tinha anunciado por todo canto como filho único se perdeu nas águas seis anos após o alerta da professora.

Mata Doce penava de falta d'água. Era uma tristeza. Aquela gente toda caminhando por outras terras para carrear água com a fartura de água doce que o rio Airá despejava ali. O povo sonhava com ajuntar dinheiro para construir cisternas e comprar água de carro-pipa. Antes não era assim. No tempo de bonança, aquelas terras de acesso ao Airá pertenciam a

Manuel Querino e depois passaram a João Sena. Até que Gerônimo Amâncio invadiu e tomou aquele pedaço como seu. O coronel era assassino e invasor de terras alheias, e o mundo todo tinha ciência dessa informação.

Foi assim que, ao final de um período de anos castigados por dura seca e muita morte de fome, o caso do arrastamento do herdeirinho do coronel se deu. Nesse tempo, os filhos em idade de começar a vida de quase toda casa dali apanhavam estrada para a cidade grande. A triste partida era o destino da esperança. A miséria se arrumava em viagem de fé.

— Lá venceremos a fome — devaneavam.

Mariinha e Tuninha recebiam os esfomeados na cozinha. O povo sabia que naquela casa poderia evitar a morte. Mané da Gaita e Chula caminhavam entre os miseráveis tocando valsa em oferecimento de amor. Para bem dizer, o casarão do lajedo era um ponto de apoio para muitas dores. Num dia de seca, enquanto na cozinha uma mãe e três filhos se alimentavam com o primeiro prato de comida em um mês, na sala Amâncio sorvia um gole de café enquanto chorava o desamparo da morte de seus bois. A morte sem moeda, para o coronel, era o acabamento do mundo que ele não fosse o matador. A morte por inanição e falta de capim o comovia em demasiado. Ele chorava e pedia conselhos à professora, descrevendo com pena financeira a morte de cabeças do seu rebanho.

A miséria era muita. A água era escassa, e a que tinha nas terras de Mata Doce estava aprisionada no terreno do coronel. O delírio reinava. Chula lambia as canelas dos meninos barrigudos querendo cicatrizar a tristeza. Quase todos morriam de diferentes mortes. Mas apenas Amâncio e sua família matavam. Ser livre para matar era lugar social.

Mariinha e Tuninha se garantiam com o valor que a professora recebia do Sacramentina e Silva, de tudo que plantavam ao redor do casarão, da ajuda da Casa de Oió, dos Sales e dos Fontes. As bananeiras do casarão, como providência de fé, seguiam verdes e orvalhadas, mesmo naquela escassez de água. Nesse tempo o trabalho era dobrado para as senhoras do lajedo. Os miseráveis iam até a casa da professora buscar não apenas alimento para o bucho, mas também consolo para a alma. A palavra. A boa recepção. A presença quando em vez de Maximiliana dos Santos. A música de Mané da Gaita. As lambidas de Chula e o cheiro do roseiral, planta que se mantinha viva. Aquela abundância na lida com a natureza era herança ancestral, ninguém botava mão naquele poder.

As duas mulheres tinham cisterna em casa e vinham, nos últimos anos, comprando com alguma frequência água nos carros-pipa que já começava a chegar amarelada como ferrugem. Foi um período de quase desvida em Mata Doce. O dinheiro faltava, a fome crescia. As plantações morriam no broto.

E foi assim que aconteceu a triste partida do coronelzinho. Era sábado, a madrugada havia sido castigada por relâmpagos, trovoadas e ventania, sem uma gota de chuva. O dia amanheceu com nuvens altas e fechadas nas serras. Mesmo depois que clareou de tudo, a faixa de nuvem densa seguia lá de cima marcando existência. Na terra todos estavam com a cabeça balançando com o espetáculo da madrugada e a miséria geral.

— Neblina na serra, chuva na terra. Hoje chove! — anunciou Mariinha enquanto raspava o último balde de água barrenta da cisterna. — Tuninha, Lai, vamos limpar os tanques que hoje colhemos água doce!

Juntas começaram o trabalho de revisar todas as bicas que arrodeavam o telhado até o tanque. As mulheres passaram o dia inteirinho nesse serviço e separaram panelas e baldes para aparar água até das goteiras da casa. E a chuva veio. Caiu com força. Era de cinco para as seis horas daquela tarde quando a chuva abriu sorrisos no mundo. Orações e preces e promessas renovadas. A alegria cobria as casas de festa. Naquele ano, após o período de chuva, o São João traria de volta os filhos migrantes.

O dia seguinte amanheceu molhado, chovendo. A madrugada não tinha sido fácil. As telhas estavam desacostumadas com as águas e a ventania, e quase ninguém dormiu. As mulheres do casarão tinham susto de as paredes do armazém caírem. Mané da Gaita, que pernoitou no armazém, ressonou assustado. Dia clareando e ele sem dormir um sono comprido, decidiu se levantar e seguir caminho até o botequim de Jó para ter notícias da chuva. Ainda nos arredores do casarão deparou com Venâncio, que chegava para dar o dia no lajedo, revisando telhados e ajudando no aparo das águas. Instantes depois apareceu Mariinha.

— Dia, Venâncio, não chegou na cozinha pra um café?

— Carece não, professora. Deixe pra as dez horas.

— Quando o senhor desejar. E a chuva por lá?

— Foi em paz na graça de Deus. Molhou o que tinha de molhar. Agora, vi dizer que tem água vindo, professora. A senhora tá sabendo? — Venâncio falava enquanto arrastava madeiras para escorar as paredes do armazém.

— Água do céu?

— Água do rio Airá. Ouvi no rádio. Dizem que em Santa Stella alagou foi tudo que é rua. A água tomou passagem na ponte. Ninguém vai nem vem.

— O menino mais novo de Amâncio! — Mariinha pensou alto e correu para o quarto.

Na mesa do santo, dobrou os joelhos, acendeu a vela, prometeu despacho. Era tarde. Das pedras do lajedo Mané da Gaita gritava:

— Ei, espia, vem ouvir, gente, a represa de Gerônimo Amâncio rompeu e levou o menino mais novo dele. O homenzim do coroné.

— Ele teve o merecido — houve quem cochichasse.

As mulheres colocaram a mão na cabeça em comoção pelos poderes da natureza.

— Não se represa água — teve gente que ainda disse.

— Jó disse que o coroné e a senhora Prenda estão pagando um salário para quem entrar na lama na busca do menino. Eu vou ajudar mermo sem interesse em dinheiro nenhum. Os povo tão indo pra lá. Eu subi avisando da quitanda até vocês tudo aqui do lajedo e já vou descer pra lá, pra mode buscar o menino — Mané da Gaita deu o anúncio e rumou lajedo abaixo em busca da salvação da criança.

Que nunca foi salva por gente. O menino desapareceu, e o aviso de Mariinha se realizou. Amâncio não pensava que a natureza se movimentava, que a água represada explodiria na sua cara e nas suas terras. E a conta da desaparição do filho ficou nas costas da mãe, das empregadas, da professora. Vacilo de mulher. Um filho fraco que nasceu de barriga que só dava mulher só podia dar naquilo, repetia em ofensas o juízo do coronel.

Um dia de domingo, Amâncio, cansado de mastigar esses pensamentos, chegou na porta do armazém do casarão do lajedo. Maria Teresa revisava uma datilografia quando viu a sombra se aproximar. Assustou. Não ouvira o som do carro chegando. Estava entretida no bater da máquina.

— Boas tardes.

— Boa tarde, seu Amâncio.

O homem andava pelo armazém com os braços para trás. Maria Teresa esperou a chegada de Prenda, Mariinha, Tuninha, Zezito, Mané, Chula, mas ninguém apareceu.

— Pois não, coronel, o que deseja?

— Vi dizer que a filha da professora tá batendo carta nessa máquina.

— Estou sim senhor.

— Apois então eu quero fazer uma carta pro meu filho.

Maria Teresa respirou fundo. Não esperava por isso e não soube o que dizer. Amâncio tirou uma nota de dinheiro do bolso e pôs sobre a mesa.

— É suficiente?

— É sim senhor.

— Apois comece a escrever, que agora não tem ninguém aqui. E eu não quero que ninguém saiba. As mulheres estão lá pela roça. E você está aqui sozinha.

Maria Teresa pressentia que não havia mesmo ninguém ao redor do casarão, senão já teriam chegado ali por ela. Com movimentos ainda assustados da surpresa daquela visita e da solidão que se encontrava no lajedo, ela se levantou, pegou folhas limpas, ajeitou uma cadeira para Amâncio sentar. O coronel negou. Seguiu de pé.

— Então o senhor pode começar.

— Eu vou falando e você vai batendo aí.

— Sim.

— Eu quero um título.

— Sim senhor.

— Coloca aí assim:

A DOR DE UM PAI QUE PERDEU
SEU ÚNICO FILHO HOMEM

Ó querido filho, que saudade que tenho. Que alegria senti ao saber que um homem como eu havia chegado ao mundo.

Somos da mesma carne. Tu eras minha descendência de homem. Andaria de pé sobre pé nessas terras. Pisaria em cabeça de gado. Mataria gente se fosse preciso para defender essas terras que são tuas. Seria como eu, seu pai, um homem.

*Hoje vivo o forte sentimento de não ter um homem do meu
sangue ao meu lado. Filho homem não deveria morrer. Filho
homem deveria seguir ao lado do pai por toda a vida. Até
que, enfim, no descanso da natureza o pai se retirasse.
Ó querido filho, deixo a ti estes versos:*

*Águas malditas
Levaram meu ouro
Fizeram da pobreza
Morada eterna em meu peito.*

Assinado: Coronel Gerônimo Amâncio

— Retire logo esse papel dessa máquina. Sei que você não
deve ter entendido nada do que declamei. Melhor assim. Essas
palavras não são mesmo para a compreensão de vocês. Avie,
me dê logo esse papel.

— Coronel, compreendo sua dor, mas quem está fazendo
o serviço aqui sou eu.

— Olhe, menina, não me responda. Fiz o favor de vir aqui
lhe trazer dinheiro neste domingo.

— Não seja por isso, leve seu dinheiro. E tome, leve também suas palavras.

— Me dê, é pro meu filho. Fique com o dinheiro e engula
a sua valentia.

Nesse momento Mariinha chegou. Maria Teresa segurou
a resposta na goela por respeito à mãe. Amâncio guardou com
ligeireza o envelope no bolso da casaca. Chula passou correndo
na frente do armazém em direção ao terreiro.

No dia do velório de Zezito, era ali, no terreiro em frente
ao lajedo, que estava Amâncio, paralisado dentro do carro
com aquelas palavras datilografadas apertadas contra o peito.

— Amâncio, dá partida. Vamos embora — Prenda pedia calmamente, pois sabia que em casa aquele silêncio da rua poderia se revirar em surra para ela.

A mulher carregava a surra que levara daquele homem na passagem dos dias após o desaparecimento do filho. Prenda sofreu a rejeição do marido em todas as suas gestações. No princípio porque havia parido meninas, na última porque estava barriguda demais mesmo depois do menino ter saído. E no dia do sumiço do filho, a culpa eterna, imposta por aquele homem, era dela, acusada de ter deixado o herdeirinho solto correr até as águas.

Ali, na frente da casa da professora e diante da pasmaceira repentina do marido, Prenda pensou em puxar o revólver e acabar ali mesmo diante de todos com aquele império. Se ninguém gostava de Amâncio, por que o respeitavam? Será que todos o respeitavam? Prenda começou a também parar, ela estava caindo no mesmo abismo. Ela iria pegar a arma que ele tinha usado contra Zezito e o mataria.

"Vou pegar essa arma e atirar no ouvido dele. Vou sentir a temperatura do juízo dele explodir quase no meu rosto", Prenda pensou, dando início ao movimento em direção ao revólver.

Mas ele girou a chave do carro e tudo seguiu como de costume. Os pensamentos dela foram arrastados pelas rodas. O carro cantou pneu. Os capangas, em outro veículo, seguiram o coronel.

12

A manhã de domingo do velório de Zezito seguiu esmagando corações. Quem ali estava sentia um amargor crescer na boca. Dinha despertou seus meninos para que tocassem a harmônica acompanhando as orações do padre. Mariinha passou as mãos no rosto três vezes invocando sua fé. Os gêmeos se posicionaram ao lado do padre e, enquanto um tocava, o outro entoava cânticos. A imagem daquelas crianças foi acalmando a angústia dos presentes.

No terreiro chegava mais e mais gente, e o caso do tapa que a noiva-viúva tinha dado no coronel crescia. Já existiam versões dizendo que Filinha arrancou uma faca do vestido e riscou um traço na banda da cara do velho Amâncio. A história caía na graça do povo e a risadaria era geral. Café e biscoitos de goma estavam sendo servidos à vontade. O clima mudava. As mágoas voltavam a ser explanadas como vinham sendo por toda a madrugada. Qualquer vestígio do bolo do casamento que ainda existia naquela manhã foi inteiramente degustado. Os elogios eram muitos. O clima era de alegria.

O padre deixou a sala e se juntou ao povo no terreiro. O menino Cícero, que segurava a harmônica, se distraiu e em lugar de uma nota de reza tocou uma valsa do mundo. O povo todo ficou num clima só. Antônio, o gêmeo, remendou os versos da canção. E ninguém silenciou aquela vida que seguia. A manhã do domingo se fez forte. Novos casais surgiram naquele pernoite, e ao longo da manhã seguiram confirmando futuro. A paz fez pausa na dor do lajedo. Aquela gente de Mata Doce amava Zezito.

Próximo às dez horas da manhã, três carros de Santa Stella pararam na porta do lajedo. Vinham para acompanhar o sepultamento. Era gente e mais gente que se ajuntava no casarão aguardando dar onze horas. Filinha recebia os pêsames como se o casamento tivesse sido realizado e ela fosse viúva. Chegada a hora do enterro, se fez uma inversão no clima do velório. Agora a tristeza da morte e a raiva das injustiças do mundo dominavam todos os corações. Aquela gente sabia que Zezito não deveria estar deitado em silêncio, que ele deveria estar correndo mundo e falando como sempre. Era choro. Velas foram acesas. E mais choro. Apenas uma pessoa não chorava. Filinha Mata-Boi, que começou a traçar sua nova existência nesse dia. Ela estava de pé ao lado do noivo. Ereta. Recebia as condolências e respondia com um olhar duro no mundo.

A hora indesejada chegou. Quatro homens se posicionaram para fechar e carregar o caixão. A juíza estava na sala, aos prantos. Foi carregada até a beira do filho e alisou seu rosto. Ajustou a roupa, passou a mão pelos cabelos. Mariinha recobria o corpo do menino com rosas brancas. Filinha quis tirar todas aquelas flores de cima dele. Queria resgatar o noivo da cova de falsa beleza em que estava deitado. As irmãs se seguraram na mãe, e o caixão foi fechado. Filinha tomou o lugar de um dos homens. Ela e Venâncio seguravam na frente, enquanto Jó e Toni de Maximiliana dos Santos estavam atrás. E todo o povo do terreiro viu o caixão com Zezito surgir no peitoril sobre os ombros de Filinha.

O cortejo seguia. Dinha ficou pra fechar o casarão. À frente iam Chula, os gêmeos, o padre, Nalvinha e Carminha. Zinha ia com a mãe num dos carros que tinham chegado de Santa Stella, seguindo o cortejo. Ao lado de Filinha, Mariinha e Tuninha seguiam de mãos dadas. Tudo para aquelas três mulheres sempre foi lugar de enfrentamento e valentia. O que elas mesmas poderiam fazer diante da vida era aquilo que faziam, erguer a cabeça e encarar o presente.

Angélica caminhava ao lado de Venâncio, segurando no braço de Thadeu, que durante todo o velório e sepultamento sentia um frio incomum. A irmã via os arrepios do irmão e se preocupava. O sol estava forte. Angélica trazia rosas nas mãos. Ela suava, e entre seus dedos do pé a areia era um incômodo. Usava uma sapatilha apertada, o desejo era seguir caminho descalça. E assim fez. Nessa pausa as rosas caíram. Ela pegou, agora a areia passou a ser um incômodo também em suas mãos. Rosas, areia, arrepios do irmão. Sapatilhas nas mãos. Ao menos os pés tocavam a liberdade. Mané da Gaita seguia próximo aos gêmeos.

A caminhada seria longa. Em alguns trechos o padre entoava cânticos e Angélica acompanhava. Cícero tocava harmônica, Antônio cantava. Aquela procissão de rosas brancas, porque a maioria das pessoas aproveitou a oportunidade para colher as flores que tanto luziam em suas imaginações, enfeitava o domingo. O cemitério ficava subindo uma ladeira de terra vermelha que vinha logo depois das pedras, seguindo no sentido contrário da mata, da quitanda de Jó e da estrada que dava nas terras de acesso ao rio Airá.

Quem olhasse de longe veria uma grande cobra branca cortar a terra. O movimento era espaçado. Por vezes para que os carregadores e a carregadora trocassem de ombro ou mesmo de lugar com alguém que por algum trecho também quisesse amparar o último passear do morto. E muitos quiseram. Mata Doce repetia que amava Zezito. O assassino que mata um bem-querer pode ser esquecido, mas o assassinado jamais será. O enterro é a última declaração de amor na presença do corpo amado. Zezito partia, e todos se despediam dele. A noite do velório já havia sido costurada por rimas e versos que se repetiriam dali pra frente. Aquela gente faria o menino florescer para sempre.

Na estrada final, antes do cemitério, a boa-noite estava toda florida. De um lado a outro a flor aparecia e pouco a pouco foi acalmando a chegada de choros, desmaios e abatimentos. O sepultamento haveria de acontecer. Era verdade que ninguém mais conversaria ou caminharia ao lado de Zezito e que o casamento nunca se daria. Aquela tristeza, aquela grande depressão, era real.

O caixão saiu dos ombros e descansou na terra. Zezito amparou Maria Teresa.

— Nega, descansa esse braço. Esse trecho foi pesado, num foi?

— Zé, como viverei sem ti?

— Meu amor, não pense nisso agora. Como sempre te digo, meu dengo, tudo com o tempo vai se encaminhando.

Os movimentos seguiram sendo feitos como havia de ser. Orações, rezas, despachos. Cova, enterro, flores, desmaios, choros, gritos, cobertura. Despedidas. Zezito segurava o ombro de Maria Teresa.

— Estou aqui.

— É mentira.

— Estamos juntos, nega.

A terra cobriu o menino, o namorado, o noivo, o sonho, o cheiro das flores de umburana. Era o adeus final que ela dava ao sonho de simplicidade de Maria Teresa.

— Zé, não poderei mais te amar.

— Não me ame, meu dengo, não precisará mais.

— Não diz assim, Zé, não confirma essa ideia.

— Maria Teresa.

— Não existo mais. Maldito! Tu me abandonou.

Filinha caiu de joelhos sobre a cova, gritando sons incompreensíveis e esmurrando o chão.

Os presentes foram pouco a pouco desaparecendo como assombração. O carro de Santa Stella levou a mãe e as irmãs do defunto de volta para casa. A pé, as três mulheres da Vazante retornavam para o lajedo. Atrás as seguiam Chula, Lai e Mané da Gaita. Chegaram quase junto com Dinha, que apareceu para dar os últimos préstimos e dizer que quando o cortejo saiu ela e mais algumas comadres fizeram o que foi possível para arrumar um pouco o casarão. Tuninha agradeceu e recebeu as chaves da mão da mulher, que logo partiu. A senhora entrou pelo passadiço e foi abrindo a casa pela porta do quintal. Era meio da tarde e elas ainda tinham muito o que fazer antes do anoitecer. Lai seguiu a comadre e foi se dispondo no que fosse preciso. Mané da Gaita sentou no peitoril. Chula e Mariinha pararam encarando o lajedo. Quando todas deram por fé Filinha estava com uma faca cortando as ramas do roseiral.

— Para, minha filha, não corta tua herança — Mariinha gemia.

— Maria Teresa, larga essa faca — Tuninha veio em socorro.

Ela parou no meio do peitoril de frente para o lajedo e esbravejou:

— Maria Teresa não existe mais. Hoje a enterrei junto com o noivo. Uma noiva não pode existir sozinha.

Ouvindo tudo, Lai pensou que a menina iria querer destruir o vestido. Então correu até a cerca onde estava pendurado e escondeu o traje da noiva. Em seguida também foi ao peitoril, amparou as senhoras e disse:

— Deixa, comadres, isso é a dor.

Filinha cortou toda a ramagem do roseiral. O que ela queria era arrebentar aquele arranjo de festa.

— Que alívio vocês veem aqui? Que beleza existe neste lugar para sustentar esse enfeite? Para garantir rosas a essa gente? Isso acabou. Ninguém olhará mais para esse casarão em busca de alívio. Minha dor de agora em diante será o que todos irão encarar de frente.

À revelia dos gemidos das senhoras, Filinha fez uma fogueira na frente da casa e queimou as ramagens e o que restava das flores. Enquanto o fogo ardia, lembrou que no quarto arrumado para ela e Zezito estava aquele jarro cheio. Entrou correndo no casarão. Os gemidos das mães se transformaram em gritos.

Pegou as rosas do jarro e no meio da sala, onde havia estado o caixão de Zezito, Filinha arremessou as flores com força. As rosas se espalharam inteiras, ela foi catando como podia uma a uma e as carreava para o fogo. Do quarto dos recém-casados, Filinha arrastou fronhas, toalhas, lençóis bordados. Tudo ardeu. O jarro já havia sido guardado na despensa por Lai, que cuidou de preservar aquele objeto como uma memória.

Agora a mulher se dirigia para o armazém.

— A máquina não, Maria Teresa! — gritou Mariinha.

— Não me chama de Maria Teresa.

— Minha filha, não precisa disso. Para — Mariinha estava cansada.

— Não me chama de sua filha. Não sou sua filha! Não sou filha de nenhuma de vocês!

O mundo parou.

A dor que passara toda a manhã do sábado apontando crescimento no peito da mãe da noiva agora se alastrava em cólera por todo o coração. As batidas aceleraram e espaçaram num mesmo instante. Mariinha caiu.

— Mariinha, Mariinha — Tuninha clamava que sua senhora reagisse. — Lai, traz o álcool com folhas da despensa!

— Mamãe? — Filinha soltou a porta do armazém e virou para as mães. — Mamãe, mainha, me perdoa, mamãe — Filinha segurava sua mão.

— Meu amor, estamos aqui ao seu lado, minha senhora. Estamos bem, Mariinha. Está tudo bem, Mariinha. Seguiremos bem. Abre os olhos. Eu não vivo um dia sem tu, Mariinha. Acorda! — Tuninha chorava forte.

Lai chegou com o álcool. Tuninha passou o caldo verde na testa e no pescoço de Mariinha enquanto desabotoava seu vestido e massageava o coração. Pouco a pouco, a senhora foi reagindo.

— Mainha, me perdoa, mainha.

Mariinha chorando abraçou a filha.

— Calma, Mariinha. Respira! Solta um pouquinho tua mãe, Filinha. Vem, Mariinha, vamos te levar pra sala.

— Pra sala não, Tuninha.

— Vamos caminhando até a cozinha?

— Vamos.

— Vou colocar um banho de folha de manjericão pra nós. Daqui a pouco anoitece e precisamos nos cuidar.

Com Filinha segurando Mariinha de um lado e Tuninha de outro, foram caminhando pra dentro do casarão. Lai jogou água no fogo. Mané da Gaita, que estava ali paralisado, foi deixando o silêncio voltar a reinar e buscou ar para voltar a respirar sem dor.

Mané não queria que a máquina fosse queimada porque ainda desejava ter um dia alguém para endereçar um dizer. A bem da verdade, a partir daqueles acontecimentos ele via que o serviço de bater cartas poderia não existir mais ali em Mata Doce. O músico respirou fundo. Chula se aproximou e sentou ao seu lado. Juntos ficaram olhando o lajedo e, num gesto de distração e quase esquecimento, Mané da Gaita se virou para o horizonte conferindo se o noivo não apontava caminho de aparecimento.

Assustado com aquilo, fez o sinal da cruz e se levantou. Era melhor não ficar mais ali, matutando naquele lajedo. Verificou perto de si e viu que a caixa de quebra-queixo não estava ali. Como o doce havia sido consumido durante o velório, Lai poderia ter guardado a maleta no casarão. Mas ele decidiu não buscar agora a informação e seguiu estrada com Chula e a gaita. A noite começava a cair. Mané foi sentindo uma vontade de tocar, mas não queria que o ouvissem e entendessem aquilo como desrespeito ao silêncio merecido após o sepultamento de Zezito. Então buscou um lugarzinho mais afastado onde poderia tocar uma valsa.

Se aproximando da mata, Mané da Gaita avistou uma árvore robusta que o receberia com conforto e quem sabe até segurasse o som da sua canção. Achando o jeito, encostou no tronco, soltou a muleta e pôs a tocar uma valsa triste. Mas o conforto foi crescendo tanto que ele decidiu emendar numa valsa alegre. E ali seguiu. A noite caiu de vez. Num estalido ele se alembrou do sumiço de Josefa Fontes na mata e de pronto parou a música, guardou a gaita e foi pegar a muleta, quando, com um movimento em falso, caiu. No chão, por entre um espaço entre as galhas quase todas fechadas do arvoredo, viu o céu, sameado de estrelas.

— Que mal poderia existir num lugar desses — sussurrou. — Isso aqui é um modo de paraíso. Olha que belezura é esse céu — e adormeceu.

Despertou com a cachorra lambendo sua cara. Era dia claro. Mané foi fazendo jeito de se levantar e alguém generosamente lhe deu a muleta. Ele a segurou e se aprumou, se ergueu e ficou assombrado. Quem lhe ajudava era a desaparecida Josefa Fontes.

— Oia, tu tava onde? Todo mundo anda te buscando.

A mulher sorria.

— Vamo, eu te levo na tua casa.

Mané da Gaita pegou estrada em direção à casa dos Fontes e nem observou que junto a si ia apenas a cachorrinha. Na porta ele tocou:

— Ô de casa!

— Quem é? — respondeu Angélica.

— Oia, não tá reconhecendo minha voz não? É eu, Mané da Gaita. E vem ver mais quem é que eu tô. Mais tua mãe. Abre aí, eu achei tua mãe.

Angélica se perdeu naquele chamado. Não tinha o que responder nem porta pra abrir, que não existia mais mãe a reencontrar. A irmã ia se assombrando quando viu o irmão vindo em sua direção, quase perdendo o juízo mais uma vez. Thadeu, sorridente, trazia um bastidor com o bordado de uma arara-azul em ponto de cruz.

— Vou mostrar pra mamãe. Abre.

— É tua mãe. Achei tua mãe — Mané gritava do lado de fora.

Antes de enlouquecer também, Angélica abriu a porta. E gritou:

— Mostra! Cadê? Cadê inferno de mãe nenhuma! Cadê desgraça de mãe? Mostra, infeliz do satanás, cadê a mãe que tu achou?

Mané da Gaita dava voltas em torno de si mesmo. Thadeu buscava a mãe na frente da casa. Chula pulava em Thadeu. Mané viu o bastidor que o rapaz trazia consigo.

— Oia, o que é isso? É uma arara-azul?

Angélica tomou com força o ponto de cruz da mão do irmão e sumiu na casa.

— Foi tu que fez pra tua mãe? — Mané perguntou ao rapaz.

— Tu viu que sábado quem atirou em Zezito foi o coronel Gerônimo Amâncio? — Thadeu respondeu.

— Terá sido o coroné quem atirou também em tua mãe?

— Mamãe não morreu de tiro.

— Então tua mãe está morta? — Mané perguntou, mas não esperou resposta.

Mesmo com Chula pendurada em Thadeu o músico se largou da casa dos Fontes. Queria caminhar até esquecer aquele encontro. A depender da resposta, a mulher que havia lhe auxiliado naquele despertar passaria a ser uma assombração.

III
PONTO DE CRUZ

1

Maria Teresa estava na sala com Tuninha e Lai, as três sentadas no sofá maior arrodeadas de panos e linhas. A menina segurava o bastidor, estava aprendendo o ponto de cruz. Era sua quarta para quinta aula. Lai trabalhava de ganho no curral do coronel Amâncio, mas sempre ajudava em quase tudo no lajedo. Se pudesse, só trabalharia ali. Mariinha disse a Lai que queria que Maria Teresa aprendesse a bordar, mas que as vistas de Tuninha já não alcançavam mais enxergar direito as linhas no bastidor. Lai de pronto respondeu que faria com gosto e que, honrada, daria aulas à menina.

— A professora pode dar como certo, todo domingo chego aqui e vamos seguindo o ensinamento — Lai desejava que as aulas durassem para sempre.

Nesse domingo, Maria Teresa segurava o bastidor e bordava a fachada do casarão.

— Que desenho é esse, Filinha — perguntou Lai.

— É a frente aqui de casa, madrinha.

— E essa faixa aqui?

— É o roseiral, vou cobrir de ponto de cruz branco.

Maria Teresa ainda estava no começo do aprendizado, mas juntou o fato de saber rabiscar uns desenhos e logo trouxe aquela novidade para a aula que era bordar num pano maior um desenho grande. Lai foi aceitando porque nunca que iria contrariar a menina dos seus agrados. A manhã seguia e as duas iam arriscando os traços daquele conviver.

Tuninha já havia sido entre elas a que mais sabia ponto de cruz e ficava ali conversando e supervisionando os serviços, mas não conseguia furar com precisão o bastidor. Precisava de óculos, mas se negava a ir à cidade. A proteção da vida dela era viver no casarão. Lai cresceu no puteiro ouvindo dizer da fama de bordadeira de Tuninha.

— Mainha, Mariinha, vem ver! — Maria Teresa chamava a professora.

— Vê o quê, minha filha?

— Vem, mamãe! Vem, mainha.

Mariinha foi chegando na sala, já era quase meio-dia, a menina em pé segurava o bastidor com orgulho. Ninguém decifrava o desenho. Lai foi logo dizendo para ajudar Mariinha e agradar a menina:

— É a frente do casarão. Estão vendo aqui branco? É o roseiral. As ramas aqui. — Lai falava e apontava o bastidor.

Maria Teresa estava feliz e comovida. Ria de alma aberta para aquele acontecimento que era reproduzir imagens que amava em desenhos de linha. Tuninha queria rir e abraçar a filha e lhe dizer que aquele ponto de cruz era o mais lindo que já tinha visto. Mesmo que não fosse. Mesmo que não se conseguisse entender com precisão o que aquelas linhas apontavam. Tuninha assim fez. Mãe e filha se abraçaram. Entre os risos, a menina quis a opinião da outra mãe:

— Mainha, e a senhora, o que achou?

Mariinha estava emocionada. Ela amava a filha, amava Tuninha, era feliz com a união de sua família e com a proximidade com a comadre. Aquele convívio tranquilizava sua alma. Mas a emoção ali era outra. Mariinha reconheceu aquele desenho. A faixa branca que atravessava a frente do casarão naquele bastidor de ponto de cruz que a filha segurava não parecia um roseiral porque não era, era uma cobra branca. Uma enorme cobra branca como a que um dia lhe havia descrito sua avó Eustáquia da Vazante.

— Minha filha, eles estão aqui. Este chão, o lugar que estamos agora, é sagrado. É nosso presente, de onde te alcanço e alcanço tudo que já fomos e que podemos ser. Sou de santo — Eustáquia da Vazante cochichava a revelação à neta.

Mariinha entendia, ela sabia do culto da avó aos Orixás, só não reconhecia entre aqueles deuses a imagem de uma cobra branca. Mas ficava compreendido que a revelação apontava para mais um jeito de crer no mundo. A avó seguia:

— Tem uma cobra branca, Mariinha, imagem de transformação, de mudança. É hora, minha filha. Eu vou. Vamos nos vestir de branco.

— Vó, já estamos de branco.

— Coloca os joelhos no chão, minha filha, deita tua testa no chão pra tua avó. Encosta tua fonte de criação no presente. Os pensamentos crescerão renovados com ramagens sãs. É a simplicidade, Mariinha, a transformação é o ser.

Mariinha ouvia a avó e sentia como se seu corpo estivesse fazendo todos os movimentos que a matriarca dizia. Estava com a cabeça encostada a Eustáquia da Vazante. Ouvindo tudo. Será que a cabecinha alva de sua avó era o prenúncio da cobra branca que ela revelava naquele momento? A neta alisava os cabelos brilhosos e macios enramados da memória de mundos. Tantos mundos surgiam sem parar, de sua avó. Principalmente nesse momento fino de passagem entre os tempos. Ela não parava de trazer novidade antiga. Mariinha acariciava a pele negra da sua ancestral, filha de mulher Kiriri Sapuyá com um homem Mina. Mariinha chorava agradecida daquele convívio. Suas lágrimas caíam sem controle. Para sempre estariam com ela a cobra branca, a testa no chão, o frescor do nascimento de novas ramagens em seus pensamentos. O chão. A floresta. O dia. O agora. Maria Teresa na sala segurando sinais de sua bisavó Eustáquia da Vazante. Mariinha abraçou a menina e chorou.

— Mamãe, não chora. Quer dizer que meu desenho está feio e mainha não quer me falar? — Maria Teresa disse a pilhéria sem se soltar do abraço.

As quatro mulheres caíram na risada.

— Maria Teresa, tudo que você faz nós vamos amar — disse Mariinha, guardando para si a presença de Eustáquia, ali naquele momento. E, olhando novamente o bastidor, alembrou: — Ah, Maria Teresa, essa é a imagem da fachada daquele nosso retrato!

— É mesmo! Só faltou nós três aí de ponto de cruz. — interveio Tuninha.

— É verdade! Mamãe, e por onde anda aquele retrato?

— Minha filha, ele está guardado, é única imagem de nós três e do roseiral, deixa lá. O que se apresenta ao olho pode sumir na mão. Por hoje chega de aula, vamos almoçar.

Tuninha foi fechando as janelas da sala, e as quatro mulheres se encaminharam para o interior da casa. O tempo ia seguindo e Mariinha foi cumprindo o prometido de ter uma filha criada na maciez das pétalas das rosas. Maria Teresa era datilógrafa, sabia de costura, de bordado e de culinária. O que ela e Tuninha não davam mais conta, Lai fazia as vezes de madrinha e ensinava de bom agrado à menina.

Lai, com o convívio, com o mistério e, principalmente, com a maciez que assoprava das rosas, foi ganhando gosto em amar. A madrinha chegou em Mata Doce no mesmo dia que a afilhada. Tuninha estava limpando a roça do bananal quando viu entre folhas, numa sombra, a menina, pequena, sem fala.

Colheu ali Maria Teresa e levou até o casarão para Mariinha. Nesse mesmo dia Lai apareceu no peitoril.

— Ô de casa!

— Ô de fora. Quem é? — Tuninha respondeu.

— É Lai, comadre véa da senhora Tuninha.

— Lai! Que acontecimento é esse, mulher? — disse Tuninha, já se assomando ao passadiço da lateral.

— Tuninha — Lai começou a falar e foi embargada pelo choro. — Tuninha, preciso de guarida. Não tenho pra onde ir. Estou que morro de fome.

Tuninha deu passagem para a mulher atravessar o passadiço e adentrar no quintal do casarão. Lai sentiu o aroma das rosas. Tuninha olhava com piedade o flagelo humano que via. Sua comadre estava seca como vara, com trajes rasgados e sem banho. O cheiro das rosas se intensificava como uma baforada e Lai desmaiou. Tuninha não aguentaria carregar aquele corpo, mesmo que franzino. Buscou um copo de água fresca e foi, como pôde, despertando aquela pena. Lai foi acordando, acordando. Tuninha lhe ajudava com o copo de água. Lai ficou ali no chão, na lateral da casa. Tuninha entrou, contou a Mariinha a situação de lástima que estava se dando no quintal. Mariinha servia um mingau à criancinha que tinha acabado de chegar e que agora já estava banhada e vestida com panos limpos. A menininha havia chegado em roupas findadas e recebia o alimento com ânsia de quem passava fome.

— Os preparos do mingau estão na cozinha. Faz um pra essa nova chegada também — disse Mariinha.

Tuninha fez isso e foi entregar à comadre. A cena era de dó. De asco. De raiva, aquela raiva que Tuninha tinha tanta dificuldade em parar de sentir. Raiva pelas dores e penas do mundo. Lai comeu e ressonou. O sol já estava caindo. Mariinha chegou perto delas.

— A menina dormiu lá dentro.

— Aqui também.

Mariinha parou no passadiço e olhou a luz esmorecer no lajedo. Tuninha estava agoniada com todos os acontecimentos daquele dia. Quando caía, o sol passava entre as pedras e alastrava no mundo uma pena sem tamanho. As quatro sentiam fome? Tuninha dentro de si queria ligar aqueles dois aparecimentos. Mas sentia também muita vontade de não pensar mais em nada. Sonhava com um momento em que seus pensamentos seriam mais compreensivos consigo e lhe aliviariam a vida.

— Nisso tudo não arranquei o aipim.

— Arranca amanhã.

— Não, vou agora.

— Tá certo, vá, então.

Tuninha pegou a enxada embaixo do pé de ingá e foi apenas alguns metros mais adiante cavar numa folhagem e colher raízes. Voltou ligeira à casa. Limpou, descascou, juntou lenha às brasas e botou o aipim para cozinhar.

— Tuninha, vou fechar a casa. Vamos despertar Lai?

— Deixa o aipim cozinhar. Vou dar um prato a ela e fazer um lugar de repouso no armazém por essa noite.

Chula chegou lambendo o rosto de Lai, que despertou. Mané da Gaita vinha atravessando o passadiço e se assustou:

— Oia, boa noite, tem alguém aí?

Lai respondeu com um grunhido. Chula latiu. Tuninha abriu a porta da cozinha. Chula entrou no casarão se trançando pelas pernas das senhoras. Tuninha e Mané da Gaita convidaram Lai para que se erguesse até a cozinha.

O aipim estava pronto. Todas elas e ele comeram o aipim, ovo frito e café. As senhoras estavam no banco, Mané de pé, apoiado no fogão e na muleta. Lai ficou afastada, sentada entre um canto do fogão e a beirada da porta da cozinha, a criança e Chula pelo meio. A menina não falava, não sorria, andava e caía, como um bezerro recém-nascido, tentando se sustentar em Chula.

Após comer, Mané seguiria para o botequim de Jó. Tuninha se adiantou em arrumar um canto de pernoite no armazém e com ajuda de Mané foi chamando Lai, que comia e ressonava. Estava como morta-viva. Com sacrifícios conseguiram caminhar com a mulher até o armazém. Tuninha cuidou de deixar uma vestimenta limpa, uma toalha e sabão. No casarão tinha um cercado para banho que ficava na lateral da cozinha, perto dos fundos do quintal. Mas Lai estava que não se aguentava de pé, e as senhoras não se arriscariam a uma queda para tentar banhá-la. Que o banho se desse no amanhecer do dia seguinte.

Alimentada, Lai caiu no apagamento da vertigem de quase morrer. Mané e Chula seguiram viagem. Tuninha ainda ficou alguns minutos ouvindo o músico se afastar. A noite era de lua. Mané parou alguns instantes no lajedo e tocou uma valsa alegre. Chula dançava por entre a muleta do vendedor de doces. Nas costas, a maleta de quebra-queixo. Na mão, a música. A imagem era bonita, uma pedra grande, um céu aceso, um homem só, um trabalhador e sua parceira de vida. A lua avivava o lajedo em cores que se podiam decifrar. Porque durante o dia a luz do sol acende as pedras de modo a cegar olho vivo. Aquelas cenas trouxeram ao juízo insone de Tuninha recordações do puteiro, do tempo de Santa Stella. Ela balançou a cabeça e seguiu caminho para entrar no casarão. Passou pelo peitoril, pelo passadiço, pelo quintal e cruzou a porta da cozinha. Fechou as lembranças. Estava em sua casa, com sua família.

— Minha filha, minha filha! Onde é que está minha filha? — Lai despertou com seus próprios gritos.

A mulher não decifrava o que acabara de dizer. Era um sonho? Ou a fome? Olhou em volta e não reconheceu onde estava. Teria encontrado rancho em alguma casa da estrada? Há semanas que caminhava pela rodagem sem comida e sem água. Onde estava? O que dissera? Nada disso ela podia distinguir. Buscou mais detalhes ao redor e encontrou um troço de sabão, uma toalha e roupa limpa. Olhou para si mesma e pensou que nem sabia desde quando não trocava aqueles trapos. Aquela roupa havia sido deixada para ela? Não podia ser. Não existia quem cuidasse dela. Lai fechou o olho bem forte e ficou assim, como se desejasse se acabar. Como se fosse possível que nesse gesto o mundo sumisse. Abriu os olhos. O mundo seguia.

— Minha filha, minha filha! — Lai delirava. — Parece que posso ter sonhado com uma mãe que buscava uma filha.

A mulher se sentou com uma forte angústia no peito, no estômago, ela não distinguia de onde vinha aquela ânsia de acabamento de mundo. Atrás de si, alguém abriu uma porta. Com a entrância da luz do dia, voltou a apertar os olhos.

Tuninha viu aquela cena e mais se apiedava. Lai parecia um animal maltratado. Tuninha conhecia a solidão da fome. O delírio. A moléstia.

— Lai, é eu, Tuninha, posso entrar?

— Tuninha? Que Tuninha?

— Tuninha, sua comadre, mulher! Lembra que te dei a boneca?

— Comadre Tuninha! Comadre Tuninha! Me valha, minha comadre, me valha. Passo fome há muitos dias. Estou andando pelo mundo sem valia. Sem amparo. Sozinha, comadre. Não aguento mais essa vida. E cadê, comadre? Cadê?

Lai caiu num forte choro sem lágrimas. Tuninha segurou na porta e sentiu uma dor funda lhe cortar por dentro.

— Venha, minha comadre. Venha cá. Você não está mais sozinha. Venha. Não chore mais. Vamos para um banho.

Um cheiro azedo de morrinha dominava o armazém. Tuninha estirava a mão para Lai se levantar e sentia aqueles ossos finos rasgarem de pena a sua mão. A senhora foi seguindo com a mulher para a saída do armazém. Na porta, ao beirar a saída, Lai parou. A luz lhe doía. Há muitos dias ela caminhava sob o sol forte. Tuninha deixou a mulher se acostumando à claridade e pegou a roupa, a toalha e o troço de sabão que havia deixado no armazém.

— Venha. Vamos para o banho.

Atravessaram o peitoril, o passadiço, o quintal e alcançaram o cercado do banho. Tuninha dispôs um pequeno banco de madeira dentro do cômodo para que a mulher pudesse se sentar. Deixou Lai sozinha e foi até a cozinha pegar um balde de água morna. Do tanquinho de água do fogão a lenha, Tuninha recolheu algumas latas de água quente, que foram misturadas à água fria que já estava no balde. No banheiro, Tuninha bateu de leve na porta e deixou o balde de água morna e uma latinha próxima à mulher.

— Faça seu asseio, minha comadre. Sem pressa, jogue essa água da cabeça aos pés. Aqui uma roupa limpa, tome esse sabão e fica aqui com essa toalha. Vou amornar a água do cuscuz que hoje comeremos bem.

Na cozinha, Mariinha mexia um mingau para a menina. As senhoras se abraçaram quando se viram. Já haviam vivido muita coisa.

— A menina é de dar dó, Tuninha.

Tuninha abraçou Mariinha ainda mais forte e não teve voz para relatar nada. Deu um tempo nesse amparo e foi fazer o cuscuz. Mariinha seguiu entre lágrimas o preparo do mingau. A criança estava desperta na cama das senhoras, com o olho bem aberto sem se fixar em nada. Nem parecia gente viva.

Foi um dia depois do outro que aquelas duas criaturas foram retornando. Uma voltava a falar com mais precisão, a outra passava a olhar com mais atenção. Um dia Lai pareceu mais forte e pediu a Tuninha e a Mariinha se poderiam lhe arranjar um serviço por ali. Mariinha disse que faria o possível para conseguir mais que um emprego, ajeitaria tudo como fosse para Lai passar a viver em Mata Doce.

2

Era da sina de Mata Doce acolher mulheres, como aconteceu com Josefa e os filhos gêmeos Angélica e Thadeu. A mãe fugida chegou ao povoado aos cuidados da professora Mariinha por recomendação da juíza dos Sales. A mulher fugia do espancamento e da tortura. Por ali ficou nos terrenos dos Sales, que a essa altura viviam em Santa Stella. Josefa tinha algumas posses de herança que estavam em seu nome e foi da venda de imóveis que comprou terreno e construiu casa em Mata Doce. Josefa era mestiça e seus meninos seguiam suas feições negras de tons de pele mais claro. O tempo seguia, Angélica e Thadeu cresciam. Mas a verdade é que a tristeza que ela carregava da solidão e do afastamento do marido nunca viu cura.

Josefa se casou para ficar para sempre com aquele homem. Para aguentar. Para construir e defender a família de tudo que fosse tentação. Foi fugida viver ali. Mas noites e noites ela passava acordada se culpando pela fuga, por ter separado os filhos do pai. Josefa entendia que era uma grande maldição ser uma mulher só. Era uma vergonha que ela não suportava mais carregar. Tudo a aterrorizava. Vivia pensando que a culpa era dela, que havia errado como esposa, que não conseguira segurar o próprio lar.

Logo nos primeiros anos de angústia Josefa voltou a Santa Stella decidida a buscar o marido. A voltar para casa. A dizer que aceitaria seu pedido de perdão se ele prometesse nunca mais agir com aquelas atitudes violentas. Nessa manhã ela despertou realizada. Acordou uma mulher de verdade. Uma mãe que sabia cuidar dos filhos. Josefa botou mesa, fez tudo que seus filhos gostavam. Seguiu para a cidade com as crianças lhes prometendo o mundo. Em Santa Stella recebeu a notícia de que o esposo havia vendido a casa e se mudado para a cidade grande. Ali ela morreu pela segunda vez. A primeira foi na culpa da fuga. A segunda foi na constatação de que não havia sabido segurar aquele homem.

Voltou para Mata Doce apenada de si. Josefa caducava pensando que ele poderia ter fugido com outra. Isso seria seu fim. Os anos passaram e nenhuma notícia do marido chegava. Ela maldizia a si mesma e à juíza, que na cabeça dela havia lhe orientado no sentido da infelicidade e da destruição da família. Thadeu lhe decepcionava. Ao seu ver, o filho não apresentava modos de homem. Culpa dela, que obrigara o menino a viver ausente da presença de um pai.

Josefa não tomava providência de futuro. As roças de mandioca que eram feitas em suas terras ficavam sob o comando dos empregados supervisionados por Tuninha. Angélica e Thadeu foram crescendo e aprendendo com a velha senhora um jeito de lidar com aquilo. Gerônimo Amâncio fazia pilhéria do juízo de Josefa. Passava na frente da porta da casa dela e gritava:

— Josefa, teve notícia do marido hoje?

E arrastava o carro. Tudo aquilo era acúmulo de ofensa.

Um dia, quando os dois filhos já eram rapazinho e mocinha, a mãe recebeu de Amâncio a notícia:

— Josefa, teu marido apareceu em Santa Stella e tá perguntando por tu.

Ela suspirou feliz e se arrumou para ir ao encontro da sua salvação. Ia vestida de mãe caridosa, esposa devotada, mulher de fato. Era sábado, chegou em Santa Stella sem as crianças. Dessa vez encontraria o marido para um ajuste de felicidade. Foi na feira que avistou o homem passeando entre as barracas de braço dado com outra mulher, que carregava uma criança de colo e segurava um menino pequeno pela mão. Aquele menino devia ter jeito de homem como o pai, não o jeito de ausência que o seu tinha. Tudo transtornou Josefa. No estabelecimento de uma comadre ela compreendeu que aquele homem que andava pela cidade de braços dados com outra mulher e os dois filhos não era mais seu.

— O povo diz que ele não tem vergonha na cara. Mas aí sabe o que algumas pessoas danam a falar também? É que ele é um coitadinho. Que ainda bem que pôde refazer a vida. Porque ficou abandonado por muitos anos até tomar juízo e ir-se embora buscar uma mulher melhor que lhe compreendesse e que aí sim poderia lhe dar uma família de verdade. Josefa, isso está sendo dito por aí.

Ela ouviu essas notícias da comadre e foi com dificuldade que achou jeito de regressar a Mata Doce. Queria se esconder em sua vergonha. Havia sido mesmo a culpada de tudo, essa ideia não deixava o seu juízo. Dessa vez voltou para Mata Doce como morta. A partir de então Amâncio gritava em sua porta:

— Josefa, tu não soube segurar o marido. Ele tá em Santa Stella com outra família.

E assim os dias não foram seguindo para aquela mulher. E assim tudo ficou insustentável. E assim ela criou aquele laço de corda, um balanço infinito naquela árvore generosa que fica logo na entrada da mata.

Foi Angélica que encontrou a mãe. Perdida. Partida, balançando sem vida na mata. A filha pediu ajuda à professora

Mariinha e implorou que ela nunca revelasse a verdade. A menina tinha vergonha de contar que o fim da mãe havia sido realizado naquela vontade inatural. Venâncio as ajudou a colher o fruto peco, e a história do desaparecimento foi criada.

Tudo que era enredo de fantasia se espalhava rápido como pólvora naquele lugar. O enterro se deu dentro da mata, apenas com os três presentes. Thadeu chegou quando cobriam um corpo de terra, que ele sentia que era a mãe, mas não entendia e já não vinha organizando bem as ideias. A partir daí, o rapazinho ficou ainda mais aos cuidados do homem e da mulher que enterravam ali um segredo e da irmã que julgava enterrar uma vergonha. Passagem que Angélica só conseguiu voltar a falar em confissão, como se houvesse sido ela a culpada pelo acabamento da mãe.

3

Hoje, aos noventa e dois anos, vou batendo essas histórias na máquina sem precisão de verdade. Entendo que estou só. Não lembro de como ouvi, não escrevo com a preocupação nas certezas. Escrevo buscando companhia. No dia primeiro que perdi mamãe Tuninha, uma solidão varreu meu coração. Que após a morte de mãe Mariinha ficou de vez varrido, limpinho sem uma erva daninha que fosse. Por isso passei a escrever, para ver brotar gente no meu corpo. Para sentir o renascimento das ramas no meu peito.

4

No dia da morte de Tuninha da Vazante, Filinha foi recolher e limpar o corpo da mãe. Nessa hora Mariinha se levantou. Lai havia forrado a cama com plástico, e Maria Teresa descansou a mãe ali como se repousasse um passarinho. Até aquele momento o banho de sua mãe Tuninha havia sido serviço realizado apenas por sua mãe Mariinha e depois por Lai. Por muito tempo lhe pareceu que elas protegiam algum mistério.

Filinha sempre quis ajudar as senhoras no trabalho, como passou a fazer com Mariinha, que a partir da morte de Tuninha foi parando de vez de caminhar, comer e por fim de recordar lembrança recente de si.

Há muito Tuninha vinha fraca. Um dia, sentiu uma forte dor de cabeça e depois disso outra, e depois disso os movimentos do corpo ficaram ainda mais lentos. Um braço então se esqueceu de ser braço e as pernas se esqueceram de se impor diante da vida, e a voz de minha mãe foi se transformando em amadurecimento. Era como se tivesse voltado a aprender a falar. Mariinha entristeceu sem se deixar notar pelo roseiral. Por dentro da casa nós e Chula entendíamos aquela tristeza. Mas o jeito da minha mãe viver era se fazer de forte. Lai praticamente passou a conviver conosco. Foram por alguns anos elas duas que trabalhavam na vida de mãe Tuninha.

Até aquele domingo. Ninguém pensou que fosse ser num domingo, que é dia de pausa de todo acontecimento. Como nenhuma mãe nunca deveria sucumbir, nenhum domingo nunca deveria ser portador de desaparição de grande amor. Mamãe Mariinha estava acendendo o fogão, Lai molhava a massa do cuscuz. Eu me mexia no quarto, ainda na cama, com Chula me esquentando a costela, quando ouvi a voz fininha de mamãe Tuninha me chamar — Maria Teresa. Ouvi com perfeição. Ela chamava a menina que um dia tinha experimentado um vestido de noiva no sábado, em frente ao espelho, ali no seu quarto.

Corri até lá. Abri a porta. Ela estava de pé em frente ao espelho de mãos estiradas para mim.

— Zezito está aqui, minha filha.

Eu chorei.

— Eu já disse que ele não pode te ver de noiva, mas ele insiste.

Eu redobrei o choro.

— Zezito veio me buscar, Maria Teresa.

Eu a abracei. Segurei minha vida no abraço de minha mãe e me entreguei àquela calma, àquela paz eterna. Ela me pôs de frente a ela e juntas nos miramos no espelho. Estávamos as duas vestidas de noiva. Éramos as duas, mulheres escuras, desejadas como amor verdadeiro. Mamãe alisava o vestido em seu corpo. Eu alisava o vestido em meu corpo. Nós sorríamos. Comparávamos os detalhes da renda. Voltávamos a nos abraçar. Eu voltava a parar naquele canto quentinho, meu, amparado, desejado, que me segurava com todo o aconchego do mundo. Mamãe era uma noiva linda. Que alegria estarmos juntas naquela imagem do espelho.

Foi então que ouvi o tombo. Despertei. Sentei na cama e lembrei que o espelho não existia mais desde o dia que matei o primeiro boi. Corri até o quarto de mamãe, com Chula latindo aos meus pés. Ela estava caída no chão. Eu estivera ressonando ouvindo sua voz e demorei a despertar? Mamãe estava caída como uma trouxinha, no lugar onde um dia havia existido aquele espelho. O nosso sonho de noivas e de felicidade. Me abaixei ao encontro do corpo de minha mãe e coloquei sua cabeça em meu colo. Chula serenou e se deitou ao meu lado. Eu sentia que mamãe Tuninha não estava mais ali. Aquele nosso abraço, imagem, aparição, tinha sido despedida. Sonhei com minha mãe no dia que fomos mais felizes e assim nos despedimos, envoltas de esperanças. Eu alisava a cabeça de Tuninha, fazia um carinho entre o juízo dela e o meu.

Mãe Mariinha e Lai chegaram à porta do quarto. Mariinha caminhou com dor e não aguentou chegar até nós. Parou encostada num canto da parede, foi se virando e saiu do quarto. Lai forrou a cama. Eu repousei minha mãe. Pusemos água quente numa bacia, peguei um pano e fui limpando seu corpo. Lai foi para a máquina de costura fazer a roupa daquele dia. Mamãe Mariinha chorou sem trégua, depois emudeceu o domingo. Encontrei mistérios no corpo de Tuninha, mas não havia fala para perguntar ou revelar mais nada. A grande notícia daquele dia de domingo foi o silêncio.

Enchemos o quarto de rosas. Seu caixão entalhado em rosarias, última peça de arte de Venâncio, o ferreiro, foi retirado do armazém e no amanhecer caminhamos para o descanso de mamãe. Lai arrumou a carroça, pusemos o caixão. Levei mamãe. Cobrimos de rosas. Fechamos. Amarramos para não escorregar. Dispus as almofadas para mamãe Mariinha sentar na carroça ao lado do caixão. Tocamos o animal. Chula corria na frente, eu puxava a corda. Lai ia atrás amparando nossa história.

Nesse enterro não tivemos procissão de gente porque gente quase não existia mais. Os que nos seguiram foram todos os encantados daquele lugar. Que eram tão assombrados que pareciam gente. Tudo foi silêncio nas despedidas de minha mãe.

5

Matei o primeiro boi e encarei o lajedo. Queria que alguém viesse me dizer que não deveria ter feito aquilo. Queria ver

Gerônimo de perto e arruinar sua vida. Tocar em tudo que fosse seu, desejando o seu fim. O acabamento. A morte. Vestida agora como Filinha Mata-Boi, larguei do pé do roseiral e entrei no casarão pela sala sob os reclamos de mamãe Mariinha. Entendia que a professora não reclamava apenas se eu estivesse ou não sujando a casa. A reclamação era de me ver diferente do seu planejamento. Eu não seria mais Maria Teresa, aquela moça que ela tinha planejado que eu fosse. Seria o que meu desejo me mandava ser. Disso eu estava segura. Fazer as vezes ao meu desejo era meu único meio de continuar viva.

Entrei na casa como se fosse a primeira vez, buscava uma recordação minha de menina pequena e não achava. Encontrei pensamentos disformes. Uma lembrança de um cuidado de mainha Tuninha, um carinho de mamãe Mariinha, mais nada. E isso devia já ser o que era, mas uma angústia diferente existia em mim. Uma recordação sem lembrança maltratava meu corpo. Me fazia me sentir sempre estrangeira na geografia dos desejos de minhas mães, como se meu lugar não pudesse ser aquele da Maria Teresa bem cuidada e acarinhada, como se meu lugar fosse outro. Fedesse. Doesse. Enojasse toda a gente. Eu não queria fazer ninguém sorrir ou se sentir satisfeito como Maria Teresa fazia. Queria que as pessoas sentissem o que de fato eu sentia por mim, um desprezo podre. Entrei no que era meu quarto como se estivesse na casa errada, como se a qualquer momento me fossem pedir contas por minha presença estranha. Uma angústia foi se alimentando do meu sangue, da minha carne. Fui me encaminhando para deixar aquele casarão. E foi quando passei em frente ao quarto das senhoras. Mães que fizeram de um tudo por mim. Que armaram a armadilha daquele casamento. Que me fizeram crer no que parece o normal: sonhar. Olhei para o quarto e vi Maria Teresa vestida de noiva, iludida. Parada de frente ao espelho. Rindo de mim.

Vi Maria Teresa rindo de mim. Empurrei de vez a porta do quarto e lá estava ela, eu, a noiva.

— O que você está fazendo aqui? — eu lhe perguntei e ela não respondia, apenas sorria. — Responde! O que você está fazendo aqui?

— Maria Teresa, o que foi?

— Mariinha, a senhora está falando com ela? Não está me vendo aqui? Quem é sua filha, afinal?

— Tuninha, chega aqui.

— Mariinha, a senhora está com medo de mim? Sua filha!

— Filinha, se acalma, olha aqui pra mim. Tua Tuninha.

— Mamãe, ela está aqui! Tira ela daqui, mamãe, manda ela embora.

— Quem está aqui, minha filha?

— Tuninha, por que você está me perguntando quem está aqui? Você não está vendo a noiva? Mamãe, será que a senhora não enxerga mais de vez?

— Minha filha, aqui só estamos eu, você e Tuninha. E nós todas vemos bem.

— Cala a boca. Se estou dizendo que ela está aqui é porque está.

Deixei as duas no quarto. Corri até a despensa. Peguei aquele jarro maldito que não quis se quebrar para preservar a vida de Zezito e com ele bati em Maria Teresa. Ela caiu no chão em vários pedacinhos. O jarro se desmanchou no chão junto com o espelho, com Maria Teresa, com o vestido de noiva, com o choro de Mariinha.

Vi o sangue começar a brotar de vários pontinhos de minha pele. Era sangue dela. Ou era o sangue do boi morrendo? Passei a mão no rosto e minha careta estava desmanchando. Olhei para minha mão e vi tudo vermelho. Perdi as forças. Estava parada entre os vidros. Caminhando no incômodo. Aquela morta não era eu? Amâncio havia atirado em mim no dia do meu casamento e aquelas mulheres do casarão queriam negar a minha morte? Fui perdendo os sentidos e deixei elas me guiarem para fora daquele crime. Tinha acontecido um tiroteio no quarto?

— Mamãe, atiraram aqui! Mamãe, quem quer nos matar?

Comecei a desejar que Mariinha me segurasse, me protegesse. Me escondesse na saia dela como fazia quando eu era criança. Respirei fundo. Me vi bem pequenininha me escondendo atrás da saia de mamãe. A abracei e seu cheiro me acalmou.

— Vai, Mariinha, leva ela daqui.

— Ela quem? Mamãe Tuninha está falando com quem?

Fomos para o quarto de banho, que ficava do lado de fora da casa. Mamãe começou a tirar minha roupa. Tuninha chegou com um espinho de laranjeira de ponta bem fininha e começou a tirar pedacinhos de dor do meu corpo. Pareciam estilhaços de vidro.

— Atiraram na gente, mamãe? Tentaram nos matar? Por que querem nos matar, mamãe? Não somos daqui?

Tuninha pedia que eu fizesse silêncio com um chiado que parecia uma cantiga. Mãe Mariinha saiu e voltou com um balde de água cheirosa.

— Estou doente, mamãe? O que está acontecendo comigo?

Comecei a chorar forte sem entender aqueles pontinhos tão pequenos de vidro no meu corpo. Passei a sentir um frio grande, a tremer. Mariinha encostou a porta do quartinho de banho. O vento entrou menos. No lado que Tuninha já havia retirado o vidro, mamãe jogava água morna.

— Respira fundo.

— Respira de novo.

Elas iam me dizendo e eu fui respirando. Elas também.

— Mamãe, eu não entendo.

— Respira, minha filha.

Tuninha continuava a pedir silêncio. Eu seguia a chorar e tremer. Ouvimos a gaita, era uma valsa de ninar. Mamãe Tuninha começou a cantar. Senti que meu coração foi se acalmando. Parei de ouvir meu próprio pulsar. Que linda era a voz de minha mãe. Era a voz mais linda de todas as mães que pudessem existir em qualquer terra estrangeira. Mamãe cantava e a paz fazia cama. Como se completava a existência dela em nossas vidas.

— Mamãe, por que querem nos matar?

— Xiiii.

Ela redobrava a canção.

Acordei na boca da noite na minha cama, com Lai cochilando numa cadeira.

— Madrinha?

— Oi, minha filha.

— O que a senhora está fazendo aqui?

— Vim descansar um pouco.

— Eu não estive bem, madrinha? Aconteceu alguma coisa com minhas mães?

— Teve nada não, Filinha, todas estamos bem. Estou aqui pra me descansar.

— A senhora passou a noite aqui?

— Filinha, está tudo bem. Vamos tomar um chazinho. É final da tarde.

— Vixe, e eu dormi de dia?

— Qualquer um pode dormir de dia. O que é que tem?

Eu quis chorar de novo. Porque entendia que aquelas mulheres faziam de um tudo para que eu me sentisse bem. Despertei com alguma lucidez e lembrei que nesse dia havia ido ao curral de Gerônimo Amâncio matar boi. Me recordo de voltar para casa e me sentar chorando embaixo do roseiral com minhas mães ao meu lado.

— Foi isso que aconteceu, num foi, madrinha? Cheguei chorando e fiquei embaixo do roseiral. Mamãe Mariinha deve ter feito um banho de cheiro pra mim e deve ter me dado uns chás, aí me acalmei tanto que dormi. E lembro da voz de mãe Tuninha numa cantiga.

— Foi isso sim — respondeu Lai.

Despertei de vez, aliviada com minhas lembranças. Cheguei na cozinha e tinha aipim cozido. E a alegria de Lai e o aconchego de minhas duas mães.

6

Era junho, chovia e librinava com frequência, mas naquele dia fazia um solzinho no jeito de esquentar na medida do desgelo. Os sonhos desfilavam expostos pelos caminhos de Mata Doce. Tuninha seguia reclamando que as vistas não lhe ajudavam mais. Mariinha queria resolver aquela achega da mulher. Pediu a Angélica que desse um recado ao padre, que estava precisando resolver essa situação. O pároco sabia da condição de Tuninha e tudo que envolvia para ela voltar a Santa Stella. Então falou com uma fiel que tinha uma tenda que trazia encomendas de óculos de grau da cidade grande e acontecia que às vezes alguns óculos ficavam por ali, ou porque tinham vindo errado ou porque algum cliente não foi buscar. Atendendo ao pedido de Américo, a fiel começou a juntar algumas dessas peças e num dia de sábado lhe presenteou com armações que já estavam com lentes de grau.

Por felicidade, no dia seguinte o padre foi a Mata Doce rezar a missa a santo Antônio e levou os óculos. Na sala do casarão do lajedo o padre retirou da maleta uma bolsa de pano com vários óculos. Estavam Mariinha, Maria Teresa e Tuninha. Lai chegou com uma xícara de café para Américo.

— Vamos escolher logo os óculos que quero esse meu café na cozinha, na quentura do fogão a lenha. Hoje tem bolo de puba?

— Tem sim! Como não teria! O senhor pode dar como certo. Toda vez de sua vinda a gente faz esse bolo, não é, Mariinha?

— É isso mesmo, padre Américo. Não temos como lhe agradecer o respeito que o senhor nos reserva.

— Minhas senhoras, respeito é de graça e devemos distribuir a todos. E mesmo se fosse vendido a gente dava nosso jeitinho, que Deus está aí pra isso. Pra encaminhar o mundo em bem-valias. Mas vamos logo com isso! Olha aqui, senhora Tuninha, qual desses será que pode se aproximar ao grau de sua necessidade. Vai botando e olhando as coisas e vendo qual lhe faz bem.

Abriram a sacolinha de pano. Maria Teresa foi auxiliando a mãe a escolher o que melhor lhe ajudasse a ver.

— Vixe, fiquei tonta.

— É normal, é normal, pode ser a falta de uso. Mas, claro, escolhe o que mais conforto lhe traga.

— Vixe, comadre Tuninha com esse ficou parecendo uma tartaruga.

Aquele final de tarde foi de alegria. O padre havia celebrado a missa da manhã ali no peitoril do lajedo, depois fora almoçar na casa dos Fontes, parou para uma breve palestra com Venâncio e ainda havia se quedado algumas horas na casa dos Sales. Agora parava ali para o café da tardinha com o bolo de sua preferência, que ele comeria e levaria meia fôrma consigo para Santa Stella. Américo tinha o carro da paróquia e andava pelo povoado todo dando atenção às dores do mundo. Achaques que ele entendia como situações incomuns ao natural. O pároco não perdia a oportunidade de dizer que o olhar mais social levaria o mundo para a paz e a libertação.

Américo sabia da fé das mulheres da Vazante. Sempre agradecia que a professora, mesmo assim, permitisse que as missas acontecessem ali, em frente a sua residência. Mariinha entendia das necessidades de trocas e amparos no mundo. Aprendeu esse legado com as mulheres que vieram antes dela como se aprende a receita de um bolo.

— Com este aqui eu vejo com distinção o ponto no bastidor! — Tuninha disse animada com os óculos no rosto e o bastidor na mão.

— Pega uma agulha, Lai, vamos ver se ela consegue fazer um ponto — Mariinha comentou animada.

— Consigo! Olha, com esse eu estou conseguindo ver.

— Agora, senhora Tuninha, faz um teste de pé. Chega até aí o peitoril.

A senhora se levantou elegante. Os óculos que experimentava eram redondinhos, tinham o aro em tons roseados e das hastes pendia um cordão de cor vermelhada que dava para arrodear no pescoço. A senhora Tuninha chegou à janela.

— Abram a porta, é bom que ela veja o lado de fora. Que dê umas passeadas com os óculos — Américo também estava animado com aquele momento.

Maria Teresa abriu a porta e foi acompanhando a mãe. Tuninha olhava o chão. Via as peças grandes dos tijolos.

— Levanta a cabeça, mainha, olha o horizonte — Maria Teresa dizia e segurava o braço da mãe.

Tuninha viu o que nunca havia visto. Viu uma faixa vermelha perfeitinha no céu. Ela sabia que no poente as cores se alteravam, mas não fazia ideia que se poderia distinguir assim a mudança. Cada faixa tão distintamente de uma cor. Tuninha estava maravilhada. A presença daquela cor naquele momento era mesmo a presença de Oyá, Orixá que era sua guia. E que naquele momento de sua idade estava lhe presenteando com novas vistas. O mundo era vermelho, laranja e rosa, e ela podia ver com nitidez.

— É este! É mesmo com este que vejo melhor, padre Américo!

— Pronto! É seu. Bom, sendo assim vou guardar aqui os outros e levar porque nunca se sabe quando pode aparecer outra necessidade.

— Américo, quanto lhe devo — perguntou Mariinha.

— Me deve aquela fôrma de bolo que me espera na cozinha.

— Vamos entrando. Vamos pra cozinha.

No corredor, Américo, segurando no braço de Mariinha, se aproximou mais e cochichou:

— Professora, em verdade, tenho um favor a lhe pedir. Tive uma conversa hoje com Angélica que me preocupou. Então o que lhe peço é que arranje um jeito de se aproximar mais dessa menina. Sei que a senhora vai arrumar a forma certa.

O dia se acabou. Na hora de dormir, Mariinha e Tuninha conversaram:

— Mariinha, nem tenho como lhe agradecer. Estou ainda em choque com tudo que posso ver. Acho que hoje nem durmo.

— Tuninha, minha felicidade é esse nosso viver. Tenho um pedido a lhe fazer. Agora que você está vendo bem o bastidor, o que pensa de a gente organizar aos domingos umas aulas de ponto de cruz no armazém?

— Mas já num estamos ensinando a Maria Teresa com a ajuda de Lai?

— Sim, mas agora como tu pode ver melhor poderíamos convidar também Angélica. Vai que uma das irmãs de Zezito também não se agrada em vir aqui. Até a gente faz esse movimento para quem sabe aquelas meninas saírem umas horas de casa.

— Está bem. Já vi que é coisa que te deu o destino de fazer. Faremos e pronto.

Mariinha assoprou a vela que estava perto dela e a apagou. As duas se abraçaram e o sono chegou sem nem sentirem ou se alembrarem das coisas. A semana começou com a novidade de que no domingo próximo elas abririam o armazém para aulas de ponto de cruz. Quem se interessasse dava pra contribuir com uma pequena quantia. Quem se interessasse e não tivesse condições faria as aulas mesmo assim.

O domingo chegou e, com ele, Angélica e o irmão.

— Professora Mariinha, meu irmão pode ficar aqui com a gente?

— Pode sim, Angélica, e ele pode até aprender o bordado, caso queira — foi Tuninha quem respondeu.

— Mas bordado não é coisa pra homem não — Prenda comentou.

Imediatamente foi repreendida pelo olhar das mulheres da Vazante.

— É isso que eu opino, sei que vocês não acham assim. Mas só disse o que eu penso. Tem coisas que são pra homens e outras que são pra mulheres.

— Senhora Prenda, e se eu lhe disser que a partir de agora existe um decreto no mundo que diz que bordado ponto de cruz é só pra homem a senhora vai fazer o quê? Ir embora dessa aula? — Tuninha respondeu, emendando numa risada.

Todas riram, inclusive Prenda. Thadeu já estava morto em vida. Nessa hora tudo que ele queria era não existir para não ter que constantemente ouvir frases como aquela, que apontavam seu comportamento feminino. E ele estava ali apenas por desejo da irmã, que não queria que ele estivesse sozinho em casa. O acontecimento terrível com a mãe deles havia se dado há poucos meses, e tanto o menino não se recuperava como ela, a irmã, tinha pavor de que ele desejasse seguir o mesmo caminho. Angélica não havia perguntado se o irmão poderia ficar ali para lhe ofender ou para avaliar se estar ali ou não era comportamento de homem ou mulher, ela queria apenas que ele pudesse estar. E que assim não estivesse sozinho em casa.

Mas toda aquela conversa foi repugnando a menina, que se levantou. Juntou suas coisas numa sacola, deu a mão ao irmão e foi se retirando do armazém.

— Espera, espera, Angélica. Não vá embora. Vocês podem ficar aqui juntos. Sempre. Todos os domingos. Não dê ouvidos a essas conversas — Mariinha tentava aquietar o orgulho da menina.

De mãos dadas com Thadeu, Angélica sentia seus batimentos e temia perder o irmão. Não sabia o que fazer. A imagem da mãe balançando na mata ainda era a única coisa que ela tinha na frente das vistas.

— Fiquem, por favor — disse a professora Mariinha.

— Me desculpa. Eu tenho esse jeito rude de falar as coisas. Amâncio sempre diz que sou assim — Prenda disse já de pé e olhando para os irmãos.

Tuninha puxou uma cadeira e a colocou ao lado de onde Angélica estava sentada antes.

— Thadeu, vem. Senta aqui. Vocês ficarão nesta mesa — Tuninha apontou o lugar.

Thadeu seguiu a orientação da senhora e se sentou. Angélica seguiu o irmão. O armazém estava arrumado com algumas mesinhas de escola, sobras da época em que Mariinha ensinara lições do abecê em Mata Doce. Aquele armazém guardava a história da sala de aula da professora.

Tuninha se posicionou na frente e foi ensinar bordado. Para aquele dia havia escolhido seu vestido mais querido, um traje longo estampado com florzinhas de laranjeira que combinavam com seus óculos rosa e vermelho. Aquele encontro aliviava suas dores.

Prenda deixou as filhas, o marido e a memória do filho desaparecido em casa e, naquela manhã de aprender a trançar linha em cruz, foi tentando costurar sua culpa. A mulher queria silenciar a voz do marido que sempre lhe repetia a acusação de que ela teria deixado o menino morrer. Na ideia de Prenda ela era mesmo culpada. Mas a maltratava demais o repetir da voz do homem.

A manhã seguiu. A primeira aula acabou. Foi servido café e biscoito de goma para todos. Quem não tinha bastidor nessa manhã já fez sua encomenda. Quem fazia as peças era Venâncio. A professora Mariinha anotou os pedidos, e Lai, no retorno para casa, avisaria o ferreiro, que providenciaria tudo para o próximo domingo.

Na contagem de quem queria, a professora Mariinha viu que Thadeu disse à irmã que também desejava um bastidor. Todas observaram como ele tinha ficado atento à aula. Tuninha entendeu o encanto do menino. Angélica não fez caso ao pedido do irmão. Buzinaram na porta do armazém. Era Amâncio.

— Já vou, professora. Adeus, Tuninha. Até semana que vem, gente — Prenda correu para o carro.

— Avia, mulher, que eu não sou faz nada como você — gritou Amâncio.

Prenda estava quase alcançando o carro quando o homem perguntou:

— Essa burra aprendeu alguma coisa, professora? Coisa de mulher ensinada por essa senhora deve ter deixado ela confusa, sem entender.

— Seu Amâncio, já foi o bastante, pode seguir viagem. Tenha um bom dia.

— A senhora está me botando pra fora, professora?

— Longe disso, estou apenas lhe dando tempo, que sei como o senhor é atarefado.

— Professora, eu lhe respeito, a senhora sabe, e só por isso a gente vai aguentando certas coisas que se vê aqui.

Amâncio arrastou o carro. Mariinha trouxe Tuninha para perto de si num abraço e nesse aconchego elas suspiravam um sim a todo não que aquele homem poderia ter desejado semear no domingo. Angélica já seguia pela estrada de braço dado com o irmão. Mariinha riscou o papel e anotou a encomenda do bastidor do menino. No domingo seguinte Prenda não apareceu. Angélica e o irmão foram os primeiros a chegar. Na distribuição dos bastidores, Lai entregou um a Thadeu.

— Professora, chegue aqui — Angélica fez sinal e Mariinha se aproximou. — Teve algum erro, eu só encomendei um.

— Teve erro não, eu observei que na confusão na hora da saída você esqueceu de me dizer que seriam dois. Estão aí o seu e o do seu irmão, tudo certo.

Angélica silenciou. Thadeu segurava o bastidor com tanto jeito que nem parecia ser a primeira vez. Tuninha foi de mesa em mesa ensinando os primeiros pontos. No bastidor de Maria Teresa ela apenas acompanhava a moça a cobrir aquele desenho. Thadeu mostrava tanta segurança no ponto que Tuninha sugeriu, no meio da manhã do domingo, que ele cobrisse um desenho também. Num caderno foi mostrando as possibilidades de imagens que ele poderia colocar no pano. Antes mesmo de ver as opções, Thadeu disse:

— Senhora Tuninha, quero bordar uma arara-azul.

— Uma arara-azul?

— Sim, senhora.

— Acho que não tenho.

— E tu conhece arara-azul? — Angélica perguntou ao irmão.

— Não se carece já ter visto para desejar fazer, minha filha — disse Tuninha. — Ele pode usar a imaginação.

— Eu já vi uma arara-azul. — acrescentou Thadeu.

— Onde, menino? Que eu nunca vi — quis saber a irmã.

— Um dia eu vi uma arara-azul no quintal lá de casa — respondeu Thadeu, com naturalidade.

— Professora, existe arara-azul aqui em Mata Doce? — Angélica perguntou a Mariinha.

— Não que eu já tenha visto — a senhora de fato nunca havia visto uma por ali.

— Vocês não viram mas ele sim — disse Lai, impaciente com o rumo daquela conversa.

— Olha aqui. Este desenho é o mesmo que vê uma arara, vamos passar ele pro pano e você cobre de azul. Vai dar certo — Tuninha aprumou o caso e a aula teve seguimento.

Lai sabia bordar com ponto de cruz, mas aproveitava aquele momento de Tuninha estar enxergando bem para aprender mais, que todos no puteiro criavam a fama do bordado de Tuninha. Aquele momento ela entendia como uma grande oportunidade de avanço dos seus conhecimentos.

Ao final da aula Thadeu já tinha um bastidor com o desenho de uma arara começado a ser coberto com linha azul em ponto de cruz. O rapazinho estava satisfeito. Aquilo era realizar o sonho de ver materializado o presente que tanto quis fazer para a mãe.

Nesse dia, após a aula, Angélica, avexada, arrumou suas coisas e as de Thadeu, tomou o braço do irmão e seguiu com ele pela estrada pra casa. No caminho, perguntou:

— Thadeu, onde tu viu uma arara-azul?

— No quintal de casa.

— Que dia?

O rapaz ficou em silêncio.

— Responde.

Ele não respondia.

— Diz, Thadeu, que dia que tu viu uma arara-azul no quintal lá de casa? Foi em qual quintal? Aqui? Ou lá em Santa Stella?

— Angélica, pronto. Eu não vi nenhuma arara-azul.

— Então por que isso, menino? Por que tu disse que viu uma lá em casa? Não basta o tanto de coisa que dizem da gente? De tu!

O irmão parou.

— Anda, Thadeu.

O irmão fez jeito de voltar.

— Anda pra frente, menino.

O irmão fez jeito de sentar.

— Levanta, Thadeu, estou cansada, não aguento mais essas coisas estranhas, quero chegar logo em casa.

Thadeu se levantou e seguiram.

— Por que tu inventou essa história?

— Não é história.

— Mas se tu mesmo acabou de dizer que é mentira, que nunca viu uma arara-azul no quintal de casa?

— Mas mamãe viu.

Angélica fez silêncio.

— Eu vi mamãe conversando sozinha no quintal. Cheguei perto e ela ralhou comigo dizendo que eu tinha afastado o passarinho que estava conversando com ela. Eu perguntei: "Que passarinho, mamãe, que estava aqui com a senhora?". Ela respondeu: "Uma arara-azul linda! Das aves mais lindas que existem no mundo!". Eu ainda disse a ela: "Mamãe, não vi ave nenhuma". E foi aí que ela me falou: "Porque nem todos podem ver. Avistar uma arara-azul dessa que estava aqui conversando comigo não é coisa pra qualquer um". A partir desse dia eu ficava sempre olhando o quintal esperando pra ver essa ave que tanto conversava com mamãe. Agora eu penso que ela pode ter se perdido na mata por culpa minha. Como eu não pude ver a arara-azul naquele dia, a ave avoou lá do quintal, obrigando mamãe a ir buscar ela na mata.

Quando a conversa do irmão acabou eles já estavam chegando em casa. Angélica tirou a chave do bolso. Abriu a porta e colocou tudo para dentro. Trancou a porta e ficou com a testa encostada ali por alguns minutos. Não sabia o que dizer. Não tinha mais o que pensar. Queria apenas que aquela alvenaria segurasse sua cabeça. Chamava Thadeu de menino, mas eles já não eram mais crianças. Ele já poderia ser tão adulto quanto ela. Por que que havia ficado com a carga de ser mais velha? Naquele instante, Angélica quis apenas que o mundo parasse.

— Thadeu, lava as mãos, que vamos almoçar — foi o que pôde dizer.

Que o cotidiano os levasse, enquanto aquela casa guardasse suas histórias.

No domingo seguinte Angélica mandou recado para a professora Mariinha que não iriam, pois ela estava se sentindo adoentada. Nunca mais foram. Thadeu completou o desenho em casa, bordou a arara-azul. E guardava o que dizia ser o presente que traria Josefa de volta.

Num domingo de fortes dores de cabeça e distração do irmão, Angélica arrancou aquele pedaço de pano do bastidor.

Iria guardar cada coisa em seu lugar. O bastidor numa gaveta de objetos e o pano numa gaveta de tecidos. Ao sair do quarto do irmão, Angélica o avistou no quintal, parado, como se estivesse mesmo esperando ver a tal ave. Aquilo repugnou a moça. Não aguentava mais ter que conviver com tanta ausência de sentido.

Ainda com o bastidor e o pano na mão foi com força em direção ao irmão e lhe puxou pelo braço.

— Sai daí, dessa loucura! Esse negócio de arara-azul, de passarinho bonito encantado, não existe.

O rapaz não entendia por que ela tinha destruído o presente da mãe.

— Me dê! Me dê! — Tentava tomar o bastidor e o pano das mãos da irmã, que segurava forte seu braço e o puxava para dentro de casa.

— Isso não existe! Mamãe nunca deve de ter visto passarinho nenhum.

— Me dê o presente de mamãe! O que você fez com o presente de mamãe?

— Mamãe era louca! Estava louca! Ela nunca conversou com nenhuma arara-azul!

— Solta! Solta! Solta o presente de mamãe!

— Mamãe dos infernos! Quem está aqui com você sou eu.

— Mamãe!

— Mamãe nunca ligou pra gente! Mamãe inventou essa história de passarinho.

— Mamãe! Solta!

— Toma! É isso que você quer, toma! — Angélica disse enquanto empurrava Thadeu na cozinha e jogava sobre ele o pano bordado e o bastidor.

— Mamãe. O presente de mamãe — o menino ficou no chão repetindo essas palavras e pregando novamente o pano ao bastidor.

Tomada de ódio, Angélica alcançou uma vassoura, que estava ali perto, e começou a dar no irmão. Thadeu gritava e chamava alto pela mãe. Angélica falou:

— Nossa mãe não existe mais, maluco! Ela nos abandonou.

Ao dizer essas palavras, parou as pancadas e sentou ao lado dele no chão da cozinha.

— Irmã, não fica assim. Mamãe foi embora por culpa minha. Porque eu não vi o passarinho encantado. Mas agora que vou entregar a ela esse presente tu vai ver, Angélica, mamãe vai voltar.

Angélica deixou a cabeça cair sobre os joelhos e se entregou ao choro.

— Irmã, mamãe…

O rapaz ia voltando a dizer quando ela, num imenso grito, o silenciou:

— Thadeu, mamãe está morta!

O menino parou, fez silêncio. Depois abraçou a irmã e disse:

— Mana, vamos ter esperança. Não quero ter sido eu a ter matado mamãe.

A jovem desistiu de si. Daquela prosa, da surra, da organização das gavetas. E ali, no chão, apenas se deitou segurando com força as pernas. Naquele dia ela se permitiu chorar.

7

Mariinha tinha ciência das dores da casa dos Fontes e nesse mês de junho foi àquela morada convidar os irmãos para que fossem passar a noite de São João no lajedo. Angélica aceitou pois já estava envergonhada de não ter mais aparecido nas aulas de bordado do domingo.

— Professora Mariinha, a senhora me desculpe, mas um domingo fiquei adoentada e daí pra frente não pude mais aparecer lá no casarão.

— Deixe disso, está tudo nos conformes. Inclusive as aulas se acabaram.

— Ah, não estão acontecendo mais?

— Estão não. Fique aliviada.

Em frente ao lajedo a fogueira já estava arrumada e pronta para ser queimada. Venâncio, Mané da Gaita e Lai nem pareciam mais gente de fora, eram mesmo do casarão. E já estavam lá ajudando nos preparos. Venâncio havia conseguido um bonito pé de são-joão que estava enterrado próximo ao lugar da fogueira. Aquele costume, de ter um arvoredo daqueles plantado na frente da casa como se fosse uma arvorezinha crescida ali mesmo, ainda se mantinha em quase todas as moradias de Mata Doce. No peitoril balançavam bandeirolas coloridas. Perto da fogueira tinha uns dois bancos compridos. Mariinha, sentada em um, se levantou.

— Professora, não precisa levantar. Boa noite.

— Boa noite, minha filha, sente aqui com seu irmão. A fogueira já já acende.

Mariinha aproveitou para ver como seguia tudo na cozinha. Tuninha colocava milho cozido numa bandeja, Lai estava terminando de arrumar a mesinha que deixaram no peitoril, onde ficaria o milho, o amendoim e a canjica.

— Pronto — disse Tuninha. — Vamos lá pra fora.

— E o milho verde?

— Já está na mesa.

— E o espeto.

— Também.

— O licor já foi?

— Ah, não, Mariinha, pega lá na despensa. E vamos!

Mariinha pegou o litro de licor de jenipapo, uma lata de biscoito de goma e, ainda da despensa, perguntou:

— E os copinhos, que não estão aqui?

— Já estão lá na mesinha.

Tuninha esperava a mulher na porta da cozinha com a bandeja de milho cozido na mão. Tuninha estava ansiosa por aquele São João pois seria a primeira vez que ela iria ver o fogo estalando com seus óculos. Nessa altura da vida, já tinha mais de sessenta anos. Mariinha, mais de setenta. E só agora elas tinham conseguido os óculos.

— Vamos! — Mariinha chegou na porta com o licor e os biscoitos.

Tudo foi arrumado na mesinha do peitoril. Nos bancos, na frente da fogueira, as visitas se levantaram para as senhoras se ajustarem no assento.

— Venâncio, pode acender — Mariinha deu início à noite de festa.

Fazia frio naquele mês. Quem sabe a fogueira ajudaria a iludir aqueles dias. Tuninha se levantou e foi até a mesinha e arrumou uma bandeja e trouxe para mais perto. Todos que estavam ali tinham liberdade de se servir com o que lhes parecesse melhor. Maria Teresa esperava ansiosa por Zezito, que havia prometido vir, mas antes acenderia a fogueira da casa da mãe e se esquentaria um pouco com as irmãs.

Naquela altura eles estavam em começo de namoro e o casamento ainda não era conversa definitiva. A fogueira estralou. O fogo estava alto. Tuninha se encantava com tudo. Era a primeira vez que via a brasa com tanta distinção. Dos presentes apenas Lai, Venâncio e Mané da Gaita tomaram uma dose do licor.

— Mané, toca uma valsa.

Ele começou a tocar. Lai e Chula se puseram a dançar juntas. Thadeu sorria feliz olhando as chamas e ouvindo a canção. Angélica pensava que talvez até quisesse dançar. Mariinha já segurava um espeto com milho verde na fogueira. A senhora não podia forçar a dentadura, mas não deixaria de viver a diversão que era comer milho assado.

— Diz que esta noite tem festa na quitanda de Jó — Angélica puxou conversa.

— Minha vontade é ver esses dois meninos tocarem — Maria Teresa aproveitou para seguir a ladainha que estava costurando desde cedo, que era conseguir a permissão das mães para ir com Zezito à festa de Jó.

Angélica ficou imaginando Maria Teresa dançando.

— Lá vai ser bonito, viu! Eu ajudei a montar uma casa de palha e os meninos já estão tocando harmônica. É aquela graça, professora, os dois pequeninhos que quase não podem segurar o instrumento — informou Venâncio, que também tinha um espeto assando milho.

— Boas noites. Feliz São João! — Zezito foi chegando.

Todos responderam. O rapaz já havia feito o pedido de namoro para as mães da menina, então todos ali sabiam das intenções de sua chegada. Maria Teresa mostrou um lugar ao seu lado. Ele se sentou, dizendo:

— Com licença.

— Maria Teresa, pergunta a Zezito o que ele tá servido?

— Professora, agora mesmo eu não me sirvo de nada. Porque Zinha hoje me disse que eu só saía de casa se comesse antes. Mas deixa estar que a qualquer momento vou pegar uns amendoins.

— Temos licor também e milho cozido — completou Tuninha.

As senhoras faziam gosto naquele namoro, pois conheciam há muito tempo a família de Zezito e tinham aquela preocupação crescente sobre o futuro de Maria Teresa.

— Zezito, mamãe está enxergando tudo, viu! — Maria Teresa disse sorrindo e olhando para Tuninha, que orgulhosa levantou o rosto para o rapaz apreciar seus óculos.

— Parabéns, dona Tuninha, eu soube mesmo que agora a senhora usa óculos.

— Apois, não é, já era hora mesmo — Tuninha falou satisfeita.

— E ficou linda demais, num ficou, Zezito? — Mariinha elogiou. — Tuninha tá linda!

— Está sim senhora. Professora, inclusive queria lhe falar uma coisa. Em verdade, lhe fazer um pedido.

— Ah, já sei, que eu deixe Maria Teresa ir com você hoje à festa na quitanda de Jó?

Nesse momento todos ficaram tensos. Mané versou umas músicas de convencimento. O rapaz nem direcionou o pedido à senhora Tuninha porque sabia que as decisões finais sobre Maria Teresa eram sempre de Mariinha. E todos ali sabiam que ela não deixava a menina se distanciar de sua saia. Nesse mesmo dia, à tarde, Maria Teresa havia pedido a Lai:

— Madrinha, quero ir à festa de São João de Jó hoje à noite. Mamãe não costuma deixar, mas Zezito disse que vem aqui pedir.

— Oxe, é aí mesmo que ela não vai deixar.

— Então, madrinha, nessa hora que ele perguntar a senhora poderia dizer assim: "Deixa, Mariinha, que eu levo e trago Maria Teresa".

— Maria Teresa, eu posso fazer isso porque você está me pedido. Mas aí eu vou mesmo e não vamos nos demorar não. Você voltará na hora que eu voltar.

— E é assim mesmo, madrinha. Zezito depois ainda vai levar a senhora em casa.

Seguindo o acordo, logo após o pedido de Zezito Lai fez a emenda e, por fim, Mariinha liberou que a menina de seus olhos tivesse aquela noite de festa. Reforçou que estava deixando por pedido de confiança da madrinha.

A noite seguiu leve na frente do casarão. Mas o frio começou a castigar. Angélica levantou, puxou Thadeu e disse que iriam para casa.

— É cedo, minha filha, amanhã Thadeu não viaja pra cidade.

Desde a morte da mãe, Angélica começara a tomar conta mais de perto daquele negócio de fazer e vender farinha, e uma das atitudes foi botar o irmão para ir a Santa Stella aos sábados, sob supervisão de Venâncio. O rapaz sabia dirigir, mas para outras ações da vida tinha jeito de que estava sob influência de um vento perdido. No começo, quando Josefa ainda era viva, quem fazia as viagens para os Fontes naquela caminhoneta amarela era Jó. Thadeu já havia chegado a Mata Doce sabendo dirigir, pois seu pai o colocava no volante desde pequeninho. Mas foi o quitandeiro que por um tempo fez aquele serviço.

— É a hora certa, professora — respondeu Angélica, que tinha ido ali mesmo só para aliviar seu juízo sobre as faltas no bordado do domingo.

— Venâncio, passe por mim lá em casa — disse Thadeu para o parceiro de viagens e trabalhos.

Era noite de São João e o rapaz queria ir à festa. Angélica, surpreendida com aquela atitude de independência do irmão, ali, na frente de todos, não pôde dizer nada, apenas assentir com a cabeça. Venâncio, pressentindo que se o rapaz entrasse em casa, talvez não desse mais conta de sair, comentou:

— Vamos agora. Eu já sigo com vocês, deixamos sua irmã e descemos pra Jó.

— Ah, então tá certo — Thadeu disse satisfeito.

Parecia que não apenas Maria Teresa havia feito acordo com sua madrinha, mas também Thadeu com o velho Venâncio.

— Então tá certo, mas vamos logo — disse Angélica, sem ter o que poder alterar.

— Professora, amanhã cedo apareço aqui para o que a senhora precisar — Venâncio tinha uma relação de gratidão antiga com as mulheres do lajedo.

Muita gente ainda passou pela fogueira do lajedo. Gente que descia a caminho da festa de Jó e mesmo quem fosse ali para se alimentar de bolo e milho. A noite chegou castigada pelo frio. Mariinha e Tuninha já estavam em desejo de se recolherem. Maria Teresa, pressentindo as vontades das mães, chamou Lai e foram guardando o que era preciso. A noite havia sido alegre. As bandeirolas e a ramagem do roseiral enfeitavam o peitoril. Todos que por ali apareceram comeram e esquentaram fogo com satisfação. Mané tocou à vontade. Chula dançou à vontade.

— É hora mesmo de encerrar — disse Mariinha.

— Maria Teresa e Lai já estão arrumando as coisas. Vamos entrando — Tuninha deu o braço à esposa.

As senhoras se encaminharam para dentro do casarão. A noite estava passada de fria. Zezito colocou os bancos no peitoril. Eram os mesmos que tinham sido da escola de Mariinha. Muitos haviam ido para a Casa de Oió, e outros tantos ainda eram usados nas missas do domingo. Na cozinha, Maria Teresa desejou boa-noite para as mães e seguiu para a festa.

— Lai, ela está sob sua responsabilidade — Mariinha repetiu enquanto fechava a porta da cozinha.

Chula, Mané da Gaita, Lai, Maria Teresa e Zezito desceram em direção à festa da quitanda de Jó. Lai não tinha nenhum interesse no evento, ia em agrado à afilhada. Mas a noite foi caindo, o frio foi comendo. E ela não aguentou. Ainda na passagem por sua casa, disse:

— Maria Teresa, eu confio em você. E posso confiar, não é?

— Claro que pode, madrinha.

— Então, minha filha, eu não vou chegar lá nessa festa não. Fico aqui. Quando vocês subirem no retorno passem cá e batam na porta. Eu tenho sono leve, desperto e vou com vocês até o casarão. Te entregamos a Mariinha e Zezito me traz de volta. Estamos certas assim?

— Está certo sim, madrinha. Pode ficar sossegada.

— Agora, Maria Teresa, não volta tarde não, tá certo?

— Tá certo.

— Não deixa o dia clarear não, que não precisa disso. Se eu ver que está ficando muito tarde aí eu vou lá te buscar.

Lai dizia essas palavras implorando a si mesma que a menina não precisasse deixar ela fazer isso. Lai também não queria ir na festa pois tinha receio de que alguém a reconhecesse dos tempos do puteiro. Por isso se guardava. Maria Teresa desceu em companhia de Zezito, Chula e Mané da Gaita. A fogueira estava acesa, mas o fogo nem dava conta de seguir com força pois a neblina estava forte. Foi bem-feita a casa de palha que Jó armou na frente de sua quitanda. Ao menos amparava o meleiro da neblina da noite na cabeça do povo. A chegada deles foi muito comemorada, a casa estava cheia. Todos admiravam Zezito. E Mané da Gaita estava sendo esperado para tocar sanfona. Achou jeito de se aprumar num lugar perto dos tocadores, pegou a sanfona e aí não teve mais tempo ruim. Até o frio abrandou. Foi forró seguro a noite inteira. Zezito puxou Maria Teresa para dançar. E dançaram uma música e outra e outra. Era um jeito deles estarem perto, um no cangote do outro. A perna de Zezito entrava à vontade entre as pernas de Maria Teresa, o vestido leve ajustava o encaixe. No ouvido dela, ele sussurrava:

— Tu é cheirosa, nega.

E Zezito respirava forte aquele ar. O forró comia no centro da armação de palha, que estava cheia de gente. Casais aproveitavam a permissão da festa para se roçar cada qual no seu bem-querer. O mundo era aquela pista de dança. Mané da Gaita era o maioral. Foi ele chegar e a sanfona passou a ser ouvida. O forró exigia que o corpo em dança se entregasse, e foi o que fizeram Maria Teresa e Zezito. Estavam amando. Era isso mesmo que queriam. Zezito segurava a mulher pela cintura e sabia que era com ela que queria seguir ritmo para sempre. A vida todinha. Ela sentia o cafungar do seu bem-amado. A mão dele tinha a permissão dela para apertar a sua cintura. Maria Teresa o segurava e ele entendia que podia seguir. E entrava. E a festa seguia. De repente todos ali suavam. Era calor, o suingue que conduzia os corpos.

Num impulso, Zezito soltou Maria Teresa da dança. Pegou na mão da namorada e foi seguindo com ela até onde estavam os músicos. Lá se posicionou entre eles. Fez sinal para Mané e a sanfona parou. Mané esticou o braço e entregou uma caixinha a Zezito. O povo todo, reclamando da pausa, olhou para eles. Zezito abriu a caixinha e gritou diante da festa:

— Maria Teresa, quer casar comigo?

O anel era visível. O povo foi ao delírio. Todos soltavam vivas! Festejavam. Nunca haviam presenciado entre eles, de um deles, um pedido de casamento assim. Todos sorriam, aplaudiam.

— E aí, nega, o povo espera para voltar a dançar. Qual é a resposta? Quer casar comigo?

Ele esticava a caixinha com o anel para a namorada. Tinha o sorriso livre, sem sinais de controle, a voz apaixonada, o olhar se derramando em desejo. Maria Teresa queria sim. Tinha certeza. Mas nunca imaginou viver uma felicidade daquela. Nunca imaginou viver a distinção daquele momento. Um homem devotado a ela, lhe pedindo formalmente em casamento. Teve vergonha, quis sumir. Pensou que não merecia aquela honraria. Pensou que Zezito talvez estivesse bêbado, que talvez não soubesse quem ela era, de onde vinha. Mas aí ela lembrou das mães. De como era criada entre pétalas de rosas, e foi respirando fundo e aceitando aquele merecimento. E entendeu que poderia ser feliz, sim. Que poderia receber sim aquele tipo de convite, que era mesmo para ela aquele amor. E, assim, respondeu:

— Sim! Sim! Eu quero sim!

A sanfona tocou dobrada. Zezito pôs o anel no dedo de Maria Teresa e a música voltou a comer no centro da choupana. Todos eram um só corpo, um só coração. Mané da Gaita estava contente, entregue à fase mais bonita do seu viver. Segurou no ar a caixa, que Zezito lhe arremessara, a guardou novamente em seu embornal. Agora o anel estava no dedo da noiva. O músico se sentia pertencente à festa, ao povo, ao casal. Queria que para sempre fosse São João.

Zezito voltou a se encontrar nos braços e na cintura de Maria Teresa, e a dança seguia. Todos brindavam e dançavam e comemoravam. Aquele São João seria inesquecível para todos de Mata Doce. O casal foi algumas vezes interrompido para receber os cumprimentos, e Maria Teresa começou a pensar que queria logo contar a novidade para as mães. De repente lembrou do pedido da madrinha de não voltar para casa ao amanhecer. Por mais que tivesse a justificativa da comemoração do pedido de casamento, falou para Zezito que queria seguir estrada para não desagradar à mãe e à madrinha. O rapaz tentou argumentar que agora eles eram noivos, que logo estariam casados e poderiam ficar no forró até o amanhecer. Mas não tinha conversa com a noiva. Ela não quis descumprir o prometido. Os dois então começaram a sair do forró sob os clamores do povo, que pedia que ficassem. Ali, Maria Teresa nem adivinhava as artimanhas do tempo.

8

Sigo batendo essas recordações na máquina e vou me apenando de quem as possa ler. Chego a pensar em inventar outro desfecho para a minha história, para que pudesse melhor distrair a leitura de quem um dia pegar estes papéis. Saímos daquela festa de São João animados, como se o mal-estar da vida fosse sair cedo ou tarde de um forró. Passamos na casa de madrinha, bati na porta e ela logo despertou. Na subida da ladeira que dava acesso ao lajedo, encontramos Toni de Maximiliana dos Santos todo de branco, vindo de uma obrigação de noite de São João.

— Boas noites — ele primeiro nos cumprimentou.

— Boa noite! — respondemos.

Foi aí que ele falou:

— Zezito, dia desses mamãe me pediu para te entregar um recado.

— Apois aproveite agora. Diga de lá.

— Ela disse pra você ter cuidado com suas costas. E pra evitar o lajedo na hora do meio-dia. Disse que quem pediu pra te entregar esse aviso foi Xangô.

Nesse momento, senti um arrepio na espinha. Eu sabia que recado de Xangô era urgência de morte e vida. Apertei com força a mão de Zezito. Ele entendeu minha angústia e respondeu para Toni, mas olhando para mim:

— Agradeça a Mãe Maximiliana pelo recebimento do recado. Com Xangô eu me entendo. O que é da vida é viver. Mas ficarei atento.

— Pois não — respondeu Toni de Maximiliana dos Santos e seguiu estrada.

Abracei Zezito e terminamos de subir a ladeira nessa desconfiança e nesse dengo. Ele pediu que eu me aliviasse de qualquer pensamento ruim e que ficasse contente com nosso casamento. Imediatamente esqueci de qualquer mal passamento e voltei a sentir a intensa alegria daquela noite. Chegamos ao casarão e chamei na porta da cozinha. Mamãe apareceu para abrir, disse que não havia dormido um sono me esperando chegar. Eu não quis logo lhe anunciar do meu pedido de casamento para não despertar o casarão. Mamãe agradeceu a Lai e fomos dormir.

No dia seguinte fiquei sabendo que Zezito, após deixar madrinha em casa, seguiu na estrada e voltou à festa de Jó. E lá, na mesma noite da nossa alegria, formalizou aquela que seria a sua maior querela com o coronel Gerônimo Amâncio.

— Boa noite, Zezito!

— Boa noite, seu Amâncio.

— Senhor Coronel Gerônimo Amâncio, que eu não sou o tonto do teu pai.

— Seu Amâncio, a única tontice da cabeça do meu pai foi ter confiado na sua pessoa.

— Como foi que tu disse, menino?

— Menino não! Eu disse e repito: meu pai errou em ter lhe dado confiança em nossas terras.

— Cale a boca, seu moleque!

— Cabe nessa conversa que o seu Amâncio retire a ofensa que fez a meu pai.

— Retirar o quê?

— Ou antes! Que lhe devolva as terras!

— Tá me chamando de ladrão, vagabundo? Que nunca teve homem aqui pra me ofender.

— Então se faltava alguém aqui para lhe dizer essa verdade agora o senhor achou.

— Cale a boca! Fiquei com a posse das terras para cobrir as dívidas de seu pai. Tudo na lei, que sou homem de lei. Tenho documento que prova tudo isso aqui que estou dizendo. Ainda fui caridoso em deixar vocês com as terras de sua casa.

— Ladrão!

Soube no dia seguinte que, nessa hora que Zezito chamou o velho Amâncio de ladrão, a sanfona parou. Todo mundo fez silêncio. As pessoas queriam que aquela fala ecoasse para sempre. Era o que muita gente ali queria dizer. Amâncio levantou, buscando a arma no cinturão. Não estava.

— Pra que essa valentia, coronel? Isso aqui é só uma pilhéria de bêbados. Essa prosa é brincadeira, homem. Volta a tocar, Mané!

— Zezito, tá brincando com fogo? — disseram que Jó lhe cochichou no ouvido.

— Relaxe, senhor coronel Amâncio! É festa de São João!

No dia seguinte não se falava de outra prosa em Mata Doce. Fiquei angustiada, esperando Zezito chegar no casarão.

— Zezito, que conversa foi essa que fiquei sabendo?

— Nega, eu sei o que estou fazendo.

— No dia que assumimos compromisso tu foi procurar briga com aquele homem?

— Não procurei nada, minha flor, ele que se apareceu falando de João Sena. Tive que dizer uma pilhéria. Quer dizer, eu aproveitei que estava feliz. Aproveitei o licor. Aproveitei a noite. Aproveitei a companhia de São João para dizer o que precisava dizer. E não me arrependo.

— E depois desse proseio todo ele te disse o quê?

— O que haveria de dizer, nega? Aquilo lá tem nada a dizer, só sabe ofender. Mas olha, te juro que por mim nossa querela acabou ali. Eu não gosto de ofensa. Não sou homem de briga. Mas eu sei o que é justo. E o que é justo é justo, Maria Teresa. O velho Amâncio precisa abrir aquelas terras. Permitir o acesso às águas do Ariá. Nega, aquelas terras são de vovô Manuel Querino. Meu pai não devia ter feito nenhum trato com aquele homem, foi isso que acabou com mamãe e afugentou papai daqui de Mata Doce. Mas deixa estar. Não quero mesmo briga com ele. E sabe o que foi que fiz depois dessa nossa conversa? Fui abraçar ele.

— O quê, Zezito?

— Isso mesmo que a senhora minha noiva está ouvindo. Cheguei perto do coronel. Primeiro para amansar o bicho danei a chamar ele de coronel, de senhor dessas patacoada tudo que ele e a gente dele aprecia. Aí passei o braço pelo pescoço dele, me fiz de mais bêbado, porque eu não estava não, eu estava feliz. Atravessei meu braço no pescoço dele e disse: "Está aqui o estimado senhor coronel Gerônimo Amâncio! Toca uma música bonita aí, Mané, pro mais ilustre senhor dessas terras. Agora quero um viva! Viva o coronel!". E foi aquela algazarra, aquela gritaria. O velho Amâncio estava com o olho bem arregalado assim. Mas aí foi murchando. Foi ouvindo aqueles aplausos e o olho foi ficando pequeno, o peito foi inchando feito sapo. Estávamos andando quase de mãos dadas pelo meio do povo, bebendo licor de um e de outro.

— Zezito, você agora é noivo!

— Noivo da nega mais bonita dessas terras.

— Zezito, mainha tá aí. Deve até de tá ouvindo a gente.

— Dona Mariinha! Dona Tuninha! Venham cá! Já souberam do pedido que fiz a Maria Teresa ontem? Mas, claro, antes vamos oficializar tudo aqui com as senhoras. Venham cá.

Mariinha e Tuninha se aproximaram e foi aquela alegria. Concederam minha mão a Zezito, todos estávamos por demais felizes. Eu e Zezito vivemos dois anos de noivado, arrumando tudo, acertando cada coisa como fomos podendo fazer. E por fim aconteceu daquele jeito. Eu hoje escrevo esta história e nem parece que ela se deu comigo. Isso está num lugar tão longe, mesmo que agora eu me confunda e isso tudo pareça mais fácil de lembrar do que o que vivi depois. Quando arrumei jeito de ser matadora de boi na fazenda do velho Amâncio, quis ser uma lembrança constante para ele de Zezito. Eu jamais deixaria aquele velho esquecer quem havia sido meu noivo. Acompanhei de perto a decadência e a morte de Gerônimo Amâncio fazendo ele entender que eu estava ali, que estava viva, que estava acompanhando de perto o seu fim. E no dia de sua morte eu cuspi na sua cova em reverência a meu bem-amado.

9

Thadeu admirava Venâncio. Aquele homem poderia ter sido seu pai. Se fosse era capaz que aí sim ele tivesse jeito de homem. Porque ser homem para Thadeu era o mesmo que ser como Venâncio, sabedor dos detalhes das coisas. Um homem que talhava rosas em madeira para fazer caixão. Venâncio era de profissão maior, ferreiro, mas não se negava ao trabalho com a madeira.

Naquele junho chuvoso Thadeu havia pedido a Venâncio para ir com ele na festa da quitanda de Jó. Alguma coisa em Thadeu diferençava após a irmã ter verbalizado que sua mãe estava morta. Ele não queria ter fé nessa informação. Queria mesmo acreditar que a qualquer momento sua mãe pudesse reaparecer. No fundo Thadeu quis estar presente com Venâncio naquela festa, naquela passagem de noite, andando por entre as estradas de Mata Doce em meio à neblina. Porque ele já havia ouvido falar que o ferreiro tinha o poder da transformação.

Um dia Thadeu ouviu esse caso, que Venâncio, quando entrava na mata, ninguém mais o via, mas perdido ele nunca ficava. Thadeu juntou então algumas ideias e desembestou a pensar que na mata Venâncio se transformava em arara-azul, o passarinho encantado com quem a sua mãe conversava no quintal. Thadeu desceu na noite da fogueira da casa da professora Mariinha em companhia da sua irmã e de Venâncio com essas teorias na cabeça. Quando chegaram na porta de casa e se despediram, Angélica fez recomendações a Venâncio, como se estivesse lhe entregando uma criança e não um homem da mesma idade que ela.

Os homens seguiram estrada e ela fechou a porta. Estava em casa, sozinha, naquele inverno. Sem palpitar, caminhou pelos cômodos escuros e fechados até a cozinha. Sabia o desenho dos seus passos, media com regularidade sua vida. O candeeiro de gás trouxe desenhos de sombras para o ambiente. Do fogão de lenha tirou uma jarra de água quente que despejou numa caneca com folhas. Angélica se acomodou num canto de vida em Mata Doce e assim foi ficando. A água foi amolecendo a mistura de camomila com capim-santo, tingindo de um amarelo antigo aquele chá. Ela bebeu enquanto pensava como seria dançar. Se encontrar com alguém. Maria Teresa, como uma névoa, apareceu no seu juízo. O último gole estava gelado e a despertou daquele quase desejo. A noite estava fria e Angélica se fechou em si mesma, amarrando-se no casaco.

Caminhou até sua cama com o candeeiro aceso, apagou a luz e silenciou qualquer florescer daquela noite de São João.

Thadeu e Venâncio haviam saído em direção à festa de Jó, e haveriam de passar diante da entrada da mata. Era nesse momento que Thadeu esperava que a magia pudesse acontecer. Quem sabe ali, na frente dele, naquela noite fria, temperada por ondas de calor das fogueiras, fumaça e neblina, pudesse por fim ver e conversar com o passarinho encantado como era costume da sua mãe fazer.

Thadeu caminhava ao lado de Venâncio de mãos dadas com essa esperança. A frente da mata chegou, eles passaram e nada aconteceu. Nem um clarão, nem um canto mágico. Nenhuma arara-azul voou. Venâncio seguia ali, ao seu lado, caminhando, como o homem velho que era. E foi assim que Thadeu, não aguentando mais aquela falta de acontecimentos, totalmente desinteressado por chegar à festa, iniciou uma conversa:

— Venâncio, o senhor já viu uma arara-azul?

— Já sim.

— Ah, então já viu! E onde foi? Foi no quintal de sua casa?

— Não, foi numa gruta que existe lá pra dentro da mata.

— Ah, e então a arara-azul existe por aqui.

— Existir existe, mas dificilmente elas aparecem.

— Então ninguém pode avistar uma arara-azul num quintal?

— Só se essa arara estiver cativa no quintal de alguém.

— Cativa?

— Sim, tem gente que pega a ave pra criar presa.

— Pra criar sem ela nunca mais voar?

— Sim, criar cativa. E aquele animal fica sendo propriedade de quem cria.

— Seu Venâncio, eu não estou entendendo bem.

— É mesmo difícil de entender. Mas isso acontece. E se for assim se pode até avistar uma arara-azul num quintal. E se pode conversar com ela.

— Então se pode mesmo conversar com passarinho.

— Oxe, mas é a coisa mais fácil.

— E o animal responde? O que ele diz?

— Aí depende do tipo de conversa que cada um vai ter com a ave.

— Venâncio, o senhor já conversou com alguma arara num quintal?

— Eu vejo arara-azul na gruta lá dentro da mata.

— O senhor nunca viu um passarinho encantado por aqui?

— Eu nem estou mais é entendendo o rumo dessa conversa.

— Eu só estava querendo saber.

— Thadeu, a visão de um bando de arara-azul avoando no amanhecer é uma paisagem que eu nem tenho palavra para descrever. E arara-azul pouco anda só. Elas vivem em grupo. Quase nunca se vê uma sozinha.

— Então quem vive sozinho não pode se transformar numa arara-azul?

Antes que Venâncio pudesse sequer decifrar aquela última pergunta, eles chegaram na festa. Antônio e Cícero, os meninos de Jó, estavam vestidos iguaizinhos, em posição de começar a tocar. Cícero, com a harmônica, começava a assoprar encantamento, enquanto Antônio ia abrindo a voz numa canção. Era bonito de se ver. Todos ali ficaram por alguns instantes parados naquela beleza. Thadeu olhava os meninos e em algum momento passou pela cabeça dele que ele era gêmeo de Angélica igual aqueles dois. Por que ele e a irmã eram tão distintos? Tudo era pensamento que se demorava na cabeça de Thadeu.

Venâncio entendia que o menino era encafifado em coisas sem começo e sem fim e quis lhe desanuviar o juízo, ao menos naquela noite. Foi assim que fez a proposta:

— Thadeu, tu quer ir na mata ver o avoar da arara-azul no amanhecer?

— Quero!

— Quer ir hoje?

— Quero!

— Então vamos caminhando para lá agora?

— Vamos.

Eles deram as costas para a festa de Jó e rumaram sem sentido de retorno pela estrada. Caminharam até a entrada da mata, se adentraram e seguiram andando por toda aquela noite de São João. Venâncio conhecia tanto a estrada que ia abrindo o mato e pulando tropeço mesmo antes de cair. Thadeu apenas o seguia, com olhos iluminados pela possibilidade de encontrar a mãe. Venâncio sabia do desfecho da mãe daquele menino. Até Thadeu já poderia entender com mais precisão toda a história. Mas aquela negativa de compreensão era a forma de vida do seu juízo. Que seguisse assim nessa esperança do encontro, não seria Venâncio que iria lhe dizer nada.

Numa curva da mata, eles ouviram tambores e encontraram Toni de Maximiliana dos Santos, que voltava de uma fogueira de Xangô. Passaram uns pelos outros mas nada disseram. Naquela altura da noite, naquele trecho da mata, o silêncio era rei. Thadeu repetia todos os gestos de Venâncio; na marca daquela hora, até a respiração deles se assemelhava. Em um ponto que o som dos tambores ficou mais forte, Venâncio parou. Fez modos de apreciar a festa e realizou alguns gestos com o corpo. Thadeu pensou se deveria repetir e calou, não fez nem menção. Ali entendeu que naquele gesto cerimonial havia uma ciência, uma matemática que ele não alcançava.

A caminhada seguia, parece que eles nunca parariam de entrar mato adentro. O dia seguia escuro, nada de o amanhecer pintar sinais. Num trecho a vegetação foi ficando rala e espinhenta, o ambiente pareceu mais com as estradas abertas de caatinga que ficavam para o lado de Santa Stella. Mesmo em Mata Doce existiam trechos como aquele. "Por aqui que os vaqueiros correm e saem do mato com o rosto riscado em espinho", Thadeu pensava, mas não quis romper o silêncio para perguntar nada do que via.

O chão também começou a diferençar, agora em lugar de terra e folhas se sentia nos pés uma areia fininha, igual a que ficava depois do lajedo, que alevantava voo quando os carros passavam. A areia fina foi crescendo em pedregulhos, em pedras, o chão era quase uma rocha só. Estariam no lajedo? Ainda era noite e Thadeu não enxergava o que pisava, apenas avaliava o que sentia. O vento cresceu. Parece que o céu se abriu mais e mais em estrelas. O frio ultrapassou com força as camisas, a pele, resfriava a carne, gelava o sangue e se aninhava nos ossos. Thadeu, então, passou a pressentir um abismo. Eles não estavam descendo ou subindo, o mundo parecia um grande planalto, mas uma queda se acercava. Alguma coisa entre seu corpo e aquela natureza o alertava para isso.

Foi então que numa passada Venâncio estendeu o braço em sua frente, obrigando-o a parar.

— Pronto, andamos até aqui.

O homem disse isso e buscou jeito de se sentarem no chão.

— A partir daqui não andamos mais. Esperemos.

Thadeu, sentado ao seu lado, só tinha mesmo que obedecer. Venâncio era homem que entendia dos detalhes das coisas, que talhava flor em madeira para enfeitar caixão. Que lidava com o ferro para fazer esculturas retorcidas e parava no meio do mato para reverenciar a fogueira de Xangô. Thadeu ajuntava todos esses pensamentos para não se desesperar com a solidão, com o tanto que caminharam, com a distância que estavam da festa, com o frio, com a não compreensão dos acontecimentos da vida.

Venâncio, entendendo a angústia do rapaz, disse bem baixinho:

— Tu não queria ver a arara-azul?

— Sim, eu quero.

— Então, aqui vamos ver. Fica bem caladinho para elas não ouvirem. A gente vai ficar sentadinho aqui e já já o sol nasce e elas vão acordando e o sol vai iluminando a portinha da casa delas e vamos ver tudinho daqui. Elas saindo de casa e avoando. Agora fica quieto.

O sol riscou o horizonte. O mundo foi clareando e Thadeu viu na frente deles um paredão vermelho de arenito. Estavam como num planalto, que tinha como vista um grande vale vermelho. O mundo se abria e tudo era imenso, intenso. Seus olhos corriam de um lado a outro para registrar toda aquela paisagem. Nunca na vida Thadeu tinha visto nada naquele estilo. Venâncio só poderia mesmo ser uma pessoa que dominava os caminhos do mistério, do se transformar em coisas. Alguém que soubesse aquele caminho com a cegueira que eles fizeram era mesmo alguém que entendia dos mistérios da natureza das coisas do mundo. Thadeu estava encantado. O sol foi subindo e o maravilhamento ia se dando. Era como se uma grande cortina de sombra estivesse sendo retirada do arenito e sobre ele fosse projetado um grande facho de luz. O sol fazia tudo brilhar, o arenito vermelho lustrava. Era possível ver com nitidez docas, cavernas, entradas de diferentes tamanhos naquele paredão, e o espetáculo maior: o aparecimento da arara-azul.

Elas começaram a brotar de cada fenda. Apareciam aos pares, sempre juntinhas. Despertando uma à outra, coçando suas cabeças, asas. Tomando sol, andando no sol. E aconteceu então a apoteose. O voo em grupo. Dezenas de araras-azuis levantando voo. O paredão de arenito vermelho, aceso pelo sol, era o pano de fundo. Eles viam o azul avoar, a cor era precisa, era marca de máxima beleza, era Orixá manifestado pelo sol.

Thadeu chorou livremente, sem pensar sobre o que era chorar. Chorou sem tristeza, chorou encantado e agradecido. Respirou fundo. Estava aliviado das tantas teorias que oprimiam sua liberdade. Estava livre. O som das araras era forte, parecia um grito de nascimento, de primeiro encontro com o mundo. Um despertar.

Venâncio tocou no seu braço e, se levantando, disse:

— Simbora? Ainda temos chão para regressar.

Ao se pôr de pé, Thadeu observou que aquele vale de paredões de arenito ficava ainda mais esplendoroso. Seguindo Venâncio, ele não era mais o mesmo. Fizeram o grande caminho de volta e chegaram a Mata Doce com as casas despertando. Venâncio o deixou na porta e prosseguiu direto para o casarão.

— Thadeu? — perguntou Angélica quando o jovem empurrou a porta da cozinha.

— Oi, mana, sou eu.

— Tá chegando agora da festa, Thadeu?

— Não, irmã, cheguei na madrugada, mas fiquei esperando o raiar do dia.

— Nesse frio?

— Todo tempo o sol nasce, Angélica.

— Isso é verdade. Mas está frio por demais, nem parece que existe distinção entre a noite e o amanhecer.

Os irmãos conversavam a distâncias, mas naquela alvorada com alguma proximidade. Ela estava em seu quarto, enrolada em cobertas, e ele estava na cozinha. As casas em Mata Doce tinham telhado alto e paredes que não chegavam até o teto, e no inverno, o frio reinava quase com igualdade por todos os cômodos daquela engenharia.

Thadeu entrou no seu quarto e segurou o bastidor. O pano com o bordado da arara-azul estava ali, mas estava errado, faltava mais uma. Elas viviam em par. Ele sorriu e pensou com carinho na mãe, agora com certo distanciamento. Pensou na irmã, agora com mais amizade. Que sua mãe ficasse em paz em seu caminhar, fosse lá onde estivesse. Ele guardaria para sempre aquelas imagens do paredão de arenito e das araras voando juntas num amanhecer gelado de junho.

Também guardaria para sempre aquele bastidor, e quem sabe um dia voltasse a bordar. Assim libertaria aquela ararinha da ficção de solidão que aquele bordado aparentava. O cheiro de café tomou conta da casa. Thadeu saiu do quarto com uma toalha nas mãos, se banhou, vestiu roupas quentes e confortáveis. Recebeu a xícara de café e agradeceu por aquele gesto. Comeu um troço de beiju de coco, beijou a testa da irmã e foi se deitar.

— Angélica, como hoje não vou pra feira, vou me descansar.

— Tá certo, irmão. Mais tarde te chamo.

— Tá certo.

Thadeu entrou na cama, se enroscou nas cobertas, fechou os olhos e viu a arara-azul do seu bordado largar as linhas, o pano, o bastidor e seguir voo livre para o paredão de arenito vermelho.

10

Hoje voltou a ser domingo, isso eu sei dizer. No dia que regressamos do enterro de mãe Tuninha perdemos as contas dos dias. Eu não queria precisar registrar o momento de passagem de minhas mães, elas não deveriam deixar o presente. Mas deixaram. Descansaram, como tanto me disseram. Dias depois de uma foi a outra. Nós sabíamos que uma não viveria sem a outra, e assim foi. Foram quase juntas. Primeiro, mãe Tuninha e dias depois a professora Mariinha.

Minha mãe se foi levando muita gente com ela. Hoje penso que, se eu tivesse começado a bater essas recordações na máquina com mamãe aqui comigo, a história seria outra. Mas digo isso assim e já tenho vontade de desdizer, porque tudo que venho escrevendo aqui é tanto a voz dela, o jeito dela de narrar o mundo, de contar caso. Mariinha tinha um jeito de encantar que me embelezou. Mamãe me tomou pelo braço no dia de sua morte. Ela vinha fraca, fraca, sem ideias aprumadas, chamando Tuninha dia e noite. Dizendo que a companheira estava ali com ela, perguntando se havíamos trocado mamãe Tuninha, dado água, chá. As preocupações seguiram até que, uns três dias antes de sua morte, numa boca da noite, me disse:

— Minha filha, tu viu como tua mãe esteve bem hoje?

— Vi, mamãe, está bem mesmo — já não contrariávamos mais Mariinha. Se ela dizia estar vendo uma pessoa falecida, apenas concordávamos.

— Maria Teresa, eu tenho para mim que isso é morte. Minha filha, a pessoa vem assim doente, doente e de repente se esperta, isso é morte. Será que tua mãe Tuninha está se aproximando do momento da passagem?

Nesse momento eu chorei, pois Mariinha não me chamava de Maria Teresa desde o dia em que matei o primeiro boi no curral do velho Amâncio.

— Não chora, Maria Teresa, todos nós um dia teremos que partir. É o natural da vida. Ou tu acha que vamos ficar pra semente?

O sorriso de minha mãe era a beleza maior da vida.

— Agora, minha filha, quando Tuninha pegar o caminho dela para a vida eterna eu também pego o meu. Não vou ficar aqui sem ela não.

— Mamãe, vamos largar desse assunto! A senhora este ano fará cento e quatro anos e estaremos juntas para comemorar.

— Ah, diz logo a Tuninha que quero bolo com suspiro de limão. Maria Teresa, quero daquele suspiro que tu faz, minha filha, que fica crocante, docinho, derretendo na boca. Cadê Tuninha, que estava aqui agora mesmo? Tuninha! Tuninha! Ô Tuninha, tá ouvindo eu te chamar não?

Não aguentei o choro. Saí do quarto e me arrastei até a cozinha, sentei ao lado do fogão aos prantos. Lai veio do quintal e ouvia os gritos:

— Tuninha! Ô Tuninha? Tuninha! Cadê tu?

— Professora, que gritaria é essa? Pra que gritar assim? — Lai foi ao quarto tentando afastar da casa aquela assombração.

— Quer dizer que nem chamar minha mulher eu posso mais? A casa é minha, eu posso gritar como bem entender e grito mesmo! Tuninha! Ô Tuninha! Tuninha, estou morrendo de fome, me traz ao menos um gole de café. Por que vocês estão fazendo isso comigo?

E a professora Mariinha se danava a chorar. Eu secava minhas lágrimas e voltava para o quarto.

— O que é isso. Oxente, chorando assim por quê? Que necessidade tem disso?

— Tuninha! Eu sabia, Tuninha, que tu não havia me deixado. Nega, estou com fome. Traz ao menos um gole de café pra tua velha.

Mamãe me desconhecia. Eu tinha vontade de me deitar no chão e chorar até que ela se levantasse e viesse cuidar de mim. Mas seguia pra cozinha e trazia o café.

— Aqui, dona Mariinha, seu café — eu dizia. — Agora se levante pra comer. Vamos tomar um cafezinho com banana assada.

— Não quero. Estou sem vontade nenhuma, nada disso me serve.

— E o que a senhora quer, minha mãe? Diz que eu lhe trago.

— Cadê Tuninha que estava aqui agora? Tuninha! Ô Tuninha! Tuninha?

E assim seguiram aqueles dias, semanas, eu não saberia mensurar quanto durou essa passagem de tempo. Parece que foi um sopro. Um dia, uma vida. Mesmo com mãe Tuninha viva, Mariinha já comia muito pouco. Mas, após a morte de uma, a outra se negou a voltar a comer. Inventávamos tudo que era narrativa para que ela voltasse a se agradar pela comida, mas nada, era nada.

A professora foi nos impondo a presença constante de sua morte. Adoecíamos, mas despertávamos por ela. Meus pensamentos eram todos dela, passei a viver para agradar minha mãe, para lhe oferecer conforto. E assim começamos a nos perder.

— Tuninha! Ô Tuninha! Cadê tu? Tu me abandonou, Tuninha!

— Mamãe Tuninha não está aqui. Pare de gritar.

— Tuninha, vem ouvir Maria Teresa me respondendo. Ô Tuninha!

— Mamãe, cala a boca!

— A casa é minha! Quem é você pra me mandar calar! Quem está te envenenando contra mim. Tuninha! Ô Tuninha!

— Professora Mariinha, senta, eu trouxe teu café.

Eu pensava que talvez, se comesse, ela voltasse a se centrar mais em nossa presença.

— Ah, Tuninha, que saudade que eu estava de tu. Sabia que tu não me deixaria só. Triste é a pessoa viver assim abandonada como eu vivo.

Ela tomava um gole do café e mordia um pedaço da batata-doce e em seguida cuspia.

— Mamãe, coma mais só este pedacinho aqui.

— Cadê Tuninha, Maria Teresa? Ela estava aqui agora.

— Mamãe, coma este pedaço de batata que cozinhei pra senhora.

— Tuninha! Ô Tuninha! Tuninha!

— Mamãe! Mãe Tuninha está morta! Morta e enterrada! Deixe ela descansar em paz. Pare com esses gritos, ninguém aguenta mais.

Pronto. O choro era grande. A tristeza era larga e a culpa montava nas minhas costas como um cavalo pesado.

— Que injustiça de vocês, Tuninha falecer e ninguém me avisar. Nunca pensei que vocês fossem enterrar ela sem a minha presença. Nunca esperei essa atitude de vocês. Por que não me avisaram?

E chorava, ficava nesse luto maior por algumas horas, talvez alguns dias. Eu só cochilava, não conseguia dormir com o cavalo galopando sobre minhas costas. Até que numa madrugada tudo recomeçava.

— Tuninha! Ô Tuninha? Tá me ouvindo não, Tuninha?

E a ladainha era a mesma. Eu chegava na porta do quarto de minha mãe e lhe dizia:

— Acordada, minha mãe, que novidade é essa?

— Ô minha filha, de hoje que acordei, mas ninguém vem ser por mim — eu ria daquilo tudo, mas também chorava e me entregava a ela.

— Apois agora a senhora tem companhia, eu cheguei.

Ela parava de gritar e danava a me contar caso como se fosse criança. Eu ouvia aquelas histórias e amava as artimanhas do juízo daquela senhora. O dia amanhecia e estávamos fracas das ideias para adentrar a lucidez que a luz do dia exigia.

Mas, um dia que a luz do sol incidiu mais fraca e a alvorada parecia mais um pôr do sol, mamãe amanheceu boa:

— Filinha, coloca minha água de banho. Prepara meu café com banana assada.

Eu e Lai levamos a professora Mariinha para o banho. Depois a acomodamos numa cadeira embaixo do roseiral. O sol estava fraco, eu a forrei com uma coberta e fiquei ali me demorando naquele pentear. Fui frisando fio a fio. A cabeça de minha mãe estava toda alvinha combinada com o roseiral.

— Filinha, me agrada muito o cheiro das rosas.

— A mim também, minha mãe.

— Isso é um agrado da natureza para nós. Esse pé de rosa é nossa herança, minha filha. Filinha, que alegria te termos em nossas vidas. Nós te amamos muito.

— Mamãe, eu amo demais a senhora. Seu cabelo é tão bonito.

A professora Mariinha estava com cento e três anos. Minha mãe chegava a essa idade maior naquele lajedo. Com ela viviam muitas histórias. Minha mãe estava num momento especial da passagem do tempo e tinha completa consciência disso.

— Mamãe, eu gosto tanto de pentear o cabelo da senhora. Já lhe disse que lhe amo muito hoje?

Ela ria. Virava o rosto para o lado como se alguém estivesse passando. Como se a vida estivesse passando.

— Filinha, precisamos conversar. Você entende que eu sou uma mulher de santo, não é?

— Eu entendo sim, minha mãe. Fique tranquila, que sua fé seguirá comigo.

— Filinha, o cuidado é com as plantas, o roseiral, o ingá, o alecrim.

— Eu entendo, mamãe, eu tratarei disso tudo.

— Na vida, minha filha, tudo merece cuidado.

O sol abria mais um pouco e eu a livrava um pouco mais das cobertas, para que seus braços recebessem a quentura natural. Mamãe estava vestida com um casaquinho verde limão e um vestidinho estampado com flores azul-turquesa. Sua pele negra se via bem enrugadinha. Tudo nela era beleza, o sol acendia o brilho do seu cabelo. Havíamos passado nela alfazema após o banho, e mamãe perfumava o ar e alegrava as nossas vistas. Estávamos juntas. Vivas. Compartilhando amor, protegidas por nossa herança. Como eu tinha a agradecer ao tempo. Eu cuidaria sim, com muito orgulho, daquela ciência que a professora Mariinha me passava.

— Filinha, no dia que eu morrer quero que meu caixão seja coberto de rosas. E quero ser enterrada ao lado de Tuninha. Meu caixão está lá no armazém, não é?

— Está sim, mainha.

— Senão, teríamos que fazer essa encomenda a compadre Venâncio.

Venâncio também já não estava mais entre nós, mas achei desnecessário contar.

Bater esses casos nessa máquina é desolador. Mas pior que isso é não o fazer, é viver com esses lutos sem canto de entrega.

— Maria Teresa, já chega, me leve pra dentro.

Nós a levamos e a pusemos sentada na poltrona da sala do casarão. Abri uma janela e deixei mamãe ali por alguns minutos enquanto ia colher um ramo de rosas.

— Maria Teresa, a morte chegou e veio com Gerônimo Amâncio!

Eu estava entrando na sala com o cacho de rosas em um vaso com água quando ouvi esse grito da professora Mariinha.

— Tá repreendido! Mamãe, deixe esse condenado pra lá.

Eu não quis lhe dizer que ele também não estava mais entre nós. Nem que havíamos resistido à morte matada. Porque, de algum modo, aquele assassino havia nos condenado a viver em um cenário constante de dor e luto.

— Zezito veio me visitar ontem, Maria Teresa. Ele me chamou para um passeio. Mas eu sei que ele está fazendo essa amarração toda só porque quer ficar mais tempo contigo. Eu vou deixando porque tenho grande estima por teu noivo.

Fazia dezoito anos que Zezito fora assassinado. Ali mesmo, quase na frente de onde estávamos. Tudo naquela sala estava igual, só faltava o vaso de vidro que quebrei com o espelho num momento de recordação e de dor por todo o acontecido. Hoje, aqui sozinha batendo essa história nessa máquina de datilografia, eu penso que não precisava ter quebrado o jarro de flores de mamãe. Tampouco o espelho. Volto àquele dia de nossa última conversa na sala do casarão, quando a ouvia falar tão bem de Zezito, e a saudade que sinto dele e do que eu havia sido com ele se volta sobre mim como um cavalo em disparada, e parece que tudo está acontecendo agora. Eu, mocinha nova, andando com Zezito, arrumando o casamento, provando o vestido, respirando o cheiro das rosas e sentindo o sol quente, o som dos tiros, ele perfurado, o sangue, a areia, o mistério, o fim da vida.

Chula, aquela que parecia uma saudade imortal, entrou na sala e pulou na poltrona ao lado daquela em que minha mãe ressonava seus cento e três anos. Eu não era mais a noiva, mas ainda não era a velha de hoje. A cachorrinha parecia, como desde sempre, uma assombração. Fiquei algumas horas olhando a manhã. Antes de chegar o meio-dia, levamos mamãe para uma cadeira que havíamos ajeitado na cozinha e almoçamos próximas da quentura do fogo. Nesse dia a comida foi um cozido, e ela comeu lembrando como aquele prato fazia o gosto de mamãe Tuninha. Em seguida a levei para a cama e nós ressonamos. Despertei na sala, sozinha, sem lembrar que horas havia saído do quarto pra chegar ali. Era final da tarde. Acordei confusa e pensei: "Ah, é de manhã e estou com mamãe na sala após o banho de sol". Mas aí vi que mamãe não estava na sala e lembrei que já havíamos almoçado. Abri uma brecha da janela do casarão e dessa vez não queria ver Zezito morto na areia, porque depois do crime essa ficou sendo a paisagem dos meus olhos. Fiz este pedido ao tempo: que meu bem-amado não estivesse ali, tão maltratado. As cores do pôr do sol amaciaram meu viver. Eu sorri, lembrando a primeira vez que mamãe Tuninha viu as cores do entardecer de óculos. Naquele momento concordei com mamãe Mariinha, dava vontade mesmo de gritar pela presença de minha mãe Tuninha. Que pudéssemos voltar a conviver com o seu desejo infinito de vida.

Busquei mãe Mariinha na sala, mais uma vez esquecida que ela estava no quarto. E falei alto: "Mamãe". Vi uma criança aparentando ter uns oito anos saindo do corredor para a sala. Não precisei nem perguntar quem era, compreendi que era mãe Mariinha, mas fiquei sem entender o resto. Pensei: "Será que por ter ficado sem querer comer ela tinha voltado a ser criança?". Eu tinha me tornado filha dela no papel com oito anos e percebi que estava confusa com isso. Mas era mesmo mamãe criança. Corri até o quarto para me livrar daquele mistério e mamãe não estava. Voltei para a sala atrás da menininha de oito anos e ela também não estava. Sentei no sofá e comecei a chorar, a sussurrar que mamãe voltasse, que reaparecesse. Naquele momento entendi que estava sozinha no casarão e que mamãe não estava mais entre nós. Nesse choro senti que alguém tocava o meu ombro. Despertei.

— Filinha, acorda, parece que tu está tendo um mau sonho — reconheci a voz de Lai, que passou por ali e voltou a nos deixar a sós.

Vi que estava no quarto de mamãe e que era mesmo fim de tarde pelas manchas que o sol desenhava na parede. Era aquilo mesmo, havíamos almoçado e eu tinha ido com mamãe para o nosso ressono. Mesmo estando ainda um pouco desconfiada do sonho que havia tido, achei que seria bonito contar a mamãe que a encontrara menina.

— Mamãe, desperta. A senhora precisa saber do sonho que tive agora. Mamãe?

Toquei sua pele. Seu rosto. Mamãe estava um pouco fria. Olhei para o telhado maldizendo o vento e chorei não sei por quanto tempo. Eu já sabia. Ela, menina, havia se despedido de mim. Não estava mais entre nós desde o meu sonho. Eu não queria aceitar que aquele vento de final de tarde tinha levado de mim o meu maior amor e que agora eu estaria verdadeiramente e para sempre sozinha. Aquelas cores do final da tarde enganavam a gente, iludiam a nossa vida para o sonho; um sonho que para nós mulheres da Vazante nunca existiu como realidade. Me perdi naquele tempo, quis voltar a dormir e acordar sendo eu a criança com oito anos que corre se escondendo embaixo da saia da mãe.

Jamais pensei que seria tão difícil aquele momento, nunca havia pensado o quanto doeria enterrar mamãe. Apertei meus olhos com força. Lai apareceu na porta do quarto e gritei com ela, pedi que saísse dali, roguei que não confirmasse que mamãe estava morta. Implorei que me dissesse que a pele gelada da professora Mariinha era a friagem do fim do dia. Lai não pôde fazer nenhuma das minhas vontades, só conseguiu me dizer o que de fato era. Falou das necessidades dos que morrem. Que precisam de roupas, de limpeza, de descanso. Eu não queria entender nada daquilo. Queria mamãe viva me valendo, sendo por mim, acalmando minha dor.

Lai acendeu uma vela, se ajoelhou ao lado de minha mãe e começou uma oração. Me lembrei de todas as conversas sobre nossas heranças e me levantei para tomar as providências do funeral. Retirei a roupa que ela tinha reservado para aquele momento e fui fazer o banho de folhas, para ela e para mim. Lavei minha mãe como era devido. A vestimos e nos vestimos de branco. Trouxemos o caixão do armazém, a dispusemos em seu descanso. Cobri parte do seu corpo com rosas brancas, abrimos a porta da frente da sala e acendemos velas. E ficamos vendo toda Mata Doce, viva e morta, entrar e sair daquele velório reverenciando a afamada professora Mariinha, neta de Eustáquia da Vazante.

11

Enquanto estou na minha máquina de escrever ouço Mané da Gaita tocando uma valsa triste. Sempre volta a ser domingo, e as portas do armazém estão abertas de ponta a ponta. O dia é fresco, quase frio. O sol forte dessa hora faz o lajedo parecer paisagem. Posicionei minha mesa de modo que vez ou outra possa ver o tempo. Me distrair com alguma folha seca que passe correndo em frente à porta. O silêncio impera, o vento suspira. O que ouço da valsa é minha imaginação.

Penso nos espaços vazios do casarão. Deixei a porta da sala entreaberta, e dentro Chula está deitada no risco de sol que desenha toda a brecha da porta no chão. A cachorra parece uma estrangeira velha, parece que nunca foi dali. Penso em acordá-la e lhe indagar sua origem, sua data de nascimento, seu nome de pai e mãe. Mas silencio. Me julgo vulgar por ter tido esses pensamentos. Chula sempre foi vista naquele casarão, no lajedo, por toda Mata Doce. A estrangeira velha ali sou eu.

Não desisto da datilografia. Não incendiei a máquina de escrever. A casinha de banho no fundo do quintal agora é um espaço de guardar entulhos. Lá dentro está a moldura que um dia viveu com um espelho, que me viu vestida de noiva. O tempo é chegado para mim. Já se acabou para a gente viva de Mata Doce. Estou só, medindo o sol subir e descer. Se desapareço hoje, minha presença morta só será notada por algum recenseador que em tempo adiante chegue aqui e sinta o cheiro da carniça.

Ouço um barulho no peitoril e reconheço os movimentos. É a cadela. Não estou só. Vou à porta do armazém e um boi trajado em tecido branco e com careta de couro nos olhos vai passando na estrada. Chula está deitada no peitoril e não reage. Será que ela não enxerga o boi por causa da careta? Não sinto medo, sei que boi encaretado não altera seu percurso. Ele seguirá no sentido que for tocado. O boi caminha reto, sua valentia está domada pela careta. Mas quem o toca? Essa percepção me assusta. Sem retornar a visão, bato com força a porta do armazém. É dia claro e estou com medo de assombração?

Sigo para casa e vou em busca de proteção no quarto da professora. Abro o guarda-roupa e lá está o vestido de noiva que um dia foi nossa esperança. Nenhuma das minhas mães está mais aqui. Visto o traje e me encaminho para o quarto de entulho, puxo a moldura antiga do espelho dos bastidores do tempo e a trago de volta ao presente. Armo a moldura no meio da sala, no mesmo lugar que tantas vezes já segurou um caixão. Me olho no espelho da minha memória e sinto Zezito chegar. Ele grita do terreiro:

— Ô de casa! Nega? Cheguei para o nosso casamento.

Abro a porta e o vejo já quase no peitoril. Ao me ver, ele para embaixo da ramagem das rosas. Estou velha e cansada. Estrangeira. Ele está com o corpo furado de balas. Sorrimos um para o outro. Chula passa entre nós. Por entre o corpo de Zezito vejo o dia se encaminhar para o fim. Eu, vestida de noiva, saio da casa, tomo o rapaz pela mão e seguimos em direção ao armazém. Pego a chave que fica num canto de telha e abro a porta. Dezenas de araras-azuis saem voando daquele espaço como se tivessem acabado de despertar. Entramos. A máquina que ele me deu está sobre a mesa. Quero lhe mostrar que tenho escrito, quero lhe dizer que ele sempre esteve comigo. Solto a mão de Zezito para pegar os papéis datilografados. Junto todos em cima de uma mesa.

— Olha! Estou escrevendo.

12

Estou sozinha com noventa e dois anos vestida de noiva num armazém antigo, num casarão vazio, com uma máquina de escrever, uma cachorra e a imagem constante de uma imensa cobra branca e um boi mal-assombrado que veste careta e largos tecidos brancos rendados. Abandono meu corpo numa cadeira.

— Ô de casa!

— Zezito! — respondo, chegando até a porta do armazém.

— Zezito não senhora. Sou Fatoumata Rosales, retratista, ao seu dispor. Passava aqui pela estrada, achei o roseiral bonito e parei para fazer umas fotos. É possível? A senhora me permite fotografar a frente desse casarão?

Nós duas nos assemelhávamos. Possuíamos a mesma cor, os mesmos talhes do rosto, o mesmo desenho de corpo. Estávamos em idades distantes. A velha agora era eu. Porém, aquilo parecia um espelho. Chula pulou do peitoril em direção à presença daquela majestosa mulher.

— Retratista?

— Sim, senhora.

— De onde você vem?

— De muita distância, senhora.

— Vem a pé.

— Venho não.

— Cadê seu transporte?

A retratista olha para trás onde nada se vê.

— Então vem a pé.

— Agora posso dizer que sim. Antes não.

— E vem de onde?

— Do estrangeiro.

— Como eu.

— O que disse?

— Eu disse como eu.

— A senhora também vem do Mali?

Eu não saberia responder sobre minha origem. Mesmo não tendo dúvida do meu pertencimento ao roseiral.

— No Mali tem roseira branca?

— Sim.

— Será mesmo que sim?

— Sim.

Estávamos uma diante da outra, como um espelho, mesmo que o tempo ilustrasse tantas diferenças no desenho dos nossos corpos.

— O que a senhora está fazendo? — a retratista me perguntou.

— Esperando.

— Eu também.

— Quem a senhora espera?

— O tempo. E tu?

— O encontro.

Silêncio.

— Senhora, eu venho de muito longe, seria possível um copo d'água?

IV
CARETA

1

Após o assassinato de Zezito, Maria Teresa já estava na sexta noite de febre quando a professora Mariinha mandou que Venâncio fosse na mata chamar Mãe Maximiliana dos Santos. O ferreiro chegou à sacerdotisa por intermédio do filho dela, o vaqueiro Toni de Maximiliana dos Santos, como era conhecido em Mata Doce. Venâncio saberia chegar à Casa de Oió de olhos vendados, mas a cerimônia não era essa. O destino ali era chegar primeiro enviando sinal de aparecimento.

A professora Mariinha, em outra situação, poderia ter mais clareza de como orientar o seu agir em momentos de dor e despedida, mas aquele passamento era diferente, ela estava por demais abalada com tudo aquilo. Suas vistas iam tão embaçadas que a decifração mais acertada que atinou foi pedir ajuda a Maximiliana.

De um ponto das pedras do lajedo era possível avistar uma bandeira branca hasteada no meio da mata. Aquele era o sinal da Casa de Oió, governada por Mãe Maximiliana dos Santos, descendente direta de Agostiniana dos Santos. Existir aquele trecho de mata na geografia de Mata Doce era coisa de se admirar, pois a região possuía, à primeira vista, uma vegetação de caatinga. Mesmo às margens do rio Airá, nas antigas terras de Manuel Querino, a vegetação era baixa. A explicação que se dava era que os Orixás cultuados por Maximiliana na Casa de Oió nutriam a mistura da natureza.

Era um começo de tarde quando a Ialorixá recebeu o recado.

— Diga à professora que me espere amanhã ao amanhecer.

— Mãe, o caso é grave. É sobre a noiva de Zezito.

— Meu filho, o caso é por demais recente. O tempo não é assim não. Diga a ela o que já lhe falei.

Venâncio ia voltando quando ouviu:

— Espia, seu Venâncio, diga à professora pra hoje fechar todas as portas da casa antes da passagem do dia pra noite.

Venâncio seguiu com o recado e alcançou o lajedo na hora exata de dizer:

— Professora, feche as portas do casarão antes do bater das seis da tarde! Foi a única orientação de Mãe Maximiliana, ela disse que amanhã cedo chega aqui.

Mariinha seguiu o orientado. Fechou as portas e foi beirar a menina, que desde o acontecimento estava na cama delas, no quarto da prova do vestido. Aquele lugar tinha a marca das mães, a cria acharia força entre elas para se resignar. A professora ficou olhando a filha e teve o intuito de fazer uma panela grande de chá de aroeira e deixar a água evaporando no quarto. Entendia que aquele tino já deveria ser seu sentido recebendo a presença da sacerdotisa.

— Tuninha, tem milho branco na despensa? Cozinha um punhado e traz pro travesseiro de Maria Teresa.

Assim foram passando a noite. Entre cuidados e ressonos, Tuninha se preocupava com a filha e com a companheira. Insistia que Mariinha se deitasse no quarto de Maria Teresa e tirasse um sono mais estirado, pois estavam na quarta noite sem dormir com precisão. A professora não foi. Deitou na cama ao lado da menina, num ponto que não a importunasse, mas ficou ali, sem trégua.

Lai também estava na casa, cochilando no banco de madeira da cozinha, na quentura do fogão a lenha, que passava a noite com brasas acesas para qualquer precisão de chá. Tuninha ficava um tanto num banco que elas tinham colocado no quarto ao lado da cama, um tanto na cama próxima à mulher. Assim seguiam, acompanhando a noite e o dia passar no telhado. Tuninha via a alteração das cores e das sombras e pensava como tudo havia mudado assim tão de repente. E inconformava.

Com o forte abatimento de Maria Teresa, as senhoras da Vazante não puderam ficar mais tempo oferecendo seus préstimos à família de Zezito. Mas, quando a sacerdotisa chegasse ao casarão, Mariinha já tinha no pensamento pedir que a acompanhasse até a casa de Luzia. Seria apenas uma visita, porque Mariinha sabia da fé cristã da irmã mais velha de Zezito, Nalvinha, que era evangélica. E que, por mais que respeitasse a professora, talvez não aceitasse, mesmo naquela necessidade, orientação da Ialorixá.

Na casa da juíza o desespero era grande e se fez em forma de silêncio. A mãe e as três irmãs de Zezito emudeceram. Seguiram aqueles primeiros dias após o assassinato e o sepultamento como se tivessem também sido enterradas. Zinha malmente tomava as providências dos cuidados da mãe. Luzia, se alguma força teve ao receber a notícia e se deslocar para o casarão e depois para o cemitério, agora, ao retornar a casa, voltava a ser a mulher parada que vinha sendo e ainda mais debilitada.

As filhas não sabiam, mas esse abatimento da mãe havia se iniciado no tempo das primeiras brigas pelas terras do rio. João Sena era presente e vivia em Mata Doce nas terras do pai, Manuel Querino, quando Gerônimo Amâncio chegou para criar gado. Amâncio era filho do italiano Fontini, que tinha um grande armazém de venda de tecidos em Santa Stella. O homem chegou em Mata Doce se dizendo dono-proprietário de um largo pedaço de chão que começava na cidade e chegava até o rio. Ali ele ficou e abriu campo para o gado. Amâncio viera com o título de coronel e de acordos com o tenente português Cabrito Cunha Jacinto Paz, que gerenciava a cidade.

Em Mata Doce, Gerônimo fez fama no grito e na bala. Seu rebanho branco mudava a paisagem do lugar, passando a ser quase uma assombração no povoado. O coforongo seco, a ossada da cabeça do boi, foi virando peça de poder. O abatedouro montado dentro do curral do coronel atraía trabalhadoras para o serviço de limpeza dos fatos. Ser fateira nas terras de Amâncio era sempre ter serviço e acumular coforongo.

Essa ossada da cabeça de boi, que antes era entendida como amuleto para afastar má sorte, foi passando a ser símbolo de azar. Antes da chegada do Amâncio, a Casa de Oió criava boi e cabra para o sustento do terreiro e da comunidade. Mas ficou difícil manter o serviço. Se um boi de Oió escapulia, o dito coronel prendia e dizia que era dele. A perseguição foi tanta que chegou um momento que a Casa proibiu criar gado. O filho de Maximiliana do Santos, Toni, vinha crescendo e já era afinado em querer ser vaqueiro. Foi aí que passou a ser o principal matador do curral de Amâncio. Aquilo não agradou de tudo a mãe, mas foi o jeito que ela achou de não encontrar o filho morto no mato. Deixar parecer que ela aceitava aquela existência vizinha do Amâncio.

Se contava em Mata Doce que a briga entre Amâncio e João Sena começou a perigar numa tarde de bebedeira, num sábado, na quitanda de Jó. O coronel gritava sobre a extensão de sua propriedade e João Sena lhe interrompeu, dizendo:

— Alto lá! Suas terras não tomam todo o rio todo não senhor. Eu moro no trecho que o Airá se abre aqui em Mata Doce e essas terras são de meu pai há muitos anos.

— Quem é teu pai?

— O preto mais sabido da região, Manuel Querino! E o dono das terras que beiram o rio Airá aqui em Mata Doce.

— Apois me amostra a escritura que diz que essas terras são desse teu pai. Porque eu tenho prova de que são minhas. E tenho o tenente Jacinto Paz por minha primeira testemunha.

— E eu tenho toda Mata Doce como minha testemunha. Papai me contou sobre a plantação de cada árvore de nossas terras. Sabe quantos anos elas demoram para crescer? Esse tempo e ainda mais o que vivemos aqui.

— Essa terra é minha!

— Isso não vou aceitar não senhor.

— Então você está dizendo que seu pai é ladrão!

— Cale a boca, não desonre meu pai! Pegue você o pedaço de papel que lhe aprova como dono dessas terras.

Gerônimo não era homem de leitura. Seu pai malmente sabia assinar o nome. Assim, ele julgou que João Sena também não saberia ler. Por isso foi ao automóvel, pegou uns papéis que estavam na gaveta e os entregou ao contestador, dizendo que eram os documentos da terra.

João Sena tomou os papéis, os leu e disse:

— Está me tirando por ignorante, coronel?

— Você que não tem leitura para decifrar esse documento.

— Documento? O senhor chama isso aqui de documento?

— Olhe como fala, seu moleque! É documento sim, como lhe digo! Quero ver homem vir me dizer que não é!

— Um documento de terras?

— Das minhas terras!

— Coronel, leia.

João Sena devolveu a Amâncio os papéis. O coronel se sentiu vitorioso. Comprovou que o tal João não tinha mesmo leitura.

— Apois me dê aqui meus documentos. Num lhe disse que sou eu o dono-proprietário dessas terras?

— Leia.

— Ler o quê?

— Seus documentos.

— Não carece leitura. Eu já sei do que se trata. Aqui está escrito: "O prestimoso senhor coronel Gerônimo Amâncio é o legítimo dono-proprietário das terras do povoado de Mata Doce que fazem divisa com o distrito de Santa Stella por toda a extensão do rio Airá".

João interrompeu a cena puxando os papéis e lendo em pregão:

— "Dez fardos de madrasto, cinco fardos de linho, dezoito tiras de seda vermelha, cinco caixas de linha turquesa." Isso lá é documento de terra? Isso se trata de uma lista de compras de tecido e linha!

Toda a gente da quitanda caiu na risada. Gerônimo Amâncio sabia que a informação era certa, aquilo devia mesmo ser papel do armazém do seu pai. A letra era de um dos funcionários da contabilidade. O preto João Sena tinha leitura. O coronel foi ficando vermelho, conforme constatava isso. Sua cara foi ardendo e ele puxou a arma do cinturão.

— Está duvidando de mim, seu ladrão de terra?

— Coronel, largue essa arma! — gritou Jó, saltando do balcão.

Com a arma quase no peito, João respondeu:

— Eu não sou ladrão, seu Gerônimo.

— Coronel.

— Mas, homem, não tem necessidade disso. Tá todo mundo bebendo aqui. Abaixe essa arma — o quitandeiro atravessou entre eles.

Amâncio abaixou a arma, a devolveu ao cinturão e gritou:

— Aqui não tem homem que possa comigo. Eu posso matar vocês tudo de um a um. Eu sou o dono das terras de Mata Doce!

Ele terminou a frase, entrou no seu automóvel e saiu arrastando pneu. No tempo corrente, depois dessa peleja, as brigas se acirraram. O coronel ordenou a construção de uma cerca por dentro das terras de Manuel Querino. João Sena mandou derrubar. Essa luta seguiu por muitos meses, até que Luzia, a juíza dos Sales que já era casada com João Sena mas vivia em Santa Stella com as três filhas, começou a falar com conhecidos e buscar comprovação da posse das terras do marido. Enquanto encaminhava a documentação, Luzia foi a Mata Doce recolher assinaturas para agregar a um processo que iria abrir contra os desmandos do Gerônimo Amâncio.

Nessa altura, já corria entre as bocas dos homens de lei de Santa Stella que a rábula Luzia Sales vinha pretendendo abrir processo contra o filho mais velho do italiano Fontini. Por esse modo, quando Luzia chegou ao povoado o coronel Amâncio já havia sido prevenido por Jacinto Paz. Foi aí que o abatimento da mãe se iniciou e a perseguiu até a morte.

Na noite da volta de Luzia a Mata Doce, antes mesmo dela ir ter qualquer conversa com possíveis testemunhas, o coronel cometeu o crime. Chegou na altura da madrugada na propriedade de João Sena, acompanhado pelos capangas, arrombou a porta, quebrou móveis, esfregou a arma na cara do homem, o amarrou numa cadeira e violentou a juíza na frente do marido e de quem mais estivesse ali presente.

O coronel saiu das terras de Manuel Querino homem renovado. E deixou João Sena homem morto. Naquela intriga de machos, o que havia acontecido com a juíza? Isso não era pensamento de nenhum deles. Aquelas terras todas agora seriam, sim, do coronel, e não haveria quem lhe questionasse. João ficou na casa, morto parado, pensando no que julgava ser sua vergonha. Quando tudo silenciou, Luzia se mexeu. O marido gritou que ela o desamarrasse.

Enquanto ele ia para fora, ela foi se lavar no banheiro. A água gelada caía seca em sua pele. Seu sangue fervia de pavor e ódio. No terreiro a lua estava cheia, e João julgou não ter nem o conforto do breu. Sua cara brilhava, ele se sentia humilhado, e aquele sentimento não era novo. Já havia se sentido assim quando disse ao pai que queria ser vaqueiro, quando viu a esposa caminhar para os estudos que o pai tanto admirava e que ele nunca se dispôs a seguir. Em verdade João Sena sempre se sentiu humilhado por ser o marido da juíza dos Sales, por isso preferiu viver no mato. Mas agora aquelas terras perdiam o sentido.

João entrou no quarto onde Luzia terminava de se vestir.

— Amanhã cedo vamos pra Santa Stella. Assim que o dia clarear vou pedir a Jó que nos leve.

Foi a única fala do marido, que deitou na cama e se virou de lado. A esposa terminou de vestir uma calça, um vestido longo e um casaco grosso, colocou um machado e um candeeiro aceso do seu lado da cama e buscou um jeito de se acomodar. Quando ela deitou, João esticou o braço até tocar sua mão e disse, sem a encarar:

— Parece que eu quero chorar.

— Chore, João, pode chorar, agora estamos seguros. Não tem problema nenhum querer chorar.

João se encolheu feito feto e chorou. Luzia deixou o marido segurar sua mão por alguns instantes, mas aquela posição a incomodava. Desejava que ninguém nunca mais a tocasse. Aos poucos se livrou daquela mão, e ele, descompreendido dela, sentiu aquele movimento de defesa como um desapego da mulher e redobrou sua própria vergonha, agora acrescida pela cena de choro. Luzia sabia das artimanhas do marido. Mas naquele momento a única coisa que passava no seu tino era o desejo de matar e de morrer. Pensou que com o machado poderia calar o choro daquele homem. Quando o dia apontou nascimento nas telhas, os dois estavam na cama de olhos arregalados. Ele seguiu para a casa de Jó.

O quitandeiro entendeu o apuro e não quis indagar os motivos. Avisou a Dinha que iria sair. Pegou a caminhoneta de Josefa Fontes, que já ficava mesmo na sua casa, e seguiu para a propriedade de Manuel Querino. Da porta viu tudo quebrado. Nada perguntou. João e Luzia subiram no carro. Em geral, a mulher ia no meio e o homem na janela. Mas nessa manhã Luzia se negou a subir primeiro. O homem não insistiu para não ver revelado o que havia se dado.

— Vou aqui perto de Jó pra seguirmos conversando — disse João, como se precisasse justificar não estar ocupando o lugar reservado ao homem.

Luzia entrou na caminhoneta, bateu a porta e pôs a cabeça quase para fora da janela. O carro seguia estrada e ela foi lembrando de sua juventude, da primeira vez que tinha entrado num automóvel, quando partiu de Mata Doce para estudar no Colégio Sacramentina e Silva, instituição mantida e governada pelas freiras Franciscanas Imaculatinas.

Luzia era nascida em Mata Doce, filha única da família dos Sales, negros de posse. Eles tinham a casa em que viviam no povoado e mais três, arrendadas em Santa Sella. O que se dizia era que o seu bisavô havia sido o maior contador da cidade.

Por influência de Manuel Querino, o casal desde cedo começou a custear os estudos da filha em Santa Stella. Luzia passou alguns anos no Sacramentina e Silva e por todo período que lá esteve foi a única estudante negra. Manuel Querino parecia ter conhecimento em tudo que era lado e conversou muito com a instituição católica para que aceitassem ali a menina dos Sales de Mata Doce.

Querino havia aprendido com Eustáquia da Vazante a ler e a escrever o português e o latim. Com essa distinção trocava favores no grupo escolar por alguns pequenos préstimos. Querino reformava livros, organizava a biblioteca em ordem alfabética, manuseava com maestria o maquinário de imprensa da escola, organizava os tipos e fazia impressões. Em contrapartida, podia tomar emprestados livros da biblioteca e usava o maquinário para impressão de folhetos. Assim Querino se mantinha, além do filho e da casa de Mata Doce.

O grande sonho dele era custear os estudos de João Sena. Mas escola para meninos só tinha na cidade grande, e ele nunca teve como pagar. Com o passar do tempo, João Sena foi mostrando grande inclinação para ser vaqueiro e apresentava sinais de desgosto com todas as propostas de estudos do pai. Manuel Querino ficava mais em Santa Stella, e João Sena, que teve a mãe morta no parto, foi crescendo sozinho em Mata Doce. O poeta sonhador Manuel Querino era muito amigo do padre franciscano Tito Rossi e por isso tinha sempre hospedaria na casa paroquial, onde acabava ficando quase toda a semana também trocando favores. O padre Tito era um senhor já quase sem visão, e Querino lia e escrevia suas correspondências.

A caminhoneta saiu da estrada de chão de Mata Doce e pegou a pista de rodagem no sentido da cidade. Luzia foi pensando quantas vezes já havia feito esse trecho. Quando a caminhoneta pegou velocidade, a juíza teve vontade de abrir a porta e deixar o corpo cair, se queimando na estrada. Não fez isso; lembrou das três filhas que a esperavam em Santa Stella.

Foi na primeira juventude que ela e João se enamoraram e se casaram. Inicialmente os pais resistiram muito ao namoro, mas por um sentimento de grande respeito a Manuel Querino deram consentimento. Com o casamento, Luzia passou a viver na casa de Manuel Querino e essa aproximação maior com o poeta sonhador a fez desejar ser juíza. Querino dizia

que a menina devia seguir estudando, que ele via muito rábula em Santa Stella. A vida andou e assim se deu. Luzia foi
aumentando os estudos, conquistando prática e se tornando
a afamada juíza dos Sales. Com o tempo seus pais foram viver
em definitivo em Santa Stella, e ela, desde a primeira gravidez, não voltou mais a Mata Doce. João Sena ficou. Não se
encontrava satisfeito com a cidade, gostava da vida de solidão.
Mas agora ele ia. Seguia a estrada dentro daquela caminhoneta
como se não existisse mais nada. Para trás deixava seu grande amor, aquelas terras que beiravam o rio Airá, os cavalos e
as corridas pela caatinga. O carro crescia em direção a Santa
Stella e ele e a mulher se perdiam mais e mais. Sua terra ficava
para o coronel.

Nove meses depois nasceu Zezito. João Sena se calou e
segurou o menino com paixão. Vivia em Santa Stella mur-
cho feito passarinho na chuva, mas experimentava o sabor da
convivência com os filhos. A vida lhe oferecia esse encontro,
essa alegria. Luzia era dor por todos os lados, mas um desejo
de sobrevivência que vinha da sua história a movia.

Os dois seguiram pais das três meninas e do menino novo.
João Sena foi seguindo, seguindo. Algumas vezes quis voltar
a Mata Doce, mas só iam a passeio ou num final de semana.
Queria que os filhos vissem o pai correndo pelo mato. Queria
botar Zezito e Carminha, os mais novos, na garupa e correr
pelas terras dos seus antepassados. Mas não duravam. Ficavam
na casa dos Sales e não saíam para nada. Luzia não visitava
ninguém nem deixava as filhas saírem.

— Elas vão sim. Estão com o pai — João emendava.

As crianças choravam, pois não queriam estar em des-
conformidade com a mãe. Luzia deixava e ficava dentro de
casa sem juízo nenhum até o retorno. Assim que decidiu que
nunca mais nem ela nem os filhos iriam para aqueles finais de

semana em Mata Doce, João Sena foi pegando uma tristeza que se alastrou por ele todo com o falecimento do pai.

Manuel Querino há muito não ia a Mata Doce e quase já existia como parte da biblioteca do Sacramentina e Silva. Morreu sem ninguém dar conta da moléstia de que padecia. João, depois desse acontecimento, foi vendo dentro de si crescer uma cisma de que deveria ainda realizar o desejo do pai. Ele não iria estudar, mas viveria na cidade grande. Desterro por desterro, que morasse no longe. Se era para ficar sem chão, sem terra, sem boca do rio Airá, estaria no derrame da cidade grande. E foi assim que, numa noite, João pegou os dois filhos menores e, sem avisar a juíza, partiu.

Levou na mala os folhetos de Manuel Querino, abriu lá uma esteira e começou a cantar e anunciar os versos do pai. As cantigas colavam no ouvido. João cantava só o começo das histórias, e o povo, na sede de saber todo o caso, deixava os seus trocados.

João viu que aquilo estava dando certo. Começou a se estirar em felicidade, planejava trazer Luzia e as outras duas meninas para viver com eles. Na cidade grande é que ela seria juíza afamada. Deixariam aquilo tudo para trás. Em Mata Doce Amâncio já reinava sobre suas terras e havia passado a viver na casa em que um dia os tinha violado. João pensava que ficando na cidade grande nada daquilo existiria mais. Ele se esqueceria daquela noite de choro. A caatinga seria para sempre um lugar de prazer, de alembrar apenas das corridas a cavalo pelos espinhos. E só. E de algum modo ali ele reencontrava o pai. Na cidade grande estavam os sonhos de Manuel Querino, que agora era o poeta mais conhecido daquelas praças. Até que um dia João Sena sumiu. Deixando os filhos sozinhos.

— Um enxame de policiais levou João Sena do Norte! — alguém de uma esteira ao lado anunciava.

As duas crianças não entendiam nada. Eram pequenas demais para dar conta das dobradiças da cidade grande. Do meio de rua daquele mundo de máquinas a mão de uma mulher lhes valeu e os fez chegar de volta a Santa Stella. Luzia enterrou os joelhos no chão. Chorava e ria da alegria do reencontro com as crias e se inchava de ódio pelas atitudes do marido.

— E o pai deles? Tem notícia de João Sena?

— O que se conta é que o cantador de versos João Sena do Norte foi levado pela polícia. Minha senhora, se isso tiver sido verdade, dê como certo o desaparecimento de seu marido. Agora lá tá assim. Foi pega sem documento na rua a pessoa some que ninguém nunca mais dá sinal. Mas a senhora sabe, isso é perseguição. Eles dizem que precisa de licença para vender na rua. Agora, a senhora me responda, existe licença pra poesia?

Luzia respondeu sim e não com a cabeça. Já estava segurando as crianças pelo braço, não tinha mais que dizer ou ouvir. Correu para dentro de casa, se trancou e foi parando de trabalhar. Ainda resolveu um caso ou outro, mas sentiu que estava perdendo as forças. Até que, após o falecimento dos pais, decidiu voltar de vez para Mata Doce e viver trancada com as crianças na casa dos Sales, de onde ninguém mais sairia. Mas Zezito quis sair, quis se apaixonar.

A mãe enlutada só teve consciência de que Zezito era filho do homem que o havia assassinado na hora em que a professora Mariinha entrou na sua casa acompanhada da sacerdotisa Maximiliana dos Santos. Nesse momento exato, toda a lucidez caiu sobre a juíza e ela reviveu aquela noite. Refez as contas e levantou da cama.

— Mariinha, bom dia. Como está Maria Teresa? Entrem. Sentem-se.

As filhas, incrédulas, olhavam a mãe. A surpresa em vê-la se levantar, andar e falar foi tanta que Nalvinha ficou na sala como se fosse uma das visitas.

— Zinha, minha filha, traga café pra nós.

A filha trouxe café, beiju, cozinhou banana e batata-doce. A casa se alegrou. Carminha saiu do quarto e pediu a bênção à professora Mariinha. Quando esticou a mão para a Ialorixá, caiu esticada na sala. No mesmo rompante, abriu os olhos e começou a falar uma língua que apenas Maximiliana e Mariinha compreendiam.

— O que foi isso, professora? — a mãe perguntou, minutos depois que a menina se recompôs.

A senhora Maximiliana dos Santos pediu que trouxessem um lençol branco, cobriu Carminha e pediu que ela se sentasse na sala. Chegou perto da menina, disse umas três palavras e ela estava boa. Era como se tivesse voltado de viagem.

— Iorubá — respondeu Mariinha.

— Como é? — questionou a juíza.

— Língua de Orixá — disse Mariinha.

A senhora Maximiliana dos Santos fez sinal para que Mariinha aquietasse aquela conversa.

— Que prosa é essa, mamãe? Do que a senhora e a professora estão falando? — quis saber Carminha.

— Minha filha, você não lembra de nada?

— Lembrar de quê, minha mãe?

— Luzia, vamos tomar café e mudar de conversa. Depois ajeitamos isso — disse Mariinha.

Nalvinha entendia alguma coisa e não estava gostando dos caminhos daquela visitação toda. A família não tinha mais o que fazer naquele lugar, ela arrumaria a mudança para Santa Stella.

— Mariinha, já vamos, é hora — falou a senhora Maximiliana dos Santos.

— Mas ainda é cedo — disse a juíza.

— Luzia, a visita era rápida mesmo. Não poderia passar na frente de tua porta sem entrar pra saber de vocês. Preciso voltar ligeira para o casarão, porque Maria Teresa está como vocês sabem. Como todas nós estamos. Sem tino.

As duas senhoras se levantaram, saudaram as mulheres e saíram. Na estrada, chegando à porta de Venâncio, conversaram:

— Carminha precisará ser confirmada na Casa de Oió. E agora, Mãe Maximiliana, como se procederá isso?

— Professora, tudo é tempo. Nós não precisamos saber de tudo.

A conversa aí se acabou. Mariinha se despediu da sacerdotisa, que seguiria de volta para o território de Oió em companhia de Venâncio. Na estrada, de regresso para o casarão, Mariinha foi lembrando de tudo que Mãe Maximiliana dissera sobre Maria Teresa.

— Professora, a menina vai ficar boa e achar um destino. Mas não será o que a senhora esperava. E a senhora precisará aceitar e entender que essa é a única forma dessa menina seguir viva. O destino dela diferençou. Se até agora ela era uma, deste ponto em diante passa a ser outra. Essa morte que ela está vivendo é na verdade o nascimento dessa nova pessoa que ela passará a ser. Tudo será aos poucos e bem penoso. E não caberá à senhora fazer nada, apenas aceitar e ir vivendo com ela assim, diferenciada, como for achando jeito. Tudo isso que estou lhe dizendo é aconselhamento, mas cada um sabe de si. Nada que eu faça alterará os novos caminhos dela. O que lhe digo que pode ser feito para esse abatimento é coisa muito simples, seguir fechando as portas da casa antes das seis da tarde, fazer o banho de aroeira para o corpo dela e para a casa e continuar com os chás de flor de laranjeira. Se todo mistério do mundo fosse simples assim, não é, professora? O grande mistério do mundo é a compreensão. E essa, a partir de agora, a senhora precisará ter muita.

Mariinha chegou em casa ainda com essas palavras ressoando aos ouvidos.

Após a saída das duas senhoras, Nalvinha aproveitou o acontecimento da mãe para dizer diretamente:

— Mamãe, sou de opinião que não devemos mais ficar aqui em Mata Doce, mas regressar a Santa Stella.

— Concordo. Opino o mesmo.

Nalvinha correu até a mãe e a amarrou num abraço. A mãe retribuiu o instantâneo e breve contentamento da filha.

— Vamos embora sim, minha filha.

— Zinha, Carminha, ouviram mamãe, nós vamos voltar para Santa Stella.

— Mamãe, eu não quero — disse Carminha.

— Minha filha, isso já é decisão tomada. E já podem começar a arrumar o que quiserem levar. Peguem alguma coisa só. Deixemos tudo aqui. Lá temos nossas coisas também.

— Mamãe, estamos abandonando Zezito — Carminha protestou.

Todas choraram. A casa estava de luto fechado.

— Amanhã, após a missa de sétimo dia, do casarão mesmo seguiremos viagem. Vou deixar já encomendado com Thadeu que ele irá nos levar.

Assim fez a juíza. Mandou Nalvinha chamar o rapaz e acertou a viagem para após a missa. Antes disso ele pararia na casa delas para pegar as coisas que fossem levar, e o carro subiria para o lajedo já com os pertences da juíza e suas filhas.

Daí pra frente a senhora Luzia ficou boa. Andou, comeu e se banhou sozinha e falou normalmente, como se nunca tivesse vivido aquele abatimento que a absorveu por anos. O que as meninas não sabiam era da lembrança que a mãe teve na chegada da sacerdotisa. Parece que a presença daquela mulher lhe trouxera uma novidade sobre a compreensão do existir. Apenas por avistá-la, Luzia havia sentido seu juízo se abrir.

A consciência de que Zezito era filho de Gerônimo Amâncio a animou, pois ela iria revelar isso ao coronel. Iria ter o prazer de o acusar e o condenar por duplo filicídio. Aquele homem havia matado dois filhos machos, como ele mesmo se referia, e ela que iria lhe esfregar essa derrota na cara. Nesse momento não doía a morte do menino; Luzia se sentia banhada por águas limpas. Estava vivendo o contentamento da caminhante que percorreu larga estrada com sede e que recebe um copo d'água. Bebia a água e não lhe importava que naquele copo tivesse o sangue do filho, porque o acontecido anterior ao nascimento do menino ainda lhe doía por demais. Toda aquela violação era sentida como se tivesse acontecido naquele instante, mas agora vinha junto com um gosto de vingança.

O amanhã chegou. O padre Américo ilustrou as primeiras palavras e o carro branco do assassino parou na porta. Maria Teresa continuava na cama. Mariinha estava na missa. Tuninha permanecia no quarto com a filha. Na caminhoneta de Thadeu estava tudo que as despatriadas optaram por carregar. A juíza sabia que Amâncio apareceria naquele momento. E apareceu só, sem a mulher. Junto dele, os capangas. Mariinha se levantou, o padre parou a missa. Luzia se pôs à frente e disse:

— Pode seguir a missa, padre Américo. Aqui está tudo certo. Essa presença do coronel aqui hoje quem vai resolver sou eu.

— A senhora tem o que a me dizer? Que eu não posso estar aqui?

— Quem sou eu, coronel, para proibir seu livre direito de ir e vir.

— Eita que essa velha agora deu pra caducar usando palavra difícil.

— Caduquice aqui é sua ignorância. Mas nada disso importa.

Dizendo isso, fez sinal para que seguissem a missa. Naquele instante todos voltaram a ver a juíza dos Sales e a missa seguiu como ela ordenou. Mariinha sentou, não tinha mais forças para gritar com o assassino do noivo de sua filha. Estava acolhida na resignação da mãe do menino.

As filhas de Luzia não entendiam aquela atitude. Acompanharam a mãe se aproximar do coronel e viram que cochichava ao seu ouvido. Voltou sorrindo. As filhas quiseram gritar:

— Mãe, não dê as costas ao assassino!

Mas não foi necessário. Ao olharem o corpo da mãe se distanciando do coronel, viram ele caindo pra trás e se escorando no carro. Os capangas chegaram perto buscando a facada. Onde ela o havia ferido? Olharam o velho tombar. Abriram a porta do carro e deixaram Amâncio sentado.

— Arrastem o carro — ele sussurrou.

Fugia de uma vergonha, de uma desonra. A juíza passou direto para a caminhoneta.

— Vamos embora, minhas filhas! Venham com sua mãe.

— Dona Luzia, a senhora não vai esperar pela missa? — o padre Américo perguntou, em vão.

Ela já estava com a porta do carro aberta. Nalvinha foi com a mãe. Não tinha cerimônia com missa, estava ali em respeito ao irmão. Zinha e Carminha subiram na carroceria, entre seus pertences, e cobriram as cabeças com um lençol, pois na cabine só iam duas pessoas. Thadeu entrou e deu partida. As meninas olhavam a missa se distanciar, viam Mata Doce se afastando. Queriam ficar, mas queriam ir embora. Não sabiam o que sucederia se a mãe seguisse ali em companhia daquele assassino. Temiam que alguma coisa também lhes acontecesse, como havia ocorrido com o irmão.

Na caminhoneta, Luzia ia com a cabeça quase do lado de fora. Tomava o vento na cara e sorria. Recordava da frase que disse no ouvido do abusador:

— Assassino. Tu matou teus dois filhos homens. Zezito era teu filho. Eu já não tinha intimidade com meu marido no tempo daquela noite, e nunca tive depois. Tu não presta como homem. Não presta como nada. Assassinou seus descendentes machos.

Luzia chegou em Santa Stella com as três filhas e, uma semana depois, seguiam as quatro de viagem para a cidade grande. Carminha foi pensando que reencontraria o pai. Para Luzia, foi como realizar o sonho de Manuel Querino.

2

No décimo quarto dia após o enterro de Zezito, Filinha se levantou. Despertou cedo, abriu a porta do quintal e ficou parada embaixo do pé de ingá. Tuninha e Mariinha já seguiam com as demandas do dia. Ela ficou observando as mães e se alegrou. Filinha devia sua existência àquelas senhoras. Teve pena delas e se entristeceu. Pensava que não queria ter lhes causado aquele sofrimento. Tinha pena de Zezito estar morto. Cabia a ela fazer alguma coisa. E, nesse pensamento, teve ódio e decidiu caminhar. Saiu sem dizer nada às mães, sem fazer um sinal que fosse. Aquilo foi estranho, Maria Teresa nunca havia saído sem avisar a elas.

Mariinha olhou para Tuninha como pedindo socorro. Tuninha, de onde estava, gritou:

— Maria Teresa? Aonde vai?

A menina não respondeu. Venâncio ia chegando no passadiço e viu o clamar da senhora. Fez sinal que acompanharia a menina. Os dois seguiram estrada sem dizer palavra. Quando estavam quase chegando nas terras de Gerônimo, pararam diante da imagem de um coforongo fincado numa estaca.

— Quero matar boi, Venâncio.

— Como diz?

— Digo de trabalhar matando gado. Quero trabalhar aqui nas terras do coronel.

— Moça, veja que isso pode não dar certo.

— Dará sim. Sei que dará.

— Não pense em vingança. Ela tomará conta de tu, e tu não achará caminho de saída.

— Eu estou buscando vida, Venâncio. Vida. Vamos entrar até o curral? Capaz que Toni esteja aqui.

— Maria Teresa, a professora não vai gostar de saber disso.

— Homem, vamos ou não?

Venâncio sabia que o coronel não estava, porque tinha visto o carro branco passar na estrada logo cedo, e decidiu entrar. Toni de Maximiliana dos Santos estava mesmo no curral levando um boi para o abate. O animal branco ia com uma máscara de couro na cara. A dita careta, utilizada para o boi seguir o caminho que lhe tocam sem desviar.

— Pra que essa peça no animal?

— Bons dias! — respondeu o vaqueiro.

— Bons dias! — responderam de vez Venâncio e Maria Teresa.

— A careta é pra ele ficar mansinho. Esse aqui queria dar de valente — Toni foi explicando.

Maria Teresa estava atenta. Pensava que com o ódio que estava sentindo seria fácil matar um animal daquele. E faria isso tirando a careta, olhando o boi de frente. Toni se ajustou em proximidade ao animal e deu a primeira pancada. A segunda, a terceira. E fez o corte. O sangue correu em liberdade, abrindo caminho de morte e vida. Logo mais gente se acercou e fez os cortes na peça. As fateiras já estavam à espera das vísceras. Catavam tudo em baldes e bacias e desciam até a beira do Airá para a lavagem. Lá, limpavam as tripas, separavam as partes do fato e ainda a cabeça. Aquilo seria devolvido ao curral, que o coronel transformava tudo em moeda. As fateiras recebiam como paga pedaços de tripa, pontas dos fatos ou o coforongo.

Quando acabou a matança Maria Teresa explicou suas vontades de ser matadora de boi a Toni. Venâncio foi fazendo sinal de deixar aquilo seguir. Não imaginava que ela fosse levar o negócio adiante, mas, se assim decidisse, estaria ao seu lado. Venâncio tinha dívida com aquela menina que bateu na máquina a carta que ele ditou para a mãe. Era o único elo entre ele e aquela desaparecida de quem tão pouco sabia. Toni seguiu conversa. Viu ali a ponta verdadeira de uma coragem de vida. Fosse para matar, fosse para morrer.

O vaqueiro tirou a careta do boi morto e seguia os rumos da prosa com a peça na mão.

— Posso ver?

— A careta?

— Sim! Posso pegar?

— Tome. Essa peça é usada na cara do animal, principalmente se ele foi recém-trazido do mato. O certo é botar já no mato e ir trazendo o boi assim, que ele vem calminho sem errar a estrada. Ainda mais se for passar por trecho que tenha gente. Com a careta o bicho segue reto. Porque se tem criança, cachorro, tudo isso vai agitando ainda mais a natureza do boi. Essa pecinha aqui, ó, tampa assim as vistas dele.

Maria Teresa segurava aquele tipo de máscara de couro que diziam acalmar a natureza do boi para ele se encaminhar com mais facilidade para a morte. Pensava em como Gerônimo Amâncio havia matado Zezito de costas, tratando seu noivo como um boi encaretado. Será mais fácil abater aquele que de tudo não compreende o próprio caminhar para a morte? Ela encaretaria Gerônimo. Não estava ali para buscar vingança, para atirar com arma de fogo, para lhe dar tapa ou jogar verdades na cara. Não tinha nenhum interesse em fazê-lo ver o que havia se sucedido e todas as tristezas que se desencadearam a partir daí. Estava ali para o fazer cegar.

Maria Teresa estava naquele curral aprendendo o novo ofício unicamente para seguir viva, para afundar seu existir em um cotidiano. Para cravar sua presença de força naquele matadouro que pereceria um dia. Gerônimo Amâncio era um homem que já cheirava a carniça, seria breve o seu sucumbir.

Na segunda semana de observação da matança, ela abateu o primeiro boi. Toni foi fazendo vistas grossas e deixando acontecer. Filinha Mata-Boi havia chegado. Era possuidora dos caminhos do abate em Mata Doce. Lai e Venâncio voltaram a prestar alguns serviços no curral do velho Amâncio para nunca deixar a moça sozinha. A Mata-Boi ganhava fama, todos queriam ouvir a história da mulher valente que matava gado. A mesma que viu o noivo ser assassinado na porta de casa e o limpou, o velou e o enterrou como uma fera, estapeando o assassino que teve a desonra de aparecer no velório.

Filinha Mata-Boi tinha suas regras, só dava pancada em animal desencaretado e só servia ao abate aos sábados. Nenhum outro dia da semana realizaria o serviço. Na primeira vez que o coronel viu a menina em suas terras abatendo seu gado não entendeu bem o que via. Reclamou da presença dela ali, mas não teve resignação para a enxotar de sua propriedade. Desde a missa de sétimo dia, quando a juíza dos Sales havia cochichado aquele veredito ao seu ouvido, ele era como um morto em vida. Amâncio passou a padecer de uma morte que não teve como crédito a desaparição do seu corpo físico. Estava morto sem velório, sem choro da família, sem terra que acobertasse seu apodrecer.

Gerônimo Amâncio queria ter uma careta que encaixasse direitinho nele e que o livrasse das vistas do seu caminho. Queria poder seguir estrada sem se incomodar com a presença de gente. Mas não conseguia mais. Não dava mais conta de olhar pra frente sem o desejo de sair correndo sem direção. Sentia que precisava matar alguém, mas quem poderia ser? Qual morte agora o aliviaria daquela culpa? Outra vez uma mulher lhe arrancava a paz da cegueira. Por duas vezes. A primeira havia sido a professora Mariinha, quando lhe chamou para alertar sobre o desaparecimento do primeiro filho homem. E agora fora a juíza Luzia Sales ao lhe revelar que o menino que ele havia acabado de matar era seu filho homem. A mulher não lhe deixou cego para sentir a benevolência do ignorar. Gerônimo começou a desejar ser um boi encaretado. Se estranhava, se desentendia com o próprio juízo.

Amâncio dizia em tudo que era canto de Mata Doce e de Santa Stella que não havia sido ele o atirador que derrubou Zezito. E validava essa negativa alegando que quem tinha sido testemunha do caso foi Mané da Gaita, que nas contas do coronel era um esfomeado que não sabia o que dizia, e Thadeu Fontes, um avoado que vivia com a cabeça fora do mundo. Assim dizia e repetia, julgando que argumentava a seu favor.

Toda a gente que escutava o coronel não duvidava que ele tinha sido o assassino. Aquele conto de negar a verdade era cena antiga de homem branco que o povo todo conhecia. Era parte do jogo de reinar: violar, matar e ter fama de bom dialogador. O caso dessa vez era que depois do cochicho de Luzia Sales, Amâncio passou a desejar muito poder acreditar nas próprias palavras. Não queria crer que havia sido o atirador que abateu o próprio e, mais uma vez, único filho macho. Isso foi crescendo em seu juízo como nódoa.

Amâncio passou a existir como que variado da cabeça. Tanto que, após o primeiro susto de saber da presença de Maria Teresa em suas terras, se deslembrou de fazer disso uma questão. Para ele, a tortura maior era pensar que aquela menina era filha da professora que havia tirado a careta do seu caminhar a primeira vez ao revelar o desaparecimento antes mesmo de acontecido. Aquilo voltou a lhe pesar o tino. Como ela sabia e que direito tinha de lhe avisar? Nenhum deles teve o poder de impedir. E essa menina, filha da professora, era a mulher que estava com seu outro filho morto. Que castigo era aquele que estava passando? As mulheres de Mata Doce eram a sua derrota.

— Condenadas dos infernos! — Amâncio dizia alto.

O velho ficava de canto, caducando com essas cismas. Não tinha mais um segundo de paz. Esse pensamento todo o tempo em seu juízo se assemelhava a uma cobra que se voltava contra si mesma. Amâncio tentava e tentava se afastar desses pensares e não achava fuga.

Um dia o coronel vinha de Santa Stella atordoado nessas ideias. Prenda Amâncio ao seu lado e ele nada, nem dava fé da presença dela, vivendo preso dentro de si. Foi quando passou na frente do casarão e se alarmou, como se tivesse visto uma assombração, e seus pensamentos se dissiparam de vez. Voltou com o carro, parou em frente ao peitoril e ficou dentro do automóvel olhando a paisagem. A roseira de Mariinha estava sem um cacho. Não estavam mais ali as ramagens. Só uma mulher de pé, encarando o lajedo, com uma faca afiada na mão e um avental branco todo salpicado de sangue. Na sequência que seu tino leu essa imagem ele acelerou o carro. E nessa disparada levantou sobre si mesmo um vendaval de poeira. O automóvel acelerava, mas ele sentia como se o rede-moinho de areia o acompanhasse. A mulher começou a gritar. Ele acelerando, acelerando, o areal sobre eles. Aquela imagem sem forma, aquele bicho de areia o engolindo, tomando conta dele e o deixando sem ar. A imagem da frente do casarão era a morte lhe apontando como filicida. O carro parou num barranco de areia próximo à casa vazia dos Sales. Gerônimo recobrou os sentidos, tinha sangue na fronte. Viu na frente da casa a juíza abrir a porta e vir em sua direção. Vinha calma, chegava perto e lhe cochichava ao ouvido:

— Zezito era teu filho.

Gerônimo começou a gritar. Se desesperou. Passou a mão na testa e viu o sangue:

— Uai! Uai! Uai! Estão querendo me matar! Atiraram em mim. Quem foi o homem capaz de atirar no coronel Gerô-nimo Amâncio?

A imagem de Luzia voltava a se aproximar e respondia baixinho:

— Foi homem não. Não teve homem mesmo capaz de atirar no coronel. Mas teve mulher! Ela atirou aqui.

E a mulher das suas vistas enterrava dois dedos no buraco aberto em carne viva em sua cabeça. O homem gritava:

— Uai! Uai! Uai! Elas estão me matando!

Prenda também estava ferida, o braço arranhado e sangran-do, um olho parecia que tinha recebido uma paulada, quase não abria. E estava confundida com os gritos do marido, não entendia o que ele dizia. Pensava que alguém havia atirado neles e buscava sinais de bala no próprio corpo.

— Uai! Uai! Uai! Elas querem me matar!

Amâncio não parava de gritar. Ela não conseguia decifrar que aquilo era um delírio. Fechou os olhos e se encolheu na poltrona do carro apenas esperando que as balas também a perfurassem, que acabassem logo com aquela tortura e a matassem de uma vez.

De longe se via o carro branco parado num paredão de areia, se ouviam os gritos do coronel e se via Chula aproveitando a areia levantada e afofada para se banhar na quentura da terra. A Chulinha se lambuzava ao sol e se revirava de um lado para o outro, catando o próprio rabinho, se levantando e caindo na areia quentinha, entregue à brincadeira. De um lado ia aparecendo Mané da Gaita, que, entretido com os volteios da cachorra, buscou jeito de se acertar no batente da casa dos Sales e tirou a gaita para tocar uma valsa de festa e alegrar ainda mais o banho da cachorra. Depois de alguma diversão, Mané olhou para o lado e só ali pareceu perceber a presença do carro batido e dos gritos do coronel. Guardou a gaita, se levantou e foi em direção ao banco do carona.

— Bons dias! Dona Prenda, quer comprar quebra-queixo hoje?

Prenda Amâncio ouviu aquela voz e pensou que o músico havia perdido o juízo de vez. Como ele era capaz de, em pleno tiroteio, no meio daquela terrível emboscada que ela e o marido estavam sofrendo, se preocupar apenas com a venda do seu quebra-queixo? A mulher seguiu de olhos fechados.

Mané cutucou seu braço:

— Ei! A senhora num vai querer não, é? O quebra-queixo!

— Uai! Uai! Uai! Estão querendo me matar! — o coronel gritava sem parar.

Mané virava a cara para rir. Não entendia aquele delírio do velho. Se voltava para Prenda:

— Ei! Hoje estão assim cheios de pedaços de coco, mermim como a senhora apreceia.

— Homem dos infernos, você não está vendo que eu e meu marido estamos sendo atacados?

— Olha, a senhora me desculpe, eu vim aqui lhe perguntar com toda boa educação. Não lhe gritei não senhora. E a senhora já comprou quebra-queixo da minha mão, por isso me acheguei. Mas sendo assim essa sua ignorância, nem precisa comprar não senhora. Pode deixar que nunca mais lhe ofereço. Já até me vou daqui.

E saiu ofendido. Chula parou de se banhar e seguiu o músico a caminho do lajedo. Iriam ter parada no casarão da professora Mariinha. Lá sim seriam bem recebidos e ainda poderiam garantir a primeira refeição do dia. O doce ele nem tinha boca mais para experimentar. Aquilo estava feito com mais de uma semana, as vendas estavam cada vez mais pingadas. Não tinha dinheiro nem para um gole de cachaça. A situação não era boa para o músico. Presenciar a morte do menino Zezito o havia comovido de um modo que ele nem podia narrar. Mané da Gaita entristecia e passava fome.

Na frente do casarão, Mané da Gaita se deparou com a imagem de Filinha Mata-Boi. Aquela mulher, parada em frente ao lajedo com a faca de corte em punho e o avental branco de sangue, era a imagem fixa de Mata Doce que mais se veria com o passar dos anos. Se durante um tempo a marca do casarão da professora Mariinha tinha sido o roseiral entranhado no peitoril, anos inteiros para a frente seria, aos sábados, apreciar Filinha em sua posição de matadora.

Aquela imagem foi ganhando fama, assombrando menino, virando tradição. O casarão foi se transmutando de lugar de acolhida de necessitados para lugar de exposição de coragem. A imagem de Filinha Mata-Boi fazia com que ninguém esquecesse de Maria Teresa e Zezito. A mulher passou mesmo a ser a matadora oficial, apenas aos sábados, do curral do coronel. Se tivesse matança em outro dia da semana, Toni assumia o posto. O vaqueiro não se incomodava em compartir o posto com a mulher. Ao contrário, ele já sabia que aquilo um dia se daria. Entendia esse fato como um caso maior daquelas terras.

Filinha Mata-Boi começou a incentivar a criação de boi por pequenas famílias. Se colocava à inteira disposição de quem quisesse conversar sobre o assunto e realizar a compra do animal novo ou no ponto do abate. Começou a falar da possibilidade de algumas famílias se juntarem para a matança de um boi e compartilhar a venda das peças de carne e dos fatos. O que ela desejava era minar a produção e a venda do Amâncio. O que queria era assombrar os dias daquele homem. Com o passar do tempo, foi conseguindo mais e mais.

Prenda percebeu que ela e o marido não estavam numa emboscada. Conferiu mais uma vez e entendeu que não havia marcas de bala nem nela nem nele. Gerônimo ainda gritava vendo a imagem de Luzia Sales lhe encarcando dois dedos dentro de uma ferida na testa. A mulher gritou:

— Amâncio! Amâncio! Desperta. O carro bateu, homem! O carro!

Ele parou de gritar, mas ficou ainda parado com o olhar fixo. Ela se levantou, viu a batida e entendeu que o carro não sairia dali naquele momento. Abriu a porta do motorista e tentou livrar o marido do transe. Já pensava que seguiriam a pé dali da casa dos Sales até sua propriedade.

Conseguiu fazer com que o coronel ficasse de pé. O homem pareceu entender o que havia se dado e se danou a tentar empurrar o carro para trás do banco de areia. O carro saiu, ele entrou e ficou lutando com a chave até que o carro ligou novamente. Ele ia seguindo estrada, Prenda precisou correr e gritar para que parasse e esperasse por ela.

Chegou em casa assustada, sem entendimento do que havia se dado mas com uma antiga vontade acesa. Ela queria ir de mudança para Santa Stella com as filhas e voltou a falar disso. A ideia caiu como presente para as moças, que já queriam viver as possibilidades da rua. Amâncio nem lembrava que tinha filhas, isso era pensamento que não fazia nem sombra no seu juízo. Em tudo que era momento ele via Luzia Sales na sua frente, cochichando:

— Zezito era teu filho.

Outras vezes ela apenas dizia:

— Assassino de filho macho.

Quando estava em casa, Gerônimo ouvia esse murmuro, se prostrava oscilante da realidade e passava a acusar a mulher do desaparecimento do menino novo. A situação foi ficando ainda mais insuportável para Prenda Amâncio e ela, mesmo sem a permissão do marido, decidiu partir com as filhas para Santa Stella. A mudança aconteceu aos poucos, escapulindo devagar do inimigo, e assim ela foi trilhando as filhas e os pertences. Até se acomodarem de vez na cidade e não mais regressarem ali.

3

Jó entendeu que era possível também entrar no comércio de venda de carne. Comprou a primeira cabeça, improvisou um abatedouro em suas terras e chamou Filinha Mata-Boi. A mulher foi e ajudou no riscado. O ponto alternativo começou a funcionar, Jó ganhou freguesia e o negócio prosperou. Amâncio não ficou satisfeito. Foi à cidade conversar com o tenente Jacinto Paz sobre a situação.

Jacinto enviou uma guarda a Mata Doce para prender Jó, acusando-o de venda ilegal de carne. O homem foi arrastado na frente dos filhos gêmeos, da esposa Dinha e dos fregueses da quitanda. Muita gente gritou que era injustiça, que Mata Doce sabia que a prisão havia sido encomendada pelo coronel

Amâncio. Jó foi humilhado e Dinha ficou cheia de ódio. Abriu a garagem e movimentou a carcaça que eles haviam adquirido como carro para ir à cidade. Foi até a delegacia falar pelo marido e gritar que aquilo era injustiça. Listou que o que eles faziam e que estava sendo apontado como incorreto era a mesma prática de outras pessoas do lugar. Dinha tinha na cabeça que ia procurar a juíza dos Sales, mas a mulher não estava mais na ativa. Nem morava mais em Santa Stella. Dinha foi até a paróquia e conversou com o padre Américo. O religioso entendia que aquilo devia mesmo ter sido ordem do velho coronel e fez uma ligação para Prenda Amâncio, na esperança de que ela pudesse dissuadir o marido da ideia de prender o quitandeiro.

Dinha não quis ficar esperando resposta e correu para a delegacia. Na porta de entrada reconheceu um soldado que frequentava a quitanda quando ia a Mata Doce, na Casa de Oió. Em conversa, descobriu que ele era Ogã da casa de Mãe Maximiliana dos Santos. A mulher voltou a Mata Doce, chamou Venâncio e juntos se encaminharam para o terreiro. A Ialorixá já os esperava. Dinha explicou a situação. A sacerdotisa escreveu de próprio punho um bilhete para o soldado, Ogã de seu Terreiro. Dinha voltou à delegacia com o papel e, no dia seguinte, o marido estava na rua. Suas primeiras palavras para ele foram:

— Ergue a cabeça. Não fizemos nada de ruim. Não devemos nada a ninguém. Toda gente sabe de quem partiu essa ordem de arrasto. O que ele quer é nos amedrontar, e isso ele não vai conseguir. A partir de agora é que vamos prosperar.

Jó ouviu as palavras de Dinha e se sentiu acolhido. Sabia que poderia segurar na mão dela e seguir viagem pelo mundo. Dinha voltou a Mata Doce com a ideia de ampliar a quitanda. Agora não venderiam apenas cachaça, mas também alguns produtos de alimentação. O que ela queria era ter renda para investir mais na compra e no abate de boi. Dinha precisava confrontar o coronel. A partir desse dia deixou que os filhos cantassem, que a família se esparramasse pelo mundo em busca de sustento. O casarão da professora Mariinha era um lugar de força para toda mulher de Mata Doce. Dinha parou na porta querendo encarar um futuro que lhe apresentasse vingada.

Lai estava lavando fato quando escutou a notícia:

— Jó foi arrastado pela polícia de Santa Stella. Estão dizendo que a ordem veio do português.

— Jacinto Paz? — perguntou Venâncio.

— Esse mesmo — respondeu o informante.

Lai largou as tripas, e os excrementos que ela estava espremendo se voltaram e caíram dentro da bacia.

— Se assustou, Lai? — Venâncio teve atenção à companheira de serviço.

— O Jacinto Paz esteve aqui? — Lai indagou com voz embargada.

— Que aqui que nada, ele mandou os soldados arrastarem Jó. Tudo foi ordem do velho Amâncio, que pode estar doido para quem acredita. Eu tenho pra mim que aquele satanás tá cada dia mais seguro de si. Os meninos ficaram chorando. Deu foi pena de ver. Mas Dinha já partiu para Santa Stella.

Lai terminou o serviço apurada e seguiu para o lajedo. Passou na frente do casarão e avistou Filinha Mata-Boi em sua peregrinação para embelezar o tempo com a memória da matança de sua própria dor. Havia sido dia de abate. Lai nem cumprimentou, só passou. Foi direto para as bananeiras que ficavam no terreno da professora Mariinha, mas bem abaixo do casarão, no fundo do quintal. Lai foi buscar o dia original, o momento que havia chegado desvalida a Mata Doce.

Começou a abrir as bananeiras como se buscasse algo escondido, como se tivesse acabado de chegar no mundo.

— Comadre Lai, tenha cuidado com cobra! O que a senhora está fazendo? Nesses pés de bananeira devemos entrar com jeito, rezando por livramento. Comadre?

Tuninha estava catando feijão perto dali quando viu a comadre descer em direção às bananeiras e se surpreendeu. A mulher parecia estar suspensa no tempo. Tuninha foi até lá e segurou forte no seu braço:

— Lai!

— Cadê?

— Lai, o que está se passando?

— Cadê a menina?

Tuninha sentiu como se seu corpo estivesse sendo arremessado para trás. Voltou no tempo e viu a lembrança do dia que encontrou Maria Teresa naquelas bananeiras. Voltou mais e lembrou do dia em que Lai chegou com o padre contando do abuso e da gravidez indesejada.

Tuninha recordava que naquele mesmo dia disse a Lai que tivesse a menina ali e a deixasse com ela e Mariinha. No fim o acordo não se deu assim, mas sobre outros ajustes do tempo. O certo foi que Lai apareceu no casarão no mesmo dia que Maria Teresa foi encontrada, e o resto era silêncio.

— Cadê a menina? Cadê? Cadê?

— Lai, é Maria Teresa?

— Foi o tenente Jacinto Paz. Eu morava no puteiro. Fui crescendo desde o nascimento ali e me deixavam ficar nos serviços da limpeza da casa. Mas teve um dia de festa. O tenente ordenou que se fechasse a casa só pra ele e os convidados. E me pegou nesse dia. Me maltratou muito. Me rasgou e me bateu. Eu fiquei morta-viva. As putas se viram obrigadas a me esconder. Não tínhamos a quem reclamar. Me levaram com o padre Américo. Fiquei morta na casa paroquial até que com os dias o sangue voltou a correr pelas carnes e as feridas foram se adaptando ao meu corpo. Mas me descobriram grávida. O padre queria ser por mim. Queria me valer e valer a menina que estava no meu bucho. Mas o tenente me reconheceu. Passou a ir na casa paroquial me fazer ameaças, assediar o pároco. Eu não iria aguentar viver encarando aquele homem. Pari e o padre me devolveu com a criança para o puteiro. Fiquei fazendo vida. O tenente acompanhava meus passos, me ameaçava. Um dia decidi seguir estrada. Quis ir sozinha, mas voltei pra pegar a menina. Lembrei de tu, Tuninha. Lembrei que tinha te visto aqui nesse casarão. Andei estrada afora em direção a Mata Doce. Mas posso ter me perdido. Não sei. Não lembro quanto tempo demorei de chegar aqui. Aí deixei a menina nessa bananeira. Cadê ela?

Lai chorava. Tuninha estava enleada em tempos que passavam sobre suas vistas e seus ouvidos. A mãe de criação de Maria Teresa não se movia, estava paralisada.

4

Antônio e Cícero, os gêmeos de Jó, foram crescendo, alastrando mundo com suas cantigas e ajuntando dinheiro, que era todo investido pela mãe na ampliação da quitanda e na organização do negócio da venda de carne vermelha. Agora Jó e Dinha abatiam boi e vendiam na feira aos sábados. Amâncio foi decaindo, endoidando na boca de um, caducando na cabeça de outros. Enjoando na vista de todos.

Toda a Mata Doce virava a cara quando o velho coronel passava. Filinha seguia firme matadora diante dos olhos vivos do homem abatido e do lugar. Ele entrava e saía de suas próprias terras assombrado. Em seu juízo via uma mulher ensanguentada, de vestido de noiva, com uma faca afiada, vindo em sua direção vingar a morte do noivo.

Dia e noite essa imagem se colava à sua presença. O coronel, agora, existia nesse mundo oscilante, de ouvir ciciar e de ver noiva de sangue em posição de ataque. Um dia, Filinha Mata-Boi estava saindo do curral após uma matança quando o ouviu gritar dentro da casa. Ela chegou na porta e o viu afugentar uma tira de luz como se fosse uma cobra.

— Sai, serpente maldita!

O velho gritava para o traço do sol que riscava o salão da casa grande que um dia havia pertencido a Manuel Querino. A sede da fazenda fora ampliada, e naquele momento de decadência e velhice parecia uma imensa ruína pronta para soterrar gerações. Da porta, ela gritou:

— Pega!

Ele parou o gesto de tanger e a encarou com o olho estralado. O coronel quase correu para se segurar em um móvel. Filinha riu do assombro do assassino e repetiu:

— Pega!

Ele a olhou aturdido, enraivado e assombrado, sem entender e, ao mesmo tempo, entendendo tudo que se passava. Filinha Mata-Boi se soltou daquele olhar e deixou o homem ali, naquela derrota, e seguiu estrada. Estava contente que podia esfregar sua presença firme na cara da derrota do assassino. Naquele ano a decadência abateu de vez o coronel, que foi acometido de uma urticária anal, que logo virou um gotejamento de sangue que o obrigava a usar panos nas roupas íntimas, o que agregou à sua imagem de decadência um odor odioso de fezes e sangue abafado, aroma que fazia crer que ele carregava um morto entre as pernas.

Sem amparo no juízo e no corpo, o coronel seguiu, de uma vez por todas, para Santa Stella, abandonando Mata Doce.

A mulher e as filhas não tinham gosto para cuidar das terras e colocaram tudo à venda. Uma tarde, trouxeram o velho para fechar o negócio. O assassino já quase não caminhava, mas guardava a assombração na cara. E a arma no cinturão. O novo proprietário era um homem da cidade que, pelo que se dizia, comprou aquilo mais para ajudar a família Amâncio do que por interesse de ir viver no lugar. E assim foi. Ali ele nunca reapareceu, mas manteve a criação de gado e fez de Filinha, que àquela altura já era a afamada Mata-Boi, uma das responsáveis pelas terras, junto de Toni de Maximiliana dos Santos.

No ano da venda, Gerônimo Amâncio faleceu num hospital da cidade grande. Para aquela morte não realizaram velório, o corpo chegou a Santa Stella e foi encaminhado diretamente para o cemitério. Algumas pessoas de Mata Doce foram apreciar aquele momento.

Filinha estava entre elas. Foi com Thadeu e Venâncio. A família justificava que não havia feito velório pois o corpo já estava necessitado de terra. Mas o cochicho que correu naquele fossário foi que as filhas ficaram repugnadas ao pensar que iriam receber um corpo morto em sua residência.

A terra caiu sobre o defunto e a família imediatamente se retirou. Filinha ficou. Se aproximou da cova. E escarrou sobre aquele chão, maldizendo três vezes a vida e a morte do coronel. No ano dessa passagem, a professora Mariinha voltou a fazer os festejos do bumba meu boi em Mata Doce.

O boi-estrela-do-mar, como era chamado, organizado pela professora voltou a fazer festa naquelas terras. E a alumiar a mata. A arrumação do encantado se dava no armazém do casarão, e muita gente ajudava nos preparos. Toni de Maximiliana dos Santos era o mestre de cerimônias. Ele sabia do bailado. Ensinava quais deveriam ser os passos do boi e a posição de cada personagem.

O boi era a principal representação daquela folgança, e Toni comandava o grupo com o maracá. A estrutura do bumba meu boi era aprontada por Tuninha, Venâncio e Lai. Base de madeira, muito tecido e costura, fitas e a ossada da cabeça igualmente decorada com toda sorte de apetrechos, deixando apenas os chifres descobertos.

Na noite de recomeços dessa folia a professora Mariinha quis dizer umas palavras. Esperava-se que ela fosse citar o luto que viveram após o assassinato de Zezito ou que fizesse referência à morte ligeira do assassino. Mas Mariinha dedicou palavras a falar sobre sonho e poesia e trouxe como referência Manuel Querino.

Todos ouviram seduzidos e aquela alegria se redobrou. A noite foi de cantigas, bailado e fogueira acesa. O bumba meu boi se acabou numa festança na Quitanda de Jó. Antônio e Cícero realizavam uma apresentação cada vez mais cativante.

5

O negócio de música dos filhos de Jó e de Dinha seguiu até Santa Stella. A mulher começou a avaliar uma mudança para a cidade. Abriram lá uma pequena quitandinha para ficar junto dos meninos. Antônio foi sem vontade de ir. Foi reclamando de deixar as galinhas que ele criava no quintal. Foi reclamando de deixar as árvores que ele havia apelidado com nomes próprios. Foi sabendo da falta que sentiria das prosas com Venâncio e com Toni de Maximiliana dos Santos. Foi chorando, aboiando lamentos. Em Santa Stella o canto de Antônio comoveu. Todos queriam ouvir a saudade e a pena que o rapaz alastrava na voz.

Cícero, que tinha partido para a cidade cheio de sonhos e desejos, ficou amuando e invejando aqueles olhares de admiração que se voltavam apenas para a tristeza do canto do irmão. A quitanda cresceu. Em Santa Stella o nome que se firmou foi o de Dinha. A quitanda de Dinha de Mata Doce criou fama. No povoado seguiam com o abatedouro e reforçavam a venda de carne e de produtos do campo na cidade. Aquilo cresceu e cresceu muito. Dinha deixou correr o encantamento dos filhos. Tudo deslanchava.

Mas o remordimento de Cícero crescia. Até o dia que se negou a subir no palco na boca da festa. O povo todo no salão e o menino amuado.

— Anda, Cícero, vamos começar! — pediu o irmão.

— Vou não.

— Não seja moleque. O povo está aí nos esperando.

— Eu, moleque? Quem foi o menino chorão que não queria vir pra Santa Stella e se negava a sair daquele mato?

— Cícero, não estou entendendo nada. Por que essa conversa agora?

Não adiantou, Cícero não foi. Antônio achou penoso ficar cantando e reversando na harmônica, e foi aí que trouxe a sanfona. Cantou aboios, dedilhou o instrumento, relembrou uns versos de baião e até chorou de pena, no palco, ao lembrar em versos uma passagem da vida do vaqueiro João Sena, filho do doutor mais sabido do sertão, Manuel Querino, e pai do valente Zezito, o herói injustiçado. O povo aplaudia, dava vivas e pedia mais. A notícia daquela noite começou a correr rua. Virou lenda a história do rapaz que cantava relembrando sua terra e a vida de menino.

Cícero engoliu com cachaça um sentimento de traição. O irmão ter podido levar a noite de trabalho sozinho o magoou mais. Antônio foi convidado a se apresentar num programa de rádio. Cícero se animou com o convite. Era por causa daquilo que era bom estar na cidade, aqueles sempre tinham sido seus planos. O apresentador disse que não precisava do tocador de harmônica, que o que o povo queria era ouvir a sanfona e a voz do músico que fazia versos sobre o vaqueiro João Sena e o valente Zezito. Foi um clamor a apresentação. A estação de rádio criou um horário fixo apenas para ele. Outros programas da região começaram a solicitar a presença do rapaz. Não demorou muito, e o convite para a cidade grande chegou. Antônio foi apenado. Partiu deixando um largo choro no ombro da mãe. O pai lhe abraçou e reforçou que o filho não querendo ir, que não fosse. A mãe disse que ele iria sim. Dinha apoiava a dignidade de sua coragem na lembrança das mulheres de Mata Doce. Antônio sentia o distanciamento de Cícero. O irmão se negou a seguir com o gêmeo, mas a mãe obrigou que fossem juntos. Cícero queria a cidade grande, mas não como companhia do irmão, queria ser o mais afamado dos dois. Só que ninguém saberia dizer não à mãe e a viagem aconteceu. Antônio Praiá fez fama, Cícero acumulou álcool. Dinha e Jó ajuntaram dinheiro e, quando vinte anos depois os filhos regressaram a Mata Doce, compraram as terras que haviam pertencido a Gerônimo Amâncio. Dinha queria homenagear a professora Mariinha e nomeou a fazenda de Rosa de Pedra. A velha propriedade seguiu decadente, mas o curral estava aceso. Filinha ainda caminhava de faca de corte na mão. Dinha fechou o seu abatedouro e deixou apenas o da fazenda funcionando. Tudo agora ficaria sob responsabilidade de Filinha Mata-Boi e Toni de Maximiliana dos Santos.

A partir daquela data as porteiras ficaram livres para quem quisesse chegar ao rio Airá. O agueiro não era o mesmo, a geografia diferençava. A professora Mariinha e Tuninha não estavam mais por ali. Mas a recordação avivava o lugar. Antônio Praiá era famoso no rádio e as histórias de Mata Doce eram sua língua. Zezito tinha sua vida registrada em músicas. O desacato daquele coronel era cantado como eterno clamor por justiça. O assassinato de Zezito seguia impune, mas ao menos na canção a justiça não parava de ser cobrada.

Nesse tempo de retorno dos Praiá, Cícero decidiu não ficar em Santa Stella com a família e quis passar uma temporada em Mata Doce, vivendo na casa onde havia morado o coronel Amâncio. Dinha pensou que seria um bom momento para tentar fazer um trabalho na Casa de Oió e livrar o filho do alcoolismo. A Casa de Oió agora era governada por Carminha Sales, irmã mais nova de Zezito, que foi titulada como Iná Obá, a que governava o terreiro de Xangô como sucessora da Ialorixá Maximiliana dos Santos.

— Ele precisa de penitência. Fazer um trabalho vai aliviar por um tempo essa situação, mas tudo continuará como é — disse a Obá.

Cícero perambulava pelos caminhos de Mata Doce pensando em resistir. Atinava que precisava se reencontrar com quem havia sido ou com quem um dia quis ser. Caía num trecho da estrada, segurava um punhado de terra na mão e se confundia. Esticava o corpo na areia como se precisasse nadar para não se afogar. Não distinguia por algum tempo onde estava, se na época da infância, quando se preparava para tocar com Antônio, se no período em Santa Stella, invejando a fama do irmão. Primeiro, não entendia que estava bêbado. Depois, quando compreendia seu estado, queria parar. Aí não via saída do poço em que estava.

Assim ficava, dormia e acordava. Ao despertar, se estava numa estrada, levantava com uma vergonha enorme rasgando sua cara. Como o irmão pôde ter feito isso com ele? Por que a família o havia abandonado? Onde estava e o que fazia ali? E cadê a harmônica? Como prática de liberdade, Cícero recomeçava a beber. Julgava que assim as perguntas lhe aliviariam o espírito. Então tudo recomeçava.

Ele caminhava sozinho com o álcool. Mas conversava constantemente com o que julgava serem companhias que o ouviam. Cícero buscava uma saída de ar que o ajudasse a não se afogar enquanto boiava. Num tempo sem horas, babatando equilíbrio na nova residência, descobriu uma arma num móvel. O tombo do seu corpo contra aquele aparato de madeira fez despencar a gaveta onde estava o revólver.

"É a arma que assassinou Zezito!", foi seu primeiro pensamento. "Vou levar ao tenente Jacinto Paz! Amâncio será preso", delirava.

Pegou a arma e foi encontrar o pai. Diria que estava com a prova da condena do crime e seria louvado de Mata Doce a Santa Stella. Todos ficariam admirados com sua coragem.

Caminhou até a quitanda de Jó, mas o estabelecimento e a casa estavam fechados. Entrou pela porta da cozinha. Chamou o pai e perguntou à mãe por que àquela hora ainda não haviam aberto a quitanda. Delirava. Abriu a porta azul da quitanda por dentro, que bateu numa parede velha. A madeira rangeu. A iluminação estava fraca, mesmo com as duas bandas da porta escancaradas. Ele buscou um candeeiro e acendeu um ponto na quitanda. As prateleiras estavam vazias, e Cícero começou a julgar que estava num sonho. Conversava consigo mesmo para que despertasse.

O sonho insistia, o tempo não passava. Ele deixou as portas abertas e, carreando o candeeiro, chamou pelos familiares. A mãe, o pai, o irmão. Ele estava só? Que sonho maldito. Cícero alucinava. Não entendia que não era mais um menino e que sua família estava em Santa Stella. Ao se deparar com um espelho, julgou o reflexo defeituoso ao ver um velho encurvado. O homem não se reconhecia.

"Quem é este e o que faz na nossa casa? Será que assassinou meu pai e desapareceu com minha família?", pensava enquanto olhava de soslaio o próprio reflexo.

Agora cochichava baixinho:

— Ei, estrangeiro, quem é você? O que veio fazer na minha casa? Cadê meus pais e meu irmão? Ei, estrangeiro, para de falar essa língua que eu não entendo. Diz uma cantiga que eu e Antônio cantamos que vou entender que você é de paz.

O despatriado passou a encará-lo com questionamentos. Ele começou a temer. Seu corpo beirava um abismo de identificação com aquele que via. Cícero atinou que levava a arma com que o coronel Amâncio havia tirado a vida de Zezito. Aquele homem que observava o defrontou com firmeza, e ele foi ficando assustado. Apreensivo, sacou a arma para o forasteiro.

Como no ritmo de um bailado, o ádvena também lhe apontou um revólver. Ele atirou. Foi mais rápido. O homem caiu. Não aparecia mais à sua frente. O estampido da arma de fogo o derrubou. Cícero estava no chão, sozinho. Era isso que ele havia desejado? Escorria sangue de suas mãos.

— Sangue de um crime? Sim. Eu matei o invasor! — Cícero cochichava e observava as mãos.

Fagulhas do espelho se multiplicaram ao seu redor. Sob a luz difusa do candeeiro, ele viu as imagens recortadas do estrangeiro se multiplicarem.

— Esse sangue não é dele, é meu! Então ele atirou primeiro. Desapareceu com a minha família e agora está acabando comigo — Cícero sussurrava de joelhos. Levou as mãos ensanguentadas ao rosto. — Estou sangrando. Fui atingido.

— Cícero!

— Pai!

— Cícero, onde você está?

— Aqui, pai, aqui! Me socorre, pai!

— Meu filho!

Jó, recém-chegado de Santa Stella, se deparou com a cena e correu para levantar o bêbado. Cícero estranhou aquele velho. Não era o pai que esperava ver.

— Me solta! Me solta! Minha casa foi invadida. Você não é meu pai. É um velho estrangeiro.

— Cícero, meu filho, sou teu pai. Sou Jó. Acabo de chegar de Santa Stella.

— Me solta, velho estrangeiro!

— Cícero, está tudo bem. Levanta. Vem até aqui, perto da luz. Vê? Sou teu pai.

O velho posicionou o candeeiro próximo ao rosto, esperançado de que o menino o visse e finalmente reconhecesse a imagem do pai. O filho se assombrou. Quem poderiam ser aqueles que tinham invadido sua casa e queriam se passar de conhecidos? Cícero sentiu que precisava defender a família daquela invasão de parecenças. Jó entendia que, mesmo com o rosto iluminado, a angústia do filho não se dissolvia. Então, decidido pela apaziguação, estendeu a mão:

— Vamos, Cícero, o dia quase amanhece e alcançaremos assim uma melhor compreensão sobre nós.

"É certeza", Cícero pensava, "que esse palavreador paciente não pode ser meu pai. Meu pai é um homem de ações rudes e firmes."

Retribuiu a mão estendida. Jó o puxou para si. Perto do pai, Cícero disparou um tiro em seu peito. O dia amanheceu. A iluminação que entrou pelas telhas eliminou as sombras do candeeiro e o rosto do pai foi identificado. O filho estava se afogando na poça de sangue familiar, lutava para boiar. A pólvora queimava sua mão, despejada pela mesma arma de fogo que um dia havia matado um filho — e que agora matava um pai.

Filinha Mata-Boi seguia na estrada para o curral e ouviu o disparo. Já no abatedouro, comentou:

— Toni, tu ouviu um estampido nesse amanhecer?

— Sim. Ouvi duas vezes.

— Toni, isso foi disparo de arma de fogo.

— Quando passei pela antiga quitanda de Jó estranhei ver as duas portas abertas. Mas também vi um carro na porta. Parecia o carro de Jó. Pensei que ele estivesse de passeio em Mata Doce.

Toni chamou por Cícero na antiga propriedade do coronel. Ninguém respondeu. As portas estavam abertas, mas viviam assim. O músico já havia perdido os sentidos do dia e da noite, já não guardava mais o resguardo da passagem das horas. Toni e Filinha seguiram os serviços do curral.

Quando a matança acabou, Filinha pegou estrada para retornar ao lajedo, na repetição daquele seu luto cerimonioso. Sobrevivência era encarar a morte todos os dias e vencê-la. Ao passar pela porta da antiga quitanda viu um corpo derrubado ao lado do balcão segurando uma garrafa de pinga e um revólver. Filinha não sabia, mas estava se aproximando da arma do crime que havia derrubado Zezito. O homem que via caído estava bêbado. Era Cícero. Havia manchas de sangue no rosto, nos braços e nas pernas do filho de Jó, mas ele não estava morto. Filinha recuou. Não encararia aquela morte de frente, mas tampouco poderia dar as costas a uma arma de fogo. Relembrou o som dos tiros na manhã do sábado, véspera do seu casamento. Relembrou o dia em que entrou em casa e quebrou o espelho. Relembrou o primeiro dia que recebeu o vestido de noiva da mão de Lai:

— É teu presente! É a peça mais bonita que já fiz. Tu será a noiva mais linda!

— A senhora acha, madrinha, que ficarei bonita de noiva?

— Ficará sim, minha filha. Maria Teresa, tu é tão bonita.

— E Zezito, madrinha, será que ele opinará o mesmo?

— Maria Teresa — a madrinha respondeu rindo —, como sempre repete Tuninha: Zezito te ama, minha filha!

A noiva esticou o vestido, o colocou diante de si e girou.

Quando Maria Teresa alcançou a porta do casarão o menino estava com a cara no chão. Os tiros já haviam aberto vasos para a desmemória daquele corpo. E ele nunca a veria no vestido de noiva.

Ficou parada na lateral da quitanda sem se movimentar. O som de disparo ao alvorecer e agora a visão de uma arma a paralisavam. A vida parecia não sair do lugar. Filinha Mata-Boi encarava um ponto fixo, como se desejasse se segurar no presente. Não queria ser novamente levada para aquele dia. Apertava o cabo da faca com força. Olhou para o próprio corpo, ainda salpicado de sangue da matança do animal daquela manhã. Tanto tempo havia passado e parece que ela ainda não tinha se acostumado com o sangue e com a morte.

Maria Teresa queria gritar como se estivesse presa numa manhã de sábado ou no corpo de uma matadora de boi valente. Maria Teresa não queria ser valente, mas a vida parecia não lhe dar outra opção. Filinha estava exausta, e aquela imagem de Cícero a sufocava mais. Um forte grito de ave a despertou de si. Ela olhou para o céu e duas araras-azuis sobrevoaram seu juízo. O casal pousou num pé de licuri. Colhiam os frutos e os partiam ao meio, um corte preciso para recolher o coquinho. Era magnífico ver aquelas aves tão de perto, e uma raridade aparecerem naquele ponto de Mata Doce. Podia ser uma viagem por sobrevivência, em busca de comida.

Amanhecia, e a caminhoneta de Thadeu apontou na estrada. Era a mesma que anos atrás havia carregado o corpo do seu bem-querer. Filinha queria ajudar Maria Teresa, queria tirar de si aquelas lembranças. Mas àquela altura, quanto mais a distância crescia, mais o fato parecia se aproximar. Thadeu parou na frente da quitanda para cumprimentá-la. Ela queria correr, queria que ele não a visse. As araras voaram. O motorista parou, viu o casal de aves levantar voo. Recordou aquela madrugada de festa de São João e pensou na mãe e em Venâncio. Ouviram os gritos:

— Matei meu pai! Venham logo me prender! Matei meu pai!

Thadeu foi ver quem gritava. Filinha entrou na casa e encontrou Jó desaguado, boiando de bruços numa poça de sangue. Ela saiu. Queria ouvir o palrar das araras, queria ver a cor azul, queria poder levantar voo, queria para sempre viver apenas sobrevoando o mundo tendo uma companhia.

Thadeu viu o bêbado. Ele levantou a arma e disse:

— Esse ferro matou Zezito. Peguei na casa do coronel e matei meu pai.

Cícero estava enterrado em sua angústia. A oscilação da realidade da madrugada agora era uma sepultante lucidez. Thadeu saiu da quitanda chorando, não queria ter presenciado aquela imagem, ouvido aquela pena. Se entregou ao palrar. Começou a gritar, imitando som de arara. Filinha correu até a casa dos Fontes e narrou tudo a Angélica. Quando a gêmea chegou, o irmão estava sentado no passeio da casa de Jó Praiá.

— Thadeu, sou eu. Levanta, irmão. Vem. Precisamos ir até Santa Stella, irmão. Precisamos avisar a Dinha de todo o sucedido. Levanta, Thadeu, estou te pedindo. Thadeu, sou eu.

Toni se aproximou e disse:

— Thadeu, Venâncio mandou dizer...

Nem precisou terminar a frase para ele parar de imitar as araras e aguardar a informação.

— Ele disse que virá? Que voltará a Mata Doce?

Venâncio tinha desaparecido. Será que havia se perdido na mata? Será que tinha se transformado num colibri e voado até a mãe para lhe entregar a carta que Maria Teresa havia batido na máquina? Será que também tinha sucumbido a uma bala de fogo? Toda Mata Doce fazia essas perguntas desde que havia ficado claro que o ferreiro não regressaria mais.

Thadeu pode ter sido o que mais falta sentiu daquele mistério. Ouvir sobre Venâncio era a única conversa que o fazia regressar do seu próprio mundo. A irmã lhe estirou a mão para que se levantasse e, juntos, se encaminharam para a caminhoneta.

— Filinha, vou avisar a Dinha — disse Angélica.

Os gêmeos entraram no carro. A caminhoneta saiu, e a alegria de Thadeu ao pensar que estava indo ao encontro de Venâncio foi dando lugar à apatia por saber que apenas dirigiria para onde a irmã ordenasse. Ele não precisava encarar o seu desejo. Só obedecer e seguir a ordem natural das coisas da vida.

De volta a Mata Doce, chegaram com a caminhoneta dos Fontes mais dois carros. Dinha desceu de um deles. As cenas que se seguiram foram de força e pena. A mãe tomou a arma do bêbado, a depôs no balcão e entrou na casa passando pela quitanda. Encontrou Jó, seu companheiro de vida, de estrada, de dores, de alegrias, de vitórias e de pena. Ela o recolheu ao colo e chamou:

— Desperta, nego, acorda! Eu cheguei por ti, Nego, acorda!

Com o marido nos braços, Dinha começou a cantar. Ali ficou tentando esquentar a frieza. Aquela forte impressão fazia arder olhos e narizes. A mulher segurou o homem, lhe ajustou o cabelo preto e liso na fronte morena. Dinha segurava seu caboclo, seu tempo de festa, seu silêncio, sua melhor companhia. Lágrimas são gotas quentes que esfolam o rosto na queda.

O marido estava morto. Antônio estava longe, em outras estradas. Cícero restara. Tudo que se seguiu foi vida. O velório ocorreu em Santa Stella, e o enterro foi um festival de canção. A harmônica, a sanfona, o filho da cidade grande que havia chegado, o filho bêbado que agora respondia inquérito por homicídio doloso. A esposa fez daquela data tradição. Dinha não deixou Jó, sua memória virou reverência. A mulher passou a organizar um festival anual de canção na cidade. A mãe não deixou Cícero.

Antônio não entendia a pena que era sua vida. Primeiro foi afastado de Mata Doce, onde sua existência era mel. Depois foi despejado na cidade grande para viver afastado da família. Agora perdia o pai. Teria o irmão lhe tirado tudo? A terra, a família, o pai, a vida? O músico famoso se sentia estrangeiro e órfão, enquanto o irmão gêmeo lhe roubava a mãe.

Antônio seguiu estrada arrastando desterro e ausências. Era celebrado, sua fama se alastrava. Ele tocava a sanfona e o mundo se comovia. Cícero ficou em companhia da mãe. Agora em Santa Stella, passou a cuidar com Dinha do mercado que a família tinha na cidade. Estava sóbrio, não se sabia até que dia, mas isso não era pensamento que aporrinhasse a senhora. A mãe seguia viva e nutria o caminhar do filho em recuperação, do outro que se sentia órfão e da memória do marido. A vida sempre segue, Dinha sabia, independente da temperatura das lágrimas.

Cícero seguiu culpando Antônio por viver em Santa Stella, por beber e por ter matado o pai. Parecia usar uma careta de boi, que fazia com que só enxergasse uma direção de pensamento.

6

Filinha às vezes parava, pensando que usar a careta de couro no boi que ia pra matança era um jeito de enganar o animal. Com aquela careta, vendo apenas um caminho, o bicho perdia mais ligeiro a vida. A mulher se sentia mal por vestir na vítima aquela farsa que aniquilava sua valentia. Mas gostava da mansidão que o animal aparentava quando mascarado. A mulher matava com mais precisão e força, sabendo que o boi andava dominado por seu próprio engano. Filinha arrancava a careta com ódio e tristeza pelos rumos que ela e o animal trilhavam.

A Mata-Boi ponderava essas ideias e olhava para Chula buscando diálogo. A cachorra sabia tudo que a mulher estava pensando, mas não desejava contribuir com suas percepções, pois gostava de evitar a fadiga. Chula tinha muito tempo de vida e já sabia que os viventes se impressionavam fácil com qualquer acontecimento que parecesse uma descoberta. Imaginava que, se tentasse falar com Filinha, em lugar de um diálogo teria que lidar primeiro com todo o desnorteio da surpresa. A cachorra não passaria essa canseira.

Chula se virava na terra. Tinha que aproveitar o sol daquela parte do dia. Compreendia a passagem das horas e sabia que cada inclinação da luz deveria ser bem usufruída. Filinha queria perguntar à cachorra por Mané da Gaita e por Venâncio, mas tinha pena de qual seria a resposta e deixava seguir. O músico e o ferreiro haviam desaparecido de Mata Doce, ninguém mais dava notícia deles. Primeiro foi Venâncio. Tempos depois, Mané da Gaita. Com o finamento das pessoas naquelas terras, Maria Teresa foi ficando sozinha e esmorecendo o ânimo. A essa altura, Lai quase de todo havia se mudado para o casarão e passava os dias com a afilhada no lajedo. Mesmo assim, o abatimento era grande.

Foi num desses dias de pensamento e observação dos banhos de sol da cachorra que a mulher viu Manuel Querino aparecer em sua mente. Ele estava emocionado e dizia:

— Maria Teresa, esse é o momento! Busca leitura. Busca estudos. Vai em meu nome na biblioteca do Sacramentina e Silva e da casa paroquial e pega *Úrsula*, minha filha.

Filinha ouviu essas palavras do avô de Zezito e algum ânimo surgiu em si. Num sábado que tinha carro certo para Santa Stella, deixou pra trás a matança de boi e foi até a cidade. Caminhou para aquele destino sentindo que as mães estavam ao seu lado. Foi primeiro na casa paroquial. O pároco sabia da referência à professora Mariinha e ao intelectual Manuel Querino de Mata Doce e permitiu que levasse naquele dia um primeiro livro emprestado. Ali não encontrou o livro indicado pela aparição, mas pegou um outro qualquer. Achou aquela primeira conquista importante e deixou para ir ao Sacramentina e Silva na viagem seguinte.

Vinte dias depois a Mata-Boi retornou a Santa Stella com o livro em mãos. Aquela que viajava nesse sábado já não era a mesma. A leitura a diferençava. Antes de devolver o volume, caminhou até a biblioteca do lugar que havia frequentado durante o curso de datilografia. Maria Teresa não tinha recordações agradáveis do tempo de nova. Não havia sido fácil ser a única negra da zona rural num ambiente de brancos. Chegou ao Sacramentina e Silva e foi recebida por Belisária, a bibliotecária, que lhe explicou que a instituição criara uma carteirinha para emprestar livros. Animada, pediu que a Mata-Boi se sentasse e começaram a fazer seu documento. Filinha contou de Manuel Querino e da professora Mariinha. Belisária já havia ouvido falar do velho bibliotecário, que era lenda naquele lugar.

— Todo mundo aqui no Sacramentina e Silva conta histórias de seu Querino. Há quem diga que ele ainda anda por esses corredores organizando os livros nas estantes.

Falou isso e olhou para Maria Teresa como se esperasse a confirmação da possibilidade de Manuel Querino andar pelo mundo. Maria Teresa lhe devolveu um sorriso e emendou:

— Foi justamente por ele que vim aqui. Ele me disse para pegar o livro de nome *Úrsula*, de uma autora chamada Maria Firmina dos Reis.

— Ele disse?

— Ele sempre dizia. Foi o que quis dizer.

A bibliotecária investigava a presença de Manuel Querino, buscando confirmações.

— Ah, sim! É um livro raro de nossa estante. Tem apenas um exemplar, por isso não podemos deixar que o leve. Mas você pode vir ler aqui.

Maria Teresa não poderia. Só conseguia ir a Santa Stella aos sábados e podia ficar apenas até as onze da manhã, quando Thadeu já organizava o retorno e tinha o valor do transporte. Ficou murcha, pensando que não realizaria o desejo do avô de Zezito.

— Maria Teresa, infelizmente não podemos mesmo emprestar esse livro. Mas você pode conseguir uma tarde livre e vir ler aqui.

Filinha não quis explicar tanta coisa à bibliotecária e desistiu. Naquela semana voltou sem leitura para Mata Doce. Estava cada dia mais sozinha. Sentia falta da presença física das mães. Vivia praticamente só no casarão, não fosse a estadia de Lai no lajedo. Ouvia com frequência o som das valsas de Mané da Gaita e se avexava para buscar de onde vinha a canção, mas o músico não estava. Filinha entristecia. Queria que Venâncio surgisse com um novo caso, com um pedido para que ela batesse uma carta na máquina. Pensou em entrar no armazém e reencontrar a máquina de datilografia, mas tinha medo de topar com os sonhos de Maria Teresa. O tempo corria na luz do sol, nas folhagens da mata, na areia das estradas, e Mata Doce ia sobrevivendo quase de tudo no seu pensar. Não fosse a presença constante de Chula, Filinha começaria a duvidar de sua existência. A cachorrinha estava ali com ela, agora ainda mais ao seu lado. Essa lembrança a reanimava. Ela se levantava daquele pesar e seguia estrada com a cachorrinha para observar uma árvore na entrada da mata ou colher uma fruta em outro terreno. Chula a acompanhava sabendo do seu condoimento. Já havia acompanhado muita gente naquele estado e tinha ciência do despovoamento do mundo que sucedia às pessoas em certa idade.

Voltavam para casa. Filinha seguia com um sentimento de que Mata Doce cabia inteirinha em seu juízo, e não mais na vida mesma em si. A matança de boi escasseava. Em alguns sábados, ela não trabalhava. Foi nesse intervalo que tinha ido à cidade em busca de livros, seguindo o cochicho de Manuel Querino, lhe pedindo para deixar algo pra trás e achar coisa adiante. Desejando evitar mais um sábado vacante voltou a Santa Stella e pediu o livro de Maria Firmina dos Reis para ler enquanto esperava o transporte.

Quando Belisária chegou para abrir a biblioteca, Filinha já estava nos jardins do Sacramentina e Silva aguardando.

— Bons dias! A senhora chegou cedo!

Filinha respondeu com a cabeça e não disse mais nada. Belisária seguiu:

— Fiquei pensando que a senhora não voltou mais e não sei o que lhe aconteceu aqui da última vez. São regras do colégio não emprestar uma obra que só tenha um volume. Foi por isso que não autorizei.

Filinha ouvia quieta os comentários e crescia nela uma vontade de ir embora, nunca mais aparecer ali. Não queria mais escutar aquela prosa. A mulher seguia:

— Estou dizendo isso porque fiquei por demais com vontade de lhe entregar aquele livro.

— Eu vim atrás dele.

— Como já lhe disse…

— Vou ler aqui. Não se avexe com tantas explicações. Cadê o livro?

Nesse momento as portas haviam sido abertas e a bibliotecária já se posicionava atrás do balcão.

— Ah, então está certo! Folgo em saber de sua vinda para a leitura. A senhora fique à vontade, escolha uma mesa e vou buscar o volume.

Filinha sentou na cadeira mais distante do balcão e mais afastada de qualquer olhar. A funcionária veio caminhando com um exemplar forrado em papel-manteiga e revestido por um tipo de papel de embrulho.

— Aqui está. O título da autora maranhense Maria Firmina dos Reis. Boa leitura.

Filinha abriu o livro pensando no sopro de Manuel Querino, na vergonha de frequentar aquele tipo de espaço, pensando que não podia perder o horário da saída da caminhoneta de Thadeu e que logo teria que se levantar e ir embora. Assim, começou a folhear. A textura do papel-manteiga ao abrir o livro a acalmou um pouco. O passar das primeiras páginas a encantou. Voltou a se lembrar da máquina de datilografia. Percebeu que Maria Teresa estava sentada ao seu lado. Foi ficando nervosa com aquela aproximação do tempo. Não sabia qual seria sua reação ao encarar aquele encontro. E foi aí que Filinha teve a sensação de que quem folheava página a página era Maria Teresa, não ela. Era aquela jovem que tinha estudado naquela mesma instituição, mas que nunca havia lido aquele livro nem sabia da existência dele, que agora aparecia animada. O que haveria ali de especial para que o avô de Zezito tivesse assoprado aquele título ao seu ouvido? Tudo aquilo confundia suas ideias. Parecia que ela nunca havia estado ali. Foi sendo tomada por um sentimento de que aquele lugar não era seu. Essa angústia Maria Teresa já havia vivido. O período de estudo tivera suas penas.

Filinha fechou o livro. Ficou olhando para a frente buscando um horizonte que seu olhar não alcançava. De relance viu que a bibliotecária lhe observava. Voltou a baixar a cabeça para o texto. Novamente abriu a primeira página e, dessa vez, alcançou ler a assinatura de Manuel Querino. Ele havia escrito no papel-manteiga que servia também de primeira página daquele exemplar único. Em letra cursiva: "*Úrsula*, de Maria Firmina dos Reis. Primeiro romance do Brasil. Livro com traçado de nossa história. Restauro e catalogação: Manuel Querino".

Filinha ficou comovida. Alisou a página como se tocasse no sangue de Zezito. Aquela tinta era herança dele, um pedaço do seu noivo. Maria Teresa sorria, se emocionava e chorava. Era o começo da volta da menina. Filinha foi abrindo a história e começando a leitura. Foi se vendo, se encontrando, passando a deixar Maria Teresa chegar e se demorar mais. Encontrava ali pedaços da gente de Mata Doce. Qualquer um daqueles seus poderia ter também andado pelas estradas daquele enredo.

— Senhora Maria Teresa da Vazante, vou me ausentar por alguns minutos e já retorno. Por gentileza, se aparecer alguém, diga que já volto.

Quem era Maria Teresa da Vazante? Era alguém que estava ao seu lado? Era a dona do livro? Filinha juntava muitos fios em seu pensamento. O relógio da parede atrás do balcão da bibliotecária a despertou. O pêndulo batia quase dez e meia da manhã. A mulher se levantou com ligeireza.

— Preciso ir, o transporte já está para sair. Não posso mais me demorar e me esquecer do tempo.

— Ah, que pena. Pode deixar o livro na mesa. Aguardo a senhora no próximo sábado. Boa viagem. Espero que ainda consiga alcançar o transporte.

Aos sábados, o trabalho de Belisária era voluntário na biblioteca do Sacramentina e Silva. Não precisava ir mas ela gostava, pois sempre aparecia alguém da comunidade para pegar ou devolver um título. Durante a semana, a biblioteca era mais frequentada pelos estudantes da instituição. E, depois que Filinha passou a aparecer, Belisária começou a sentir orgulho de sua função naquele espaço. Alguma luz se acendia quando ela via Maria Teresa. A bibliotecária olhava a mulher com um orgulho compartilhado.

Depois que Filinha saiu, Belisária foi recolher o livro e se sentou onde a leitora havia estado para folhear aquele exemplar único tão desejado. Se deu conta de que não havia lido aquela história e começou ali mesmo a conhecer a obra de Maria Firmina dos Reis. Aquilo foi tomando forma dos passos de uma dança.

Filinha se aproximou da caminhoneta quando ela estava quase partindo, mas deu tempo. Quando o carro saiu da cidade e pegou a estrada, a senhora descansou e parou vendo as nuvens correrem. Olhar a estrada era bonito. Filinha pensava em não voltar mais a Santa Stella. Por um momento parece que a senhora cochilou e sentiu uma ponta de umidade em sua roupa. Lembrou que havia sido uma noiva assassinada no dia da prova do vestido. Abriu os olhos buscando a ferida, mas não enxergava. Uma sombra larga a cobria e ela não enxergava com precisão.

"Estou morta", ela pensava. "Morri porque quis me casar vestida de noiva, porque entrei naquela biblioteca para ler um livro de mulher. Morri por ter seguido o sonho, a voz, a orientação da resistência. Estou morta. Finalmente tive consciência da minha passagem e estou sendo conduzida para o céu ou para o inferno. Mas este aqui é um momento de passagem."

O carro seguia estrada. A senhora quis gritar.

Passava a mão na roupa e sentia tudo melado. Mas não podia distinguir a cor. Num movimento de resignação, abriu os olhos com força. A luz do sol entrou lascando as sombras. Ela estava desperta, a caminhoneta de Thadeu seguia estrada, e sua roupa estava grudada de suor.

— Estou voltando pra casa — ela disse.

Filinha respirou fundo e deixou que Maria Teresa se aproximasse e viesse com ela da biblioteca. Que pudesse voltar a viver no sábado. Que a noiva retornasse à casa. Tudo voltou a lhe parecer familiar. A caminhoneta entrou na estrada de Mata Doce e tudo fazia sentido de novo.

Se lembrava de cenas do dia em que chegou àquele povoado, ainda criança, tomando aquele mesmo transporte. O tempo diferençava. Thadeu era outro e também era o mesmo. Foi Maria Teresa que desceu do carro, olhou a fachada do casarão, atravessou a estrada, alisou o peitoril, girou a chave, abriu a porta e entrou em casa.

Lai estava na cozinha. Se surpreendeu com Filinha, que tinha vindo por dentro em vez de arrodear o quintal e entrar pela porta da cozinha, como era costume delas.

— Boa tarde, minha filha.

— Quando madrinha me chama assim parece que rejuvenesço.

Lai ouviu Maria Teresa e se emocionou. Pensou em Mariinha e em como ela havia mudado suas vidas. Quis falar da professora, contar alguma coisa de Tuninha. Quis revelar à menina que era sua mãe de nascimento.

"Maria Teresa, eu que te pari, minha filha."

Mas foi só pensamento. Não falou. Sorriu para a afilhada, que entendeu que a madrinha havia reconhecido que Maria Teresa estava com ela. Se naquele momento Lai voltasse a lhe chamar pelo nome que foi pedida em casamento, ela não se incomodaria. Filinha não quis contar à madrinha o que havia vivido no trajeto de Santa Stella até Mata Doce.

A madrinha lhe ofereceu o almoço e secou umas lágrimas. Filinha compreendia que aquela emoção era pelo retorno da noiva ao dia de sábado. Mas não suspeitava que havia algo mais. Não pensava que àquela altura da vida alguma revelação ainda estivesse por acontecer. Deixou a madrinha na cozinha e foi até o quarto de suas mães, que agora era seu. Maria Teresa entrou no cômodo esperando encontrar Mariinha. Iria lhe pedir perdão. Diria:

— Minha mãe, me perdoe! Eu não sabia o que estava fazendo. Minha mãe, pode voltar a me chamar de Maria Teresa.

Sabia que a mãe a receberia com um abraço. Era muito penoso seguir a vida após a partida da professora Mariinha. Filinha estava cansada, a viagem a havia esgotado. Não queria pensar nos delírios, iria deixar apenas que Maria Teresa se aproximasse. Foi se banhar e dormiu sem comer. A madrinha nem teve tempo de insistir, pois ao chegar à porta do quarto viu que já ressonava.

Filinha sonhou que via o espelho de novo inteiro e na mesma posição do dia em que tinha experimentado o vestido. E que Zezito, Mariinha e Tuninha também estavam no quarto. Ela se levantava e ia até o espelho para se ver de noiva. Mas, ao olhar seu rosto, via posta uma careta. Filinha teve vergonha de que Zezito a visse pela primeira vez vestida de noiva com aquela careta. E nesse instante pensou que ele podia nem a reconhecer.

— Sou eu, Zezito — ela falou angustiada e se voltou novamente ao espelho, tentando se livrar da peça. — Sou eu, Zezito — Filinha começou a chorar, a careta não saía. — Sou eu, Zezito.

Repetia angustiada até que conseguiu rasgar a máscara e viu Maria Teresa no espelho. Isso a apavorou. Ter Maria Teresa se aproximando era uma coisa, mas vê-la em si era como voltar ao passado. Filinha começou a gritar pela mãe, que a livrasse de tudo aquilo.

— Mãe!

Lai ouve os gritos da filha e corre até o quarto. Vê que Filinha está sonhando.

— Minha filha, desperta.

— Mãe!

— Sim, sou tua mãe.

Filinha se sentou na cama e abraçou Lai como se fosse Mariinha. Ao perceber o equívoco, se desvencilhou do abraço. Tinha mais uma vez acordado banhada em suor, como na caminhoneta.

— Hoje tive sonhos tão estranhos, madrinha.

— Isso é fraqueza. Você não come — Lai respondeu, entendendo que ela havia despertado ainda no sonho e não ouvira sua revelação.

— Que exagero, madrinha.

— Ô, estou falando alguma mentira?

— Madrinha, a senhora sabe que fim levou meu vestido de noiva? Agora sonhei que me levantava neste quarto, o espelho estava aqui em frente e eu trazia posto o vestido.

Lai sabia, mas não respondeu nada. Foi estendendo uma toalhinha de rosto para a filha secar a face.

— Madrinha, sonhei que estava com uma careta daquelas que se usa em boi. Usava o vestido e essa careta.

— Maria Teresa, venha comer.

As duas pararam e se entreolharam. Era a primeira vez em muitos anos que Lai chamava Filinha de Maria Teresa. A afilhada seguiu a ordem da madrinha e se encaminhou para a cozinha. Filinha observava Lai e pensava em como ela estava envelhecida. Quis um espelho para verificar seu rosto, também devia estar velha. O tempo corria, suas mães já não estavam ali. E mesmo Mata Doce era quase apenas uma recordação. Filinha poderia ter compreendido que Lai vinha tentando lhe revelar um segredo, mas evitava ouvir. Quem sabe ela sabia do que se tratava e exatamente por isso não quisesse nenhuma confirmação. Seria melhor conviver com a madrinha, que esteve ao seu lado a vida inteira, do que com a mãe que a havia abandonado.

Elas comeram e o dia findou calmo. Em paz, a noite chegou. Chula correu para o colo de Filinha. Era verão, a cachorra não buscava amparo do frio, só dengo. Filinha pensava que voltaria sim à cidade e terminaria a leitura daquele livro de mulher. Lai regressava do quintal com um candeeiro aceso. Havia ido colher brotos de laranjeira, faria um chá para elas adormecerem bem. A noite aquietou as angústias, e Chula aliviava Filinha das assombrações. Nesse sábado a cachorrinha dormiu com ela na cama, espantando qualquer cisma.

7

Filinha voltou a Santa Stella. Dessa vez iria abrir e ler aquele livro sem cisma e se houvesse jeito traria algum título para casa. Desceu do carro tomando o rumo do Sacramentina e Silva quando parou para esperar a passagem de dois homens que carregavam duas enormes coroas de rosas brancas. Lembrou do seu roseiral e pensou quantas vezes ele havia servido para enfeitar enterros. Aquelas coroas deviam estar indo para algum velório. Filinha sentiu uma vontade imensa de segui-las e descobrir quem por ali tinha um grande roseiral. Para decorar uma coroa daquelas era o caso de muitas flores. Ela se perdia nesses pensamentos. A imagem de Mariinha apareceu quase nítida diante de si apontando o caminho da biblioteca. Filinha seguiu estrada. Chegou cedo, como estava virando seu costume, e esperou Belisária.

— Bom dia, senhora Maria Teresa.

— Bom dia, dona Belisária.

— Eu sabia que você viria hoje. Quero dizer, tive um pressentimento.

— Apois estou aqui. Quero ler aquele livro, que a senhora sabe.

— Eu sei.

— Então é isso.

— Maria Teresa, você...

— Dona Belisária, seria incômodo se eu lhe pedisse que me chamasse de Filinha?

— Mas Maria Teresa é um nome tão bonito.

— A questão é outra.

— Não é sobre beleza de nomes, não é?

— Não.

— É sobre a vida, não é?

— É.

— Eu compreendo, mas se acontece de lhe chamar sem querer de Maria Teresa teria problema?

Filinha não quis responder mais nada. As portas já estavam abertas. Dona Belisária havia ido buscar o livro e o entregou, comentando:

— Maria Teresa, quer dizer, Filinha, você sabia que hoje vim abrir só por sua causa? Como lhe disse, tive esse pressentimento de que hoje a senhora voltaria. É que hoje ninguém tem a obrigação de abrir nada por aqui, por conta do falecimento.

Filinha lembrou das coroas de rosas brancas. Quis se levantar e ir ao velório olhar as rosas.

— Aqui está seu livro.

Viu *Úrsula* na sua frente e se pôs a ler e a se encontrar. Conhecia aqueles personagens. Filinha foi sentindo um incômodo profundo e uma grande admiração. Se sentia exposta, mas a história não era sobre ela. De onde vinha esse sentimento? Ela lia e pensava que num virar daquelas páginas poderia encontrar Mané da Gaita. Lembrou da carta que bateu na máquina para Venâncio. Ela queria escrever, poderia escrever. Queria trazer Mata Doce para mais perto de si. Não queria estar ali lendo aquele livro, ela queria outro tempo. Maria Teresa se identificava e se confundia. Levantou a cabeça e o mundo seguia igual. Era uma estrangeira naquele lugar. Levantou e saiu da sala sem se despedir de Belisária.

A bibliotecária do Sacramentina e Silva foi recolher o livro. Ficou pensando que Filinha perdera o horário mais uma vez e por isso havia saído apressada. Maria Teresa queria buscar Mata Doce, queria ver novamente aquelas rosas brancas. Não lhe importava o tempo, a hora, que já não existia quase nada daquilo que amava, inclusive ela mesma. Quem era ela? Não sabia se Filinha ou Maria Teresa. Queria buscar as rosas e se deparou com o enterro. O começo da procissão já havia passado. Ela virou a rua e viu o caixão. Não sabia quem havia morrido. Será que tinha sido ela mesma? As coroas iam à frente. Ela decidiu acompanhar o cortejo e se aproximar daquelas rosas.

Ninguém chorava. Não se ouviam lamentações. A gente do enterro caminhava apressada, como quem deseja se livrar de uma obrigação. Ela passou pela lateral do morto e quis tocar as rosas. Quem era aquela mulher que tocava a coroa? Ninguém sabia. Bem de perto, Maria Teresa sentiu aquela ficção. As rosas eram de plástico e furaram a ponta do seu dedo. Ela retraiu a mão e viu a gota de sangue brotar. Aquele material teria vindo da cidade grande? Ela nunca que havia visto rosas quase reais. O movimento do enterro era mais rápido que os pensamentos de Maria Teresa. Ela apertou a gota para que o sangue ajudasse a fechar a vazão do desconhecimento das coisas. Estava parando, mas o enterro queria seguir caminho. Quase se bateu com um homem que segurava uma placa. Leu: Paz eterna ao tenente português Cabrito Cunha Jacinto Paz. Maria Teresa parou. Os dizeres começavam e terminavam com a mesma palavra. A imagem desse desenho a fez imaginar uma cobra que come o próprio rabo.

Estava parada, mas seus pensamentos seguiam trombando contra aquelas pessoas. Agora Filinha queria sair daquele circuito incompreensível de repetições e flores falsas. O que morria ali não devia ter sido gente. O que levavam naquele caixão? Lembrou que estava em Santa Stella e correu para a feira. Thadeu não devia ter saído ainda. A caminhoneta já estava ligada. Ela gritou:

— Espera! Espera!

Thadeu olhou o retrovisor e viu Filinha se aproximar.

Ela subiu no carro com a respiração ofegante. Fechou a porta, e a caminhoneta partiu.

— A senhora tinha planejado ficar em Santa Stella?

Ela recuperava o ar. O vendedor de farinha seguia a prosa:

— Hoje o movimento foi forte, morreu um tal tenente Jacinto Paz e veio foi gente pro enterro. Tudo isso movimenta a feira. Mas venda mesmo quase não teve.

— Quer dizer que foi uma movimentação falsa.

— Como disse, dona Filinha?

— Disse que não teve venda.

— Sim, foi isso que eu disse. Mas qual foi seu comentário?

— Eu lhe disse que as rosas eram de plástico.

— Como assim?

— Não morrem, mas também não vivem.

Thadeu abandonou o diálogo e se aquietou. Ficou atento a seus pensamentos e à estrada. Ouvir aquela senhora falar de rosas o incomodava, o fazia lembrar daquele dia. Um sábado como este. Ele voltava de Santa Stella, como fazia agora mesmo. Mas naquele dia ao lado dele estava o noivo, Zezito, seu amigo. Ele lhe falava da alegria de conviver com Maria Teresa.

— Simbora, Thadeu, é hora de voltar pra casa. A feira hoje foi boa.

— Tudo lhe agrada, não é, Zezito?

— Homem, eu me caso amanhã! Então tudo me agrada sim. Logo vou me casar com a mulher do meu querer. Minha vida é ela! Minha nega, meu dengo, meu mundo, minha alegria. A vida diferençou muito depois que conheci Maria Teresa. Sabe quando as coisas passam a fazer sentido?

Thadeu não sabia, mas se alegrava pelo amigo. A estrada seguiu leve. A alegria era chegar em Mata Doce.

— Se apressa, homem, quero dar um último beijo na minha noiva!

— Que último beijo, Zezito? É a partir de amanhã que os beijos começam.

As risadas corriam soltas e o carro seguia na estrada como tinha que ser.

— Hoje é nosso último beijo, Thadeu.

— O que você está dizendo, Zezito?

— Parece que eu nem sei.

— Apois assim parece.

Eles riam e viam a vegetação mudar para árvores maiores. Era o sinal de que a entrada de Mata Doce se aproximava. O povoado ficava numa área de transição entre caatinga e mata atlântica. O carro virou, deixando a pista e abrindo caminho pela estradinha que levava até Mata Doce. Quando o veículo deixou uma curva cercada de mata fechada o lajedo se anunciou, era possível ver as pedras ao longe. Zezito estava calado. Não falava mais. Tinha pressa em chegar. Viram o lajedo e ficaram aliviados. Ouviram uma buzina. Um carro branco vinha detrás.

— É o coronel Amâncio.

— Ele deve tá querendo passagem.

— Não deixe! Tenho pressa, Thadeu! Esse homem precisa aprender a esperar.

O carro de Amâncio tentava ultrapassar. Buzinava. Perturbava a chegada. Thadeu pisou fundo e ganhou alguma distância. As buzinas cessaram. Agora já se via o casarão. Zezito queria descer logo e correr para os beijos de Maria Teresa. Estava ansioso e feliz. Aquele seria o melhor beijo! A despedida de uma vida para entrar em outra. Era nisso que ele pensava. O carro parou. Quando Thadeu deu por si Zezito já ia atravessando a estrada para entrar no casarão. O carro branco. Os tiros pelas costas. O sol quente. O sangue. A mulher de branco abrindo a porta. O vestido todo melado de sangue e areia. Aquela assombração. O cheiro das rosas brancas empesteando o ar. Todas essas imagens começaram a correr por suas vistas como se nada fosse real. Thadeu ficou paralisado. Desceu do carro quando, em meio à incompreensão, sentiu o sobrevoar da morte. Aquele animal que chegava tinha matado Zezito? Agora comeria seu corpo? Desceu do carro para proteger o amigo. Caiu no chão segurando a própria cabeça. Queria que Venâncio aparecesse. Queria caminhar pelo mistério que dava numa paisagem de paredão de arenito e araras-azuis.

— Thadeu! Thadeu! — Filinha tentava se comunicar com o motorista, que pisava firme no acelerador.

Ela tocou seu braço, o que o fez olhar para o lado, assombrado, e por instantes o carro perdeu a direção. Foi movimento suficiente para a caminhoneta sair da pista. Freou. O carro parou. Eles estavam bem. Zezito de fato estava morto. De Venâncio ninguém tinha mais notícias. Podia estar vivendo com as araras, como Josefa Fontes. O motorista recobrou os sentidos e seguiu viagem. Chegaram a Mata Doce. Pararam diante do lajedo. Thadeu queria chorar, queria se perder no mundo. Há tempos vinha sentindo uma tristeza que não sabia nomear. Filinha desceu e parou no batente do casarão. Queria verificar se suas rosas brancas eram de plástico. Estava decidida a deixar o roseiral voltar a se enramar por aquele peitoril. Que tomassem de volta o casarão. Ver aquelas rosas de plástico a apiedou. Com esse pensamento tocou o dedo e sentiu a furadinha. Pensou que havia deixado seu sangue naquela coroa. Filinha não tinha muita informação sobre o tenente, tampouco queria ter, mas as rosas, as rosas a comoveram.

Thadeu ainda estava parado na frente do lajedo.

— Esqueci alguma coisa, Deu? Deu! — Filinha chamou algumas vezes, o motorista seguia parado.

Voltou até a caminhoneta.

— Deu, quer descer pra uma xícara de café?

— Não senhora.

— O que passa?

— Venâncio.

Thadeu disse o nome do melhor amigo e danou a chorar. Filinha também sentia aquela tristeza. Era difícil conviver com a dúvida da desaparição. As dores apertavam o peito e corroíam o juízo. Ela não tinha o que dizer àquele homem, mas fez o convite para a xícara de café como se o calor do costume pudesse fazê-lo desapegar daquela saudade.

O tempo parou. Os dois ficaram encarando o lajedo, como se implorassem que as pedras lhes devolvessem o tempo de convívio com aquelas pessoas.

— Filinha! — Toni de Maximiliana dos Santos se aproximava.

Nesse sábado Filinha não havia estado na matança. Aquela visita devia ser sobre as mortes.

— Boas tardes!

— Boas tardes, Toni! O que vem de lá?

— Vim aqui lhe contar da situação de um bezerro.

— Já disse que não mato bezerro.

— Eu sei, mas é um caso diferente.

— Do que se trata?

— É coisa do curral, mas estou sem saber como proceder. O bichim foi rejeitado pela mãe. Desde que pariu, a vaca não quer contato com o animal. Já não sei o que fazer.

Filinha entendia de adoção. Tuninha e Mariinha sempre lhe falaram tudo abertamente.

— Estão dando leite?

— Estamos, mas ele não quer pegar.

— Será que tem alguma porca parida no curral?

— Tem.

— Vamos tentar. A gente bota os bichos na mesma baia. Ele pode se sentir acarinhado e passar a aceitar o leite.

Thadeu ouvia a conversa como se não estivesse ali. Lai apareceu no peitoril, havia ouvido vozes e ficou aguardando a aproximação da afilhada.

— Toni, Mãe Carminha saberia dizer onde se encontra Venâncio? — Thadeu perguntou sem perceber que interrompia a prosa.

— Não sei não. Aí só ela pra lhe responder.

O motorista, como se dali já fosse seguir viagem até Carminha, ligou o carro e partiu.

— Hoje foi um dia diferente. Teve a morte de um tenente na cidade. E Thadeu estava meio distante.

— Apois, Filinha, eu vou seguir estrada. Vou tomar providência sobre o bezerro.

Toni partiu e Filinha ficou olhando aquele velho, pensando como a vocação dele havia sido mesmo ser vaqueiro. Era bonito ver alguém que tinha se encontrado nos caminhos da vida.

Ficou um tempo repetindo esses pensamentos quando, por fim, se virou para entrar no casarão e viu logo que a madrinha a esperava.

— Boas tardes, madrinha.

— Boas tardes, Filinha, hoje demorou.

— Madrinha, cheguei há um tempinho, fiquei aqui de prosa.

— Eu vi quando o carro parou. Mas hoje chegaram mesmo adepois do costume.

— Ah, madrinha, foi pela morte do tenente.

Lai sentiu o corpo gelar e ao mesmo tempo pegar fogo. Não teve boca para seguir o diálogo. Filinha não percebeu a comoção da madrinha e continuou contando:

— Hoje aconteceu o sepultamento de um tal tenente Jacinto Paz.

Lai queria gritar.

— Ele morreu?

— A senhora o conhecia, madrinha?

"Era teu pai." Foi a frase que Lai riscou no pensamento, mas guardou na boca.

— De ouvir dizer.

— Ele morreu. E o presentearam com duas coroas de rosas de plástico.

O coração de Lai palpitava. Ela estava feliz! Imensamente feliz! Finalmente poderia voltar a respirar. Nada mais lhe importava. Agora queria gritar para o mundo o que havia acontecido. O medo começou a tomar distância. Era a primeira vez que sentia aquela urgência em ter coragem. Estava livre do pânico de um encontro indesejável com o seu abusador.

— Madrinha, o que a senhora pensa sobre rosas de plástico?

— Maria Teresa, precisamos ter uma conversa.

Lai não percebeu que chamara a afilhada de Maria Teresa, o que a ofendeu. Filinha tinha passado o dia todo encontrando e fugindo de quem havia sido e agora, ao chegar em casa, aquela que se dizia sua aliada a chamava pelo nome que a levava a um tempo que queria esquecer.

— Tenho muita saudade de mamãe Mariinha e de mamãe Tuninha — a Mata-Boi respondeu.

Talvez Filinha soubesse de tudo. Talvez tivesse pressentido que a coragem havia chegado à boca da madrinha. Talvez quisesse fugir de ouvir aquela revelação. Lai sentiu a falta de vontade da afilhada e deixou o dia seguir. De todo modo estava livre! E feliz. Passou o dia cantarolando.

Foi Filinha que à boca da noite voltou à conversa.

— Madrinha, a senhora já viu uma rosa branca de plástico?

— Nunca vi, Filinha. Como é?

— É vistosa. Pode até enganar um olho vivo. Mas ao se aproximar dela, em lugar de nos comover com sua maciez e seu aroma, ela nos fere. Sabe, uma rosa de plástico é como um boi de careta.

— Como?

— Falsamente domado.

Lai não escutava com ajuste o que a afilhada estava dizendo, pois queria aproveitar a abertura para destampar a caixa da sua história. Filinha pressentiu e decidiu enfrentar o tempo. Talvez a Mata-Boi não soubesse que naquela ansiedade se escondia uma revelação.

— Madrinha, a senhora conheceu o tenente, não foi?

— Conheci sim.

— Eu senti em sua fala, na expressão que a senhora fez. A senhora ficou feliz com a morte desse homem?

Lai se envergonhou. Seria pecado se alegrar com a morte de alguém?

— Não negue, madrinha.

— Fiquei! Deus que me perdoe se isso for pecado. Mas eu fiquei feliz sim. Senti como se tivesse tirado um peso das costas.

— A senhora já havia convivido com ele?

— Filinha, como tu sabe, eu vivi em Santa Stella.

— E foi? Nunca conversamos disso.

— Minha filha, eu conheci esse homem, ele não prestava. Ele agora deve estar ardendo no fogo do inferno.

As duas se benzeram. O dia se entregava à noite. Conversavam na cozinha, à beira do fogão. Metade da porta que dava para o quintal estava aberta. A noite começava quente, a brecha refrescava o ambiente. Mas Filinha decidiu cerrar de tudo a porta. Entendia que a madrinha estava começando a contar sua história e não queria que alguém mais pudesse ouvir.

— Maria Teresa, espera aqui.

Filinha sentiu um frio na espinha. Um calafrio dominou seu corpo. Toda vez que alguém a chamava de Maria Teresa sentia como se houvesse se duplicado. E a presença dessa outra a assombrava. Na espera, nem se mexeu, sentiu medo de se virar e ver alguém. Que Chula batesse na porta e aparecesse para protegê-la de toda aquela má impressão. Lai voltou à cozinha com uma caixa larga nas mãos.

Maria Teresa reconheceu a caixa que um dia havia guardado o seu vestido de noiva. Lai a estendeu para que segurasse. Filinha pegou num movimento automático. Nunca houve temor em receber nada da mão da madrinha. Mas, depois de estar com a caixa na mão, o desejo era atirar aquilo tudo ao fogo antes mesmo de abrir. As brasas trepidavam. A noite estava quente. Filinha e Lai tremiam.

— O que tem aqui, madrinha.

— O que tem aí é seu.

Filinha não tinha mais como fugir de Maria Teresa. A noiva estava suspirando ao seu ouvido, clamando que abrisse e visse ali o seu traje. Filinha abriu. E, ao confirmar que se tratava mesmo do vestido de noiva, soltou a caixa no chão. Largou num grito. A caixa não continha mais um vestido de noiva, mas uma longa cobra branca. Filinha ficou assombrada. A madrinha se abaixou para recolher a caixa e a mulher gritou:

— Madrinha, cuidado! A senhora não vai conseguir sustentar esse peso.

— Eu não preciso mais segurar esse peso, Maria Teresa.

Lai remexia a caixa como se buscasse alguma coisa no meio da grande cobra branca. Filinha estava assustada. As duas sentiam frio como se fosse noite de inverno. A madrinha sacou do fundo um envelope.

— É teu. Era pra tu, minha filha.

Maria Teresa se apossou de Filinha e as duas receberam o envelope. Dentro estava a carta que Maria Teresa havia batido na máquina para a madrinha. Lai ditara aquela carta para um dia entregá-la à filha. Maria Teresa recordou a Filinha tudo que a madrinha disse naquela conversa. Filinha gritava dentro de Maria Teresa — era mentira! Não podia ser verdade. A voz de Lai ditando a carta ecoava alto na cozinha. As duas abriram o envelope e confirmaram. Era mesmo a carta que Lai tinha escrito para a filha. O que aquilo significava, Maria Teresa perguntava a Filinha.

Lai começou a chorar. Chorou muito.

— Por que a senhora está fazendo isso comigo? Agora é muito tarde para me entregar esta carta. Guarde sua história, eu não quero saber de mais nada.

As mulheres duplicadas jogaram o papel no colo de Lai.

— Minha filha.

— Não me chame assim.

— Maria Teresa, eu sempre estive aqui.

— Cale a boca.

Lai abriu o envelope e arriscou ler em voz alta, mas a mulher não tinha leitura, só aprendeu a assinar o nome com Mariinha. Se soubesse ler recordaria à filha tudo que um dia lhe disse naquela carta. Sabia que a menina poderia compreender.

— Eu era uma criança. Por que mexer nisso agora que já sou uma velha? Me fala! — Maria Teresa gritava para Lai.

— A senhora está tentando me dizer que sou sua filha de nascimento?

— Maria Teresa.

— Tenha coragem e fale!

Lai queria ler a carta. Tirou o papel do envelope e ficou olhando para ele tentando decifrar a ordem das palavras, o jeito de dizer o que já havia dito. Julgava que não tinha palavras para fazer revelações, mas aquelas letras datilografadas eram uma prova de valia para sua própria história.

Maria Teresa tomou a carta da mão da madrinha e se pôs a ler:

— "Minha filha, perdoa tua mãe. Vou te contar um caso d'eu menina. Eu sou filha de mulher da vida. Nasci e cresci no puteiro de Santa Stella" — Maria Teresa e Filinha choravam.

— Eu não quero saber — Filinha disse à madrinha. — Maria Teresa não quer saber dessa história.

Sentaram no banco e choraram. Maria Teresa se alembrava de tudo que havia datilografado naquela carta. A pena que tinha sentido naquele dia voltou e ela desejou abraçar a madrinha outra vez. Mas agora a madrinha não existia mais. Aquela mulher que estava com ela na cozinha era quem lhe havia abandonado ainda criança num bananal.

— Perdoa tua mãe — Filinha dizia a Maria Teresa. — Tu foi bem-criada. Teve duas mulheres que te amaram, perdoa tua mãe.

Filinha estava sentada ao lado de Maria Teresa. Agora as duas estavam separadas. A grande cobra branca repousava tranquilamente no colo de Filinha. Era uma imagem forte ver aquele animal existindo com tanta vida junto àquela sua parte. Maria Teresa quis parar de chorar e voltar a respirar. Largou a carta no banco e se voltou para a caixa no chão. Era seu vestido de noiva. Maria Teresa o suspendeu. Estava limpo, sem uma gota de sangue. A noiva abraçou aquele pedaço de sonho e chorou.

— É meu vestido, madrinha! A senhora guardou.

Lai chorava tanto que não teve voz para responder. Queria que ela lesse sua carta. Maria Teresa quis colocar o vestido. Abriu as duas bandas da porta da cozinha e seguiu para o quintal. A noite era de lua cheia, tudo estava prateado. A luz batia na pele de Maria Teresa e a embelezava ainda mais. Ali sob o luar ela voltou a vestir seu traje de felicidade.

— Foi a senhora que fez. Esses bordados aqui são seus.

Lai via a menina do banco da cozinha. Não conseguia parar de chorar. Filinha estava sentada ao lado de Lai e olhava para Maria Teresa com os olhos cheios d'água.

— Mané, toca uma valsa — Maria Teresa pediu.

Mané da Gaita não estava ali, mas elas ouviram a valsa soar e a noiva dançou seu primeiro baile. Lai parou de chorar, estava admirada olhando a filha. Filinha se levantou e foi ao encontro de si mesma. Tocou a própria mão e se dispôs a dançar consigo. A noite pareceu refrescar. O frio que, como suor, estava grudado sob a pele das mulheres arrefecia.

— Vem dançar comigo, madrinha — elas chamaram.

Lai se levantou e foi em direção a sua menina, que ela aprendeu a amar como afilhada. Mariinha e Tuninha que haviam ensinado a Lai o que era o amor. Ela agora segurava a filha naquele passo de dança e queria ter palavras para lhe dizer que tudo na sua vida havia sido muito difícil. Que nunca havia tido carinho e por isso não aprendeu ao certo como agir. Lai queria contar a Maria Teresa que havia sofrido um abuso, que o morto daquele dia era o homem que a abusou. Mas não tinha mais forças para dizer nada. A mulher com quem dançava não era mais um feto fruto de violência. Era a filha adorada da professora Mariinha e de Tuninha, a noiva de Zezito. Chula chegou e a música parou. Maria Teresa levantou a barra do vestido e entrou na cozinha. Pegou a carta, o envelope, a rosa seca que estava dentro, pegou aquela história toda e queimou. Lançou o envelope ao fogo. Que as brasas lambessem aquele sofrimento. A noiva chegou na porta da cozinha e chamou a madrinha.

— Vem, madrinha, já é noite. Vamos organizar a casa para dormir.

Chula foi se deitar com Lai. Filinha e Maria Teresa dormiram juntas, abraçadas ao vestido. O dia amanheceu riscando um colorido novo no quarto de Maria Teresa. Ela despertou inteira e valente como eram as mulheres de sua origem. Seguiria firme para as leituras dos livros, abriria o armazém e voltaria a escrever na máquina. Guardou o vestido no guarda-roupa. Que alegria ter aquela peça de volta. Era um bom sinal do que ela já havia sido. Maria Teresa saiu do quarto animada. A casa ainda estava fechada. Estranhou que a madrinha ainda não tinha aberto as portas e acendido o fogo. Poderia ser por conta das emoções que haviam compartilhado na noite anterior. Mas ela não queria mais saber daquilo, não precisava saber. Estava feliz com o seu novo amanhecer.

8

Abri a casa, acendi o fogo, fiz café e corri até o quarto onde madrinha ressonava para despertá-la para nosso novo viver. A porta estava encostada, empurrei. O cômodo, que fica no corredor, estava mais escuro que o resto da casa. Não havia janela naquele trecho, por isso o sombreamento constante era comum. Chamei:

— Madrinha, fiz café. Está sentindo o cheiro?

Vi um movimento na cama e me aproximei. Pensei que ela pudesse ter despertado adoentada por conta do calor que estava fazendo nos últimos dias. Mas não quis julgar que nossa conversa da noite anterior a tivesse acabrunhado tanto. O movimento parou.

— Madrinha — voltei a chamar baixinho.

Minhas vistas, que vinham da parte mais iluminada da casa, já estavam conseguindo enxergar melhor naquela penumbra. Identifiquei que era Chula que se mexia, repousada sobre o corpo de bruços de minha mãe. Me aproximei. E mais uma vez estava eu revirando minha maternidade. Segurei-a pelos ombros e a desvirei na cama. Chula ficou sentadinha ao lado. Lai sorria para mim. Retribuí o sorriso e quase a abracei, para que se esquentasse. No amanhecer do nosso primeiro reconhecimento, mamãe despertou fria. Chamei baixinho:

— Madrinha? Lai, acorda.

Chula, que estava sentada na cama, se deitou mais afastada do corpo daquela senhora. Soltei os ombros de minha mãe. Quis que naquele quarto houvesse uma janela. Talvez se a luz do sol incidisse sobre ela madrinha voltasse a se iluminar. As janelas da sala não estavam abertas. Pensei que se as abrisse poderia enxergar melhor. Estava saindo do quarto quando tive a impressão de que alguém segurava meu ombro. Olhei rápido, quem sabe ela tinha despertado? Pensei naquele instante: madrinha está acordada e fazia aquela pilhéria comigo para que eu ficasse mais aos seus cuidados. Só que não havia ninguém perto de mim. Saí com urgência do quarto para abandonar aquela impressão que começava a me dominar. Senti de novo alguém segurando meu ombro. Dessa vez não me virei e tentei seguir em frente. Mas meu corpo pesava. Alguém queria que eu ficasse. Não sabia o que fazer. Desejei que Mariinha estivesse ali e a chamei:

— Mamãe, fica aqui comigo.

Olhei o corredor pela porta do quarto e vi Mariinha. Sorri a ela aliviada. Minha mãe retribuiu com um sorriso, mas não para mim. Ela olhava sobre o meu ombro. Mais uma vez me virei, pensando que agora veria quem me segurava. Não tinha ninguém. Chula passou correndo pelas minhas pernas, aliviando aquela má impressão. Mamãe Mariinha teria sorrido para a cachorra? Abaixei as vistas e entendi que não adiantava mais abrir as janelas da sala. Me voltei definitivamente para o quarto. Estava sozinha. O corpo de minha mãe recém-revelada ainda sorria para mim. Me aproximei, passei a mão por seu rosto e cobri seus olhos. Eles se fecharam. Quantas vezes eu havia matado aquela senhora? No mesmo instante quis evitar aquele pensamento.

Minha mãe foi embora de nossas vidas quase no mesmo dia em que havia chegado. Naquele instante eu quis brigar com o tempo, o julguei injusto. Comecei a me questionar se caretas deveriam ou não ser arrancadas. Mas eu também estava cansada de morrer. Não queria mais repetir as mesmas histórias. Não quis avaliar com minúcia nossa última conversa. Não queria levantar um julgamento e me autodenunciar culpada. Tampouco aguentaria levantar mais injúrias contra a vida. Deixei o corpo de minha mãe naquele cômodo e segui para nosso primeiro encontro como mãe reveladora e filha ignorada. Saí pela sala deixando a porta principal aberta. Cheguei ao armazém e escancarei a entrada. Tirei a poeira dos últimos anos da máquina de datilografia e me pus a escrever uma carta:

Dona Lai, que tristeza a sua partida. Que alegria foi sua presença em minha vida. Todas as suas ações estarão para sempre cravadas na minha memória. Agradeço, minha mãe, minha adorada madrinha, seu cuidado ao me doar a felicidade. Lhe perdoo, minha mãe, se de perdão se tratar esse nosso desencontro. E lhe peço perdão se não pude lhe agradecer em vida. A tristeza de sua morte, minha madrinha, é pela falta que sua existência física provocará. Eu entendo, minha mãe, que ontem a senhora descansou. Sei que a senhora viu, acompanhou, mas preciso lhe dizer: eu fui feliz nesse encontro que a senhora nos proporcionou. A mim e às minhas mães Mariinha e Tuninha. Nossa vida foi de trocas de amor. Elas nos ensinaram a viver em paz conosco. Com nossas trajetórias. Mãe Lai, descanse entre a suavidade de pétalas de rosas. Sua memória que fica comigo é de agradecimento pela vida. Adeus.

Terminei de bater a carta, retirei o papel da máquina, dobrei, guardei num envelope com rosas brancas e fui preparar o corpo de madrinha. A banhei como era devido. A vesti como era devido. Coloquei o envelope sobre seu peito e cruzei suas mãos sobre ele. Colhi flores de laranjeira e dispus no quarto onde ela repousava enquanto fui tomar as providências necessárias para o velório e o sepultamento. Tudo foi se dando como água fresca que escorre em nascente, se ordenou como se já estivesse mesmo previsto. No dia seguinte eu daria início a mais uma semana de luto, mas agora tinha junto a mim o retorno da máquina de escrever.

V
RETRATO

1

Vinte e um sábados após a morte de Lai, Filinha voltou à biblioteca do Sacramentina e Silva. Belisária a recebeu com ânimo, disse que a esperava. Filinha pediu o mesmo livro e a bibliotecária o trouxe. A leitora o abriu, mas não o leu. Esperou. No primeiro momento em que Belisária saiu do balcão, a Mata-Boi tomou Maria Firmina dos Reis e Manuel Querino pelos braços e partiu estrada afora.

Naquele dia não voltou para Mata Doce com Thadeu. Ele e a irmã não residiam mais no povoado. Haviam se mudado para Santa Stella. Angélica avaliou que sobreviveria com dificuldade a mais um inverno e, temerosa pela vida do irmão, seu cuidado maior, decidiu que partiriam de vez. Mas naquele sábado Thadeu tinha aparecido por aquelas terras e Filinha aproveitou para ir à cidade cumprir seu desejo. Na fuga, precisou buscar outro carro que a conduzisse de volta. Havia levado algum dinheiro, pois já planejava acabar com aquela pena de leitura pingada. Iria ler o livro à vontade e devolveria quando fosse possível.

Belisária saiu para organizar umas estantes no fundo da biblioteca e não teve pressa em voltar. Julgava que uma mulher que fazia aquele deslocamento por causa de um mesmo livro era alguém em quem se podia confiar, e sem preocupação deixou a leitora com seu título predileto. Filinha saiu com o que era seu desejo, atravessou a feira, buscou um carro de frete e abriu caminho para Mata Doce. Quando a bibliotecária voltou à sala de leitura, a senhora Maria Teresa não estava mais. Foi à mesa recolher o livro raro e nesse instante se deu conta da ausência.

Belisária nunca julgou que aquilo pudesse acontecer e se sentou surpresa. Colhendo entendimento do que tinha acontecido, realizou em si que o livro havia sido furtado e decidiu não denunciar Maria Teresa à instituição, pois julgava que isso mostraria uma falha sua. Pensou que um dia daria um jeito de ir a Mata Doce buscar Maria Teresa e resgatar Maria Firmina e Manuel Querino. Mas quanto mais a bibliotecária pensava nisso, mais lhe parecia que era ela que pretendia realizar um roubo. Era como se pressentisse que o livro estava onde deveria estar. E assim ela foi demorando para aceitar aquele suposto resgate. Um dia aquele livro retornaria para o acervo do Sacramentina e Silva. Por ora, pensava Belisária, ninguém precisaria saber do acontecimento.

Filinha chegou a Mata Doce, dispôs o livro no sofá da sala, fechou a porta de entrada e seguiu para a cozinha. Esquentou o almoço. Comeu. Recolheu no quintal umas bajes de ingá e voltou à sala. Abriu a porta da rua como se não devesse nada a ninguém, sentou no banco do peitoril e ficou descascando o ingá. O sol estava forte. O céu azul aberto, recheado de nuvens brancas, se assemelhava àquele açúcar que recobria a semente da fruta que comia. Filinha encarava o lajedo e depois voltava o olhar para dentro da casa. Para o sofá. Para as visitas que fariam companhia a ela naquela tarde, a escritora e Manuel Querino.

Quando quase terminava de comer, Toni chegou à porta.

— Boas tardes, Filinha.

— Boas tardes, Toni. Como foi a matança hoje?

— Disso que quero lhe falar.

— Chegue à frente.

— Tenho sonhado muito com minha mãe.

Uma mulher como a Ialorixá Maximiliana dos Santos nunca se finda. Sempre será recordada, solicitada. Toni foi lhe pedir que assumisse a matança aos sábados, pois iria cumprir um período de resguardo solicitado pela mãe. Filinha confirmou que assim seria.

O abate de boi em Mata Doce fraquejava mas não cessava, pois Dinha ainda usava o matadouro do povoado como o principal abastecedor de carne do seu negócio. A esposa enlutada nunca deixava de se apenar pelo findamento de Jó. Mas era uma mulher de tino para o comércio, e deixar seu trabalho seria morrer. Os meses seguiram e Filinha Mata-Boi voltou à ativa. Aos sábados matava boi, com a precisão que ninguém mais alcançava. E aos domingos se guardava no armazém junto a Maria Firmina, Manuel Querino e o presente de Zezito. A leitura e a escrita cresciam, tomavam sua vida, diziam de si e dos seus. Esses domingos abriam páginas para tempos de escrita na máquina de datilografia, uma aprendizagem que lhe fora garantida pelo esforço das mães. Filinha não escrevia só. Batia à máquina na presença de muita gente.

Quem passasse pelo lajedo nas horas que a Mata-Boi escrevia podia ouvir o ecoar das palavras nas pedras. Num desses dias, ela não ouviu parar um carro na porta. Era Belisária. A bibliotecária tinha vindo num carro fretado. Desceu e pediu que o motorista aguardasse. Não queria causar constrangimento à senhora leitora, mas vinha resgatar o livro. Ou tudo aquilo fora desculpa para conhecer mais de perto aquela mulher? Nesse caminhar do carro para o armazém, lugar de onde vinha o som da máquina de escrever, ela não saberia afirmar mais nada. Primeiro, o cheiro das rosas a tomou. Depois, uma saudade larga que vinha sentindo de Maria Teresa a abraçou de vez. Naquela ansiedade, Belisária começou a entender que não havia se deslocado até ali apenas por *Úrsula*. Poucos instantes antes do reencontro, o livro já não importava. O medo dela agora passava a ser o de ficar cara a cara com Maria Teresa. No cumprimento, o que diria? Nada daquilo fazia sentido. Belisária buscava ordenar seus pensamentos, sem vitória. O som da máquina de datilografia a excitava mais. O que seria? Quem escrevia? Por que estava se sentindo assim?

A bibliotecária voltou para o carro. Abriu a porta e palmilhou assento com o coração aos pulos.

— Vamos embora! — disse avexada ao motorista.

O homem, que buscava uma sombra no peitoril, se encaminhou para o automóvel.

— Não é aqui o lugar, senhora?

— É sim. Não vê o lajedo?

— Vejo sim senhora, mas…

— Vamos embora.

A máquina de escrever deu uma trégua. O motorista girou a chave e começou a fazer o retorno do carro, que, nessa manobra, seguia quase até a porta do armazém. Belisária se recostou ao banco como se pudesse desaparecer ali mesmo. Queria se esconder. Ansiava que Maria Teresa não a visse. Ao mesmo tempo desejava sair do carro e correr para reencontrar a mulher.

Do armazém, Filinha ouviu o som do arranque. Viu a ponta de um automóvel se aproximando. Viu Belisária. A bibliotecária abaixou os olhos. Filinha ficou sentada atrás da máquina. No seu entender o carro estava chegando, não partindo. Pensou que não justificaria nada, apenas entregaria o livro. Levantou para se aproximar da porta e receber as visitas. Mas o automóvel concluiu a volta e partiu.

Filinha ficou parada, sem entender o que se dava. Belisária não a tinha visto? Não entendia que havia chegado ao local correto? Ou aquela mulher não fora a Mata Doce por ela? Filinha acenou na direção do carro que partia. Belisária viu o aceno e segurou com força a própria mão para não retribuir aquele adeus lançando um beijo no ar. A bibliotecária se desconhecia. Foi resgatar um livro do acervo e estava encontrando a si mesma.

Filinha se recostou na parede do armazém e ficou observando o lajedo. O azul do mundo estava riscado por voos de pássaros. Estava disposta àquele reencontro. Tanto que retornou ao armazém e se dispôs a escrever uma carta:

Mata Doce, o dia que te vi passar
Sra. Belisária, o exemplar de Maria Firmina está comigo.
Sinto muito, senhora, me perdoe o empréstimo forçado.
Vamos dizer assim, pois minha intenção sempre foi lhe devolver. Agora vi na sua aproximação a oportunidade desse resgate. Mas parece que me enganei, que a senhora não veio aqui por mim. Mas quando quiser apareça. O livro a espera. Tenho tido dificuldades na viagem até a cidade. Mas essa prosa fica para outro dia. Venha num domingo. Lhe aguardarei. Posso?
Filinha Mata-Boi (como diz a senhora, Maria Teresa)

Retirou a carta da máquina. Encaixou no rolo o envelope e bateu o nome: Belisária. Pegou o envelope, dobrou a carta e guardou-a na caixa de espera, salpicando-a com pétalas de rosas frescas. Se levantou. Encostou a porta do armazém e foi à cozinha. Pegou um punhado de goma na despensa, misturou com um dedo de água e botou no fogo, mexendo aquela cola. Esfriou assoprando e se encaminhou de volta ao armazém. Com a mistura selou o envelope. Um dia que Thadeu passou pelo lajedo, ela parou o carro e lhe entregou a encomenda.

Foi num sábado que Belisária viu que um envelope com seu nome a esperava sobre a mesa de trabalho. Seu coração trepidou. No mesmo instantinho que leu seu nome, ouviu o som da máquina de datilografia no casarão de Mata Doce. Seria correspondência de Maria Teresa? Levantou a cabeça assustada, imaginando que podia estar sendo observada.

— Quem deixou esse envelope aqui?

— Chegou mais cedo.

— Sabe quem o trouxe?

— Sei não senhora.

— Não viu a pessoa?

— Vi não senhora.

— Não perguntou quem era?

O funcionário que havia recebido a carta com o recado "É para a biblioteca do Colégio Sacramentina e Silva" só tinha deixado o envelope ali, não tinha nada mais a acrescentar. Belisária entendeu. Encerrou as perguntas e foi ficar quieta em companhia da correspondência. Abriu o envelope quando ficou sozinha. O cheiro das rosas, a textura das pétalas na ponta dos seus dedos, tudo a comovia. Nunca havia se envolvido naquele tipo de fantasia. Confundia a intenção daquela carta? Pouco importava. Belisária abriu a folha e confirmou a assinatura de Maria Teresa no final. Dobrou com um susto e se sentou. Bebeu um dedo de água e levantou. Caminhou até uma janela, onde poderia ler melhor cada oração.

Belisária estava confusa. Lera o convite para visitar Mata Doce num domingo, mas sem dar conta daquela história do livro. Livro? Roubo? Empréstimo? Desaprendia todas as informações sobre sistemas básicos de consulta de obras raras. Ficou naquela iluminação lendo e relendo: "Venha num domingo". Não entendia o que, naquele convite, tanto a alegrava. Mas se permitia sentir a felicidade.

Num domingo ela foi. Chegou na beira do começo da tarde. Filinha ofereceu almoço para ela e para o motorista. Não quiseram. Filinha abriu as janelas e a porta principal do casarão. A sala decorada com panos bordados em pontos de cruz e bicos de crochê acolhia as visitas com conforto e intimidade. Belisária se sentou observando o ambiente e toda a sua vida se tornou um dia de domingo. No seu entender, aquele espaço a confortava por ser tão integralmente o que era, uma sala muito bem-arrumada, aberta a visitas num domingo. Para Maria Teresa, o lugar era passagem para recordações. A Mata-Boi sabia que não estava ali sozinha, mas em companhia de todas as pessoas que haviam vivido naquela casa.

— Por que não vieram almoçar? Venham no próximo domingo que eu lhes preparo uma frigideira de mangalô e chuchu.

— Pois não convide duas vezes que venho sim.

— Apois venha. Aceitam um café?

— Sim.

— Vou buscar, trago com uns biscoitos de goma.

— Esse roseiral é de impressionar, não é? — o motorista comentou levantando e indo se sentar no peitoril.

Para Belisária era um roseiral e isso lhe bastava. Maria Teresa não tinha nem desejo de selecionar palavras que dessem para contar tanta história.

Voltou pelo corredor trazendo café e biscoitos. Serviu as visitas e por alguns instantes esperou o som da gaita. E despertou. O tempo era outro. Levantou e trouxe o livro.

— Senhora Belisária, aqui o livro. Peço desculpas. O que posso lhe dizer? Sei que não agi no correto.

— Senhora Maria Teresa, acho que podemos eliminar esses tratamentos.

— Como diz?

— Digo, não precisa me chamar de senhora.

— Ah! Então com a sua licença aproveito para lhe fazer novamente um pedido.

— Pois não.

— Belisária, por favor, não me diga Maria Teresa. Me chame de Filinha.

— Filinha?

— Sim, é como todos me conhecem aqui.

— Ah! Está certo. Como queira, Filinha. Estamos acertadas. Nada de senhoras ou Maria Teresa.

Belisária concluiu o diálogo com grande dificuldade, pois seu desejo era ter parado o mundo quando ouviu Filinha pronunciar Belisária sem o pronome de tratamento, estreitando assim intimidades. O que acontecia com ela? Recebeu o livro e o guardou numa bolsa. Aquilo não lhe importava. Não entendia como a presença de Filinha diluía seus sentidos.

— Me agradou muito a leitura.

— Como disse?

— *Úrsula.*

— Sim. Maria Firmina dos Reis.

— Fiquei apegada aos personagens. Como os conheço.

— É um livro raro. O único exemplar.

Belisária estava perdida em si, com dificuldade realizava entendimento das coisas que Filinha dizia. A Mata-Boi notou e julgou estar falando coisa boba que não interessava à mulher de tantas leituras. Mas era perceptível a atenção que Belisária dava a cada uma de suas palavras, de seus movimentos. A dona da casa foi se sentindo à vontade e tentou ir por outro caminho de conversa.

— Aquele dia a senhora não quis esperar?

— Não quis. Quer dizer, ficou tarde.

— Belisária.

— Sim.

— O café está esfriando.

Ela sorriu envergonhada. Tomou o café e comeu os biscoitos e elogiou como era devido fazer. De fato, tudo ali lhe agradava. A conversa correu livre sobre o ponto do açúcar na goma e as delícias da natureza para quem vivia na roça. Foram se sentar no peitoril. Ficaram as duas e o motorista vendo o dia correr no lajedo, a mudança das cores das pedras, o sobrevoo dos passarinhos, tudo ali era um encantamento, um mundo diluído. Filinha deixou que seus olhos, ao menos por alguns instantes, vissem aquela paisagem a partir do olhar dos estrangeiros. E assim não lhes contou nada sobre bois voadores, a textura do sangue vazando sem controle na areia, o ódio das injúrias do mundo que dá nó nas veias, a saudade das mães que faz verter em abismo o final do dia. Apenas deixou as cores da tarde alastrarem beleza e ficções amorosas nos recém-chegados.

A tarde quase esmaecia quando o motorista olhou para Belisária e falou:

— Já vamos?

— Vamos sim. Filinha, adorei a tarde. Mais uns dias assim e minha saúde se restabelece.

— Senhora, ou melhor, Belisária, o que passa com sua saúde?

A bibliotecária pensou em contar: "Passa uma vontade grande de amar, de ser feliz, de viver em paz, despreocupada de tudo na vida". Mas disse apenas:

— Filinha, deixemos essa prosa para outro dia.

E outro dia aconteceu. E mais outro. E eles saíam de Mata Doce com abóboras, limão, aipim, biscoitos de goma. Belisária trazia um livro ou outro para Filinha. Todos se agradavam com a visita, a bibliotecária sempre partia reclamando que o dia não dava para nada. Que o tempo estava contra sua saúde. Até que, numa despedida, Filinha remendou sobre aquela queixa:

— Apois venha num sábado e fique para o domingo.

— Apois pronto. De hoje a quinze chego no sábado.

Assim aconteceu. Não era meio-dia quando o motorista parou na porta do casarão com Belisária.

— Amanhã depois do meio-dia venho buscar a senhora como combinado.

— Pode chegar depois do descanso do almoço.

E o motorista partiu. Filinha a recebeu no peitoril. Durante as semanas seguintes, aquele convívio se repetiu. A noite era fria e cheia de sombras no casarão, por conta da ventilação do telhado alto e da iluminação do candeeiro. Por isso era costume que as mulheres dormissem juntas. Na primeira vez, Filinha apresentou o quarto do corredor para que a visita se quedasse. Mas na passagem da noite revelou uma cisma em dormir só e tudo se deu como o costume. Filinha amanheceu sentindo o aroma dos fios crespos de Belisária.

O cabelo da senhora era todo tingido de fios brancos. Numa manhã de domingo, após o café, quando estavam sentadas em bancos na lateral de trás da casa, esperando a quentura do sol alertar o dia, Filinha admirou o caminho que os raios abriam iluminação no cabelo de Belisária. Entrou em casa e saiu com um vidro de óleo de coco. Trazia no pote as lembranças de já ter vivido muitas vezes aquela cena com suas mães. Se esquentar do frio da noite com uma abrindo o cabelo da outra, untando os fios para receber o calor.

Belisária entendeu o desejo de Filinha e se entregou. Ninguém nunca havia acarinhado os seus cabelos. Filinha foi desmanchando as tranças, a mutuca, foi semeando caminhos de liberdade com as pontas dos dedos na cabeça da bibliotecária. O óleo tocava os fios ascendendo estrada para o desfile do astro solar. Tudo se iluminava. O volume do cabelo crescia e coroava aquela manhã de domingo.

Durante as visitas elas liam, se penteavam, cozinhavam. Um dia Belisária quis saber sobre o que Filinha vinha escrevendo. Perguntou quem havia lhe dado a máquina. Fora presente de suas mães? Filinha não achou jeito de contar aqueles casos de Maria Teresa. Não tinha entendimento de que estava escrevendo na máquina. Quando Belisária lhe perguntou diretamente, se sentiu exposta e deslocada. Sentiu que roubava livros e que fraudava um ambiente que não lhe cabia.

— Sobre o que você está escrevendo?

— Eu estou escrevendo?

— Sim! Lembra aquele dia que vim aqui e voltei sem falar com você? Ouvi o som das letras. Vejo papéis datilografados em seu quarto. Mas nunca vamos ao armazém. A máquina fica lá, não é? Foi presente da professora Mariinha?

Filinha não tinha respostas. Não queria que Belisária perguntasse nada daquilo. Não sabia quem era Belisária, não a havia apresentado a Zezito. Sentia como se já houvesse vivido várias vidas, como se esses diferentes tempos estivessem lhe cobrando presença. Mas onde ela estava? Quem era aquela que lhe fazia tantas perguntas? O que queria ao pescar lembranças naquela máquina? Filinha estranhou a visita. Quis pedir que a mulher voltasse a lhe chamar de Maria Teresa, mas como ela podia lhe chamar de noiva e não saber do assassinato? Filinha abaixou a cabeça e entristeceu. Talvez, se ela abrisse o guarda-roupa e mostrasse o vestido para Belisária, pudessem seguir aquela prosa.

Mas quem acreditaria que aquela velha um dia havia sido uma noiva? Isso não tinha acontecido. Ela foi apenas uma mulher que se vestiu de noiva para amparar o corpo furado de um homem assassinado. Filinha, cabisbaixa, chorou. Belisária não conseguiu tocar na senhora. Dona do seu pensar, a visita entendia que tudo aquilo era ferida. Sem saber como agir, silenciou. Filinha desejava que a mulher a acolhesse, que a abraçasse, que lhe jurasse que tudo aquilo iria passar. Que lhe pedisse desculpas por ter tocado em um assunto que a fez doer.

Belisária não teve atitude. Era como se, por mais que entendesse que aquele choro revelava dores antigas, ela desconhecesse a mulher que chorava. A mulher que admirava não era a que precisava de um abraço seu. Para essa, ela não sabia se doar. As duas se distanciaram. Um intervalo começou a pernoitar entre elas. Nesse final de semana Belisária foi embora sem se despedir. Um constrangimento cavou uma barroca que ficou presente por todo o dia. Não houve diálogo. Naquela manhã Belisária achou ruim não ter os cabelos mais detidamente besuntados com o óleo de coco. Foi embora saudosa da mulher leitora, que a recebia com préstimos e já não estava lá. Filinha demorou a voltar a abrir o armazém. Passou um período intrigada com a máquina de escrever.

O tempo era soberano em Mata Doce. Qualquer coisa passava. Mas contra o tempo resistia a memória, e naquele lugar o reinado era dela. Tudo ali favorecia o não esquecimento. A iluminação do amanhecer e do cair da tarde desenhava cenários por onde o tempo deslizava em espiral. Passado, presente e futuro nunca deixavam de se abeirar. Em Mata Doce o tempo não permitia distanciamentos. Tendo ou não alguém para ouvir histórias, a própria geografia do lajedo, da mata, das estradas ajeitava enredos.

Filinha ficou só sem as visitas de Belisária. Não tinha mais o livro, mas as personagens sim. Intuía que ler era ouvir gente, e essa prática a aproximava mais do seu lugar, que era tudo que seu corpo não esquecia.

Alguns meses depois, Toni de Maximiliana dos Santos regressou do resguardo. Era outro. Havia se duplicado? Devolveram um irmão gêmeo em parecença física, mas diferente em todos os costumes. Toni não era mais vaqueiro.

— Filinha, não me chame mais de Toni.

Filinha entendia desses desejos. Ela mesma convivia com uma tal Maria Teresa durante muitas horas do dia, totalmente contra a sua vontade.

— Me chame de Antônio, que é meu nome.

— Você teve contato com sua mãe, Antônio?

— Finalmente. Minha mãe nunca se aquietou. Agora estou no tempo dos desejos dela, que vejo também como meus. Vou para a cidade grande.

Filinha quis questionar, lembrar ao homem que ele já era de idade. Quis falar da matança de boi aos sábados e das vaquejadas. Mas nada fazia o menor sentido.

— Vou representar o terreiro de Maximiliana dos Santos na cidade grande. Fui convidado a falar sobre minha mãe e suas recordações.

A mulher ficou encantada com aquele caso. Antônio, Ogã da Casa de Oió, seguia outro rumo, ou apenas se alastrava por um destino que sempre havia sido seu. Se empoderava com a voz da sua história. Caminharia afamando Maximiliana dos Santos. Filinha sentiu uma ponta de orgulho lhe segurar na base da coluna. Se ergueu. Levantou a cabeça e teve ciência da importância da atitude do filho e de como isso orgulharia a todos de Mata Doce. Filinha também suspendeu a cabeça sobre sua própria história. O que aprendia ali com a atitude de Antônio e de dona Maximiliana dos Santos ninguém jamais tiraria. O homem seguiu estrada. Filinha caminhou até o armazém e voltou a escrever.

Num domingo de escrita, Filinha se alembrou do retrato. Voltou ligeira para o casarão e na gavetinha da mesa que ficava ao lado da cama deu por fé que a fotografia havia sido levada. Restava na gaveta apenas o bastidor com seu desenho em ponto de cruz da frente do casarão e uma caixa de fósforos.

— Belisária! — a senhora gritou para os telhados.

E se alembrou de cada palavra do dia que mostrou o retrato à bibliotecária.

— Eu tenho um retrato de família.

— Uma fotografia?

— Sim. Mamãe que providenciou. Ela queria ter um retrato nosso. Josefa Fontes contratou um retratista para fazer imagens dela e dos gêmeos, Thadeu e Angélica. E aí mamãe ajeitou e ele apareceu aqui. Depois chegou essa imagem nossa.

— Cadê?

Filinha trouxe da gavetinha da mesa do quarto o retrato. Belisária se levantou do sofá. As duas senhoras ficaram de pé perto da beira da janela. Filinha, com o retrato na mão, apontava. Aqui essa menina moça sou eu. Essa é a professora Mariinha e essa é a senhora Tuninha, minhas mães.

O roseiral impressionava. Era exuberante. Uma larga faixa branca que aureolava o peitoril. A foto pegava toda a frente do casarão. As mulheres estavam longe, mas se identificava bem o desenho de uma harmoniosa família. No entanto, o extraordinário naquela imagem eram as rosas.

— Essa faixa branca é o roseiral?

— Sim.

— É impressionante. Parece...

Belisária achou que parecia uma cobra branca, mas não quis comentar. Poderia ser o borrão do tempo na imagem.

— Que fotografia, Filinha. Dá conta de comprovar o tanto de tempo que esse casarão existe aqui em Mata Doce. E sob o domínio de mulheres. É fascinante.

Foi sua última recordação. Como ela um dia carregou o livro único da biblioteca agora aquela mulher haveria de ter levado seu único retrato? Filinha ficou inquieta. No amanhecer do dia despertou com a imagem das mães na beirada de sua cama.

— Mariinha! Tuninha! Sonhei que as senhoras não existiam mais.

— Que graça, menina, quando é que não estarei mais aqui com tua mãe? — disse Mariinha.

Maria Teresa sorriu acalmada. Filinha tentava dormir, tentava despertar. Não entendia de todo aquela mensagem.

— Minha filha, e o retrato? — Mariinha perguntava e sumia. Tuninha desaparecia com ela.

Filinha abriu bem o olho. Era dia. Era sábado. Iria atrás de Belisária. Caminhou até a beira da estrada de rodagem, mas nenhum carro apareceu. Voltou. Chegou cansada ao casarão. Foi toda a manhã naquele deslocamento, estava exausta. Bebeu água, se alimentou e, no suor quente do ressono, voltou a ouvir:

— Minha filha, e o retrato?

Filinha pensava se antes de ter dado conta do desaparecimento da imagem, as mães já lhe questionavam isso, sem que ela tivesse consciência do que ouvia. As perguntas foram ficando no ar.

No final do dia, quando apagava o fogo, Filinha selecionava uma brasa acesa, que ainda não havia virado cinza e, no dia seguinte, se punha a desenhar no armazém o que se alembrava da imagem do retrato com aquele pedaço de carvão. Fazia riscos finos. Tentava se aproximar da imagem. Vistas para cobrir desenhos em ponto de cruz ela não tinha mais.

Filinha não tinha dinheiro de sobra que lhe permitisse sonhar com frequentes deslocamentos para Santa Stella. Mas agora precisaria resolver aquela ausência. Ficou ainda mais atenta aos sons do lajedo. Quando Thadeu aparecesse por ali iria pedir carona. Mas, sem saber como voltaria, achou melhor não ir. Um dia, quando o filho de Josefa Fontes apareceu, Filinha lhe fez um pedido e ele entendeu o recado. Deveria ir ao colégio perguntar por Belisária e pedir que ela viesse a Mata Doce. Era uma questão de vida ou morte.

— A senhora está bem, comadre? — os velhos conhecidos passaram a se tratar assim para estreitar proximidades de tempo.

— Estou sim. A urgência é sobre uma encomenda. Ela entenderá.

— Sim senhora.

Thadeu não a encontrou, Belisária não trabalhava mais na biblioteca. Ninguém tinha notícias dela no colégio. Regressou com a notícia a Mata Doce, e a Mata-Boi ficou sem a prova da vida que havia tido com suas mães.

2

O retrato voltou com Fatoumata Rosales. Ela chegou buscando um roseiral defronte a um casarão. Veio pedindo permissão para fotografar aquela paisagem, mas não demorou a me apresentar o retrato. Reconheceu o cenário, buscava as três mulheres. Queria saber de casos daquele tempo. Não tive ânimo para lhe contar nossa história, dizer do paradeiro das duas senhoras. Mas ao ter de volta o retrato em minhas mãos disse:

— Sou eu.

— É a senhora?

— Sim.

— Reconheci que é o mesmo casarão. Esse roseiral é extraordinário. A senhora tinha ciência dessa fotografia?

— Sim. Foi encomenda de mamãe.

— A senhora está na foto?

— Sim. Sou a menina moça.

Falei querendo chorar, querendo ser a menina criança órfã que um dia havia sido amparada por duas mães.

— E quem são as mulheres ao seu lado?

Chorei. Levei a mão ao rosto e parei a prosa. Estávamos no peitoril. As janelas e a porta principal estavam fechadas, Chula deitada no batente da porta com as perninhas penduradas para o peitoril. A retratista, que eu não conhecia mas me devolvia uma imagem minha, falou:

— Esse roseiral quase não nos deixa ver, mas agora, se percebo bem, essa cachorrinha também parece estar na imagem. Não pode ser a mesma.

— É ela sim.

— Ela tem quantos anos?

Voltei a baixar a cabeça e descansar meu rosto choroso na mão. Fatoumata se sentou ao meu lado, com cuidado tomou o retrato e comentou:

— Outra coisa que me fascina nessa imagem é que, veja só, aqui perto da cachorrinha parece ter uma muleta, um bocapiu e uma caixinha de madeira.

— É uma caixa quebra-queixo.

— Quebra-queixo?

— Um doce de coco e açúcar. Mané da Gaita forrava a maleta com papel-manteiga e corria essas estradas vendendo doce.

— Então esses objetos pertenciam ao vendedor?

— Mané da Gaita era músico.

— Músico?

Fiquei cansada de seguir prosa com aquela mulher estrangeira. Ficamos caladas olhando o lajedo. Ela se levantou com uma máquina de retrato e fotografou o lajedo. Quando voltou a se sentar lhe perguntei:

— Onde a senhora conseguiu esse retrato?

— Quem fez essa fotografia foi meu pai.

Voltamos a silenciar. A tarde de sábado corria fresca. Chula agora estava parada aos nossos pés. Naquele ponto da tarde, olhando o lajedo parecia que nenhum crime nunca havia existido naquelas terras. Mas eu já tinha tempo de vida suficiente para saber que nada fica encoberto. Na simples passagem de uma folha sobre a areia ou uma nuvem que desenhasse um novo risco no céu Zezito voltaria a estar morto e ensanguentado naquele chão. Antes que isso se desse falei para a visita:

— Quem lhe enviou o retrato?

— Belisária.

- Me virei surpresa.

— Quem é Belisária?

— Não sei — a retratista se pôs emocionada. — Não a encontrei por aqui. Julgava que ela poderia me confirmar alguma coisa da minha história natural.

Toda essa conversa me surpreendia.

— Você se correspondia com Belisária?

— Minha mãe de criação estudou no Sacramentina e Silva. Após seu falecimento, enquanto buscava documentos da casa numa pasta que ela guardava toda amarrada embaixo da cama, encontrei uma carta e descobri que ela não era minha mãe de nascimento. A remetente era Belisária. No envelope ainda se lia bem um endereço. Escrevi uma carta para o referido registro me apresentando como filha desnatural de minha mãe e pedindo que aquela pessoa me contasse o que sabia. Ela respondeu com essa fotografia e a informação muito breve de que meu pai natural era o fotógrafo. A carta me trouxe apenas essas informações, não respondeu mais nada sobre mim. Mas foi suficiente para me inquietar muito pois também sou fotógrafa. Segui escrevendo para o endereço, mas nunca obtive resposta. Assim decidi vir até essa geografia. Não encontrei em

Santa Stella a pessoa nomeada Belisária. Mas perguntei pelo roseiral, me indicaram o lajedo e assim fui chegando aqui a Mata Doce.

Fiquei pasmada. Não tinha muito como ajudar Fatoumata. Mas desejei profundamente ter alguma informação mais precisa que lhe pudesse servir. Contei o que sabia de Belisária. Disse que ela era, ou havia sido, bibliotecária do Sacramentina e Silva e que talvez também tivesse estudado por lá com sua mãe. Ou quem sabe Belisária fosse a mãe natural da retratista. Não quis levantar essa suposição. Sobre seu pai eu pouco ou nada recordava. Mas contei com mais enfeite o dia da fotografia.

— Josefa Fontes teve gêmeos e quando as crias estavam crescendo ela contratou um retratista para que viesse fazer uma foto. Minha mãe, a professora Mariinha, que fazia amizade com Josefa, soube da notícia e viu a oportunidade de ter um registro de nossa família. Minhas mães contaram que só podíamos pagar por uma pose. Que é esta que está em sua mão. Inclusive nem tenho palavras para dizer da minha felicidade ao me reencontrar com esse retrato, que foi tirado daqui de casa numa das visitas de Belisária. Mas como eu estava dizendo, o fotógrafo, seu pai, veio aqui na região. No dia nos arrumamos todas bem bonitas. Mamãe Tuninha colocou até chapéu. E ele chegou. Era domingo. Não demorou muito não. Eu era menina moça, mas me recordo bem. Ele era um homem bem-apanhado, muito educado, prestimoso. Foi atento com todas nós. Ficamos na posição e ele bateu a foto. Mamãe fez o pagamento e logo os Fontes nos trouxeram o retrato. Depois disso nunca mais ouvi notícia de teu pai, o retratista.

Apenada, terminei a história tão rala de informações. Queria ter mais coisas a dizer, queria compartilhar a suposição de que Belisária pudesse ser sua mãe. Quando estava com esses pensamentos, Fatoumata me perguntou:

— Senhora Filinha, Belisária era uma mulher negra?

Segurei o ar na resposta, pois ao que parecia a retratista também estava pensando nessa possibilidade. A depender do que eu lhe dissesse, ela poderia ir juntando pensamentos de conclusão em seu juízo.

— Era. Os cabelos dela se pareciam muito com os meus.

— E o fotógrafo? Meu pai era de qual cor?

— Era assim mestiço, a cor da pele mais clara, mas se via que não era homem branco.

— Assim como eu?

— Assim como você.

— E o cabelo de Belisária é assim como o meu?

— É, assim mesmo como o seu.

Juntas supomos que a bibliotecária poderia ter sido sua mãe natural.

— Senhora, onde estará minha mãe?

— Minha filha, eu não sei. Até enviei um conhecido, Thadeu dos Fontes, ao colégio em Santa Stella, mas não lhe falaram nada. Parece que não tinham informações, e como já se passou tanto tempo…

— Nunca mais houve nenhuma notícia?

— Nenhuma.

— Senhora, esse Thadeu é o gêmeo que foi fotografado pelo meu pai?

— É sim.

— Será que ele tem alguma recordação? Ou talvez a mãe ou a irmã?

Fiquei sem palavra para responder a moça. Não queria desenredar tantos casos, contar que Josefa não existia mais. Respondi apenas que muito possivelmente ele não se alembrasse de nada pois era muito menino novo. Silenciei.

— Senhora, posso lhe pedir um favor?

— Sim, minha filha.

— Posso passar uns dias aqui em Mata Doce? De algum jeito estar aqui é me aproximar de tudo de mim que não sei.

— Se ajeite, Fatoumata, vá se quedando e acalmando o coração.

3

Venho tendo dificuldades de narrar com a presença dessa estrangeira no casarão. Ou é o cansaço da vida que está paralisando meus desejos. A princípio me agradou ter uma companhia. Mas foi chegando o tempo, o dia foi caindo e se levantando e passei a estranhar essa mulher que tanto se assemelha a mim. É cansada como eu, mesmo não sendo velha da minha categoria. É solidão o que eu não quero encarar e talvez por isso esteja aqui maldizendo a presença dessa outra que me espelha tristeza. Eu e Fatoumata compartilhamos semelhante mapa geográfico de nascimento, ambas filhas desnaturais. Ao vê-la sinto como se tivéssemos um espelho como careta. E, por isso, o inconveniente de nossa companhia é ver continuamente nossas próprias feridas.

Talvez comovida por esse incômodo, com o trânsito dos dias ela foi sumindo. Até que por fim desapareceu. Mas não demorou nada e voltou. Regressou e entrou no casarão sem pedir permissão. Fatoumata vive aqui como se não me enxergasse mais.

— Esse casarão é meu! — quero gritar assim, mas me calo.

Não entendo por que estou vivendo esse fim. De madrugada choveu muito. Tudo amanheceu distante. Demorei a me levantar da cama. Ouvi, com diferença, a presença de um pássaro nos telhados, como se estivesse tentando invadir o casarão. Mas não temi. A cobra branca me protege. Ouço que a retratista está em casa. Quero gritar, mas não consigo.

Fatoumata me encontrou buscando aquela imagem de três mulheres e um roseiral. Me achou velha. Eu queria viver dentro daquele retrato, protegida por minhas mães. Estou findando meu trabalho de recordar. Mais um pouco e não conseguirei bater memórias nessa máquina. Parece que a retratista buscava um pai e uma mãe. Atravessou o Atlântico. Para nós, descendentes desnaturais, o oceano é uma gaveta secreta, do tipo que existe em toda casa. Aqui no casarão o que minha mãe Mariinha nunca deixava faltar nas gavetas ocultas era uma caixa de fósforo. Ao abrir o mistério com registros silenciados de nossas histórias, mamãe dizia que não era preciso temer. Mas riscar entendimento.

Chula se mexeu próxima a mim, espalhando meus pensamentos. Vou deixar essa máquina de escrever. Irei alisar a Chulinha e apreciar a partida do sol.

4

Agora vive uma retratista no casarão. Essa mulher estrangeira se achegou, pediu um copo d'água e hospedagem. Você ofereceu o cômodo que nunca recebeu os recém-casados, o quarto que um dia acompanhou a despedida de tua madrinha. A retratista tem fotografado o peitoril. Você nunca mais tira o vestido de noiva. Algumas vezes posa ao lado das rosas. Se esquece ali, parada. A grande cobra branca vive ao teu lado. Enche o peitoril, embeleza o casarão. Essa companhia te tranquiliza, e quando está a teu lado a retratista sorri e você se alegra julgando que a mulher ainda te vê. Mas ela se alegra com a manifestação da fé. Por vezes, Thadeu, que há muito

*foi viver em Santa Stella, passa por Mata Doce. Ele para no
casarão. Cumprimenta a retratista, mas tem te estranhado.
Parece que não te reconhece mais. Você até passou a duvidar
que fosse mesmo ele. Mas quando se demora na visita e conta
histórias do teu tempo, você confirma que sim, é ele. Thadeu
senta num banco no peitoril, de frente para o lajedo, e conta
histórias de Venâncio à retratista. Nesse dia você ficou muito
emocionada. Ainda mais se alembrou dos acontecimentos da
tua vida no tempo que tuas mães e Zezito também estavam
por aqui. Intencionou agradecer a Thadeu. Quis pedir que
ele voltasse mais vezes, dizer como se sente sozinha aqui sem
mais ninguém daqueles casos. Mas ele foi sem se despedir. Você
julgou que aquela lembrança de Venâncio e das araras-azuis
também o haviam emocionado por demais. E assim você vai
justificando tudo que não está conseguindo entender. Observa
que a retratista não quer sair. Entende que ela foi pegando o
costume das mulheres da Vazante de querer viver eternamente
protegidas pelas sombras das horas. Thadeu passou a aparecer com mais frequência. Nesse dia ele chegou e ela foi com
ele. Não em direção a Santa Stella, mas à mata. A bandeira
branca que marca a Casa de Oió ainda balança. Horas depois
eles regressaram. Você decidiu não se apresentar diante deles.
Está chateada com o não reconhecimento do menino. Viu o
regresso do grupo da brecha da janela da sala, observou que
eles não voltaram sozinhos. Ficou olhando, tentando iden-
tificar quem era a velha. E por fim reconheceu a irmã mais
nova de Zezito. Você correu para o quarto, ficaria lá bem
quietinha e não iria abrir a porta quando te chamassem.
Não queria que ninguém visse seu tempo em decadência.
Não quer entender a tua passagem. Está vestida de noiva.
Cismou que não queria que lhe vissem assim. Pensava que se
te vissem Zezito morreria novamente. Você ouviu a conversa*

no peitoril e foi entendendo que o grupo não fazia menção de te chamar à porta. Foi se aquietando. Até o momento em que ouviu o jeito deles se movimentando. Você fica quieta para não responder a nenhum chamado, mas ninguém mais te chama. Será que arrodeariam e entrariam pela cozinha? Tudo você pensa. Seu coração dispara. Observa que a porta do quarto está apenas recostada, qualquer vento pode escancarar a solidão desse cômodo. E se você deitar na cama e fingir que está dormindo? Sim, você quer fazer isso. Quase sente um alívio com essa ideia, então lembra da morte de Mariinha e uma tristeza abate teus pensamentos. Você deixa o quarto. Guarda atenção que o grupo não está na porta da cozinha. Observa que as lenhas do fogão não estão acesas e fica confusa. Pensa em reclamar com a retratista por ter saído antes de acender o fogo. Ou você que deveria ter acendido? Você vem se confundindo com mais frequência. Tenta adivinhar a hora sentindo a fome. Mas não sente mais desejo de comer. Você pensa já ter almoçado e associa que ela, por cuidado, deve ter apagado o fogo ao sair. Mesmo assim não se conforma e julga que ela deveria ter pelo menos deixado uma brasa para manter a água do banho morna. Você avalia que a fotógrafa está alterando alguns costumes do casarão e isso te incomoda mais. Aos poucos começa a entender que está perdendo o chão. Mas foge dessa compreensão e volta a pensar em evitar o encontro com o grupo. Não quer encarar a realidade da morte. Silenciosa, caminha até a sala para voltar a distinguir os movimentos do lado de fora. Ouve que o peitoril está silencioso. Se vira com força para o corredor, assustada, temerosa de ser surpreendida enquanto espia. O corredor está vazio, pesado por sombras, como de costume. Novamente você se percebe confusa, sem domínio do entendimento da passagem das horas. É então que pensa em sair na porta e gritar que a fotógrafa vá embora. Que largue da sua casa. Quer dizer a Fatoumata que a repentina presença dela está te causando essa perda de juízo. Você entristece com essa constatação. Julga que está perdendo lugar de valia nesse espaço que um dia foi apenas seu e de suas mães. Cisma que a retratista, como visita, não deveria trazer outras pessoas aqui sem te consultar. Esse cismar é o apego que sustenta tua inconsciência. Parada nessas ideias, você se perde em acompanhar os movimentos dos que se encontravam vivos do lado de fora. Até que começa a ouvir batidas na máquina de datilografia. Sim, estas palavras são os sons da tua máquina de escrever que está sendo usada. Você insiste no pensamento da invasão. A retratista entrou no armazém? Por que entraram sem a tua presença? Por que agora as visitas não te buscam para mais nada? Para quem estão escrevendo a carta? Você pensa sobre essas perguntas porque se nega a entender. Deixa o som da máquina. Ouve os tiros que mataram Zezito. Você não quer compreender. Mas nessa fuga você se volta sobre si mesma e lembra que os papéis que você datilografou estão no armazém. Todas as tuas recordações de Mata Doce. Pensa que precisa fazer alguma coisa para proteger as tuas histórias e se vira para sair. Mas segue para o corredor, e não para a porta da rua. Vai até o quarto que está recebendo a retratista. Os tiros te perfuram. Você entra no cômodo buscando Zezito. Buscando o acolhimento sonhado do vosso casamento. Volta a ver teu vestido de noiva todo ensanguentado. Sobre a cama vê vários retratos. Sentindo aquelas dores, se aproxima. Está ouvindo o som da máquina, mas ainda sente a perfuração dos tiros. Vê a frente do casarão nas imagens. Vê rosas brancas, muitas rosas brancas, rosas selvagens tomam toda a frente da casa na fotografia, fechando a porta e as janelas. Você não quer crer nessa imagem. Quer ainda buscar um corpo teu nas *fotografias. Mas teu corpo não aparece em nenhum dos retratos que cobrem a cama. Você pensa que ela te fotografou. Mas essas imagens não podem mais revelar tua presença. Você começa a entender? A fotógrafa contou assim:*

— Cheguei aqui e pensei que não houvesse mais ninguém. Reconheci a fachada do retrato de meu pai e fiquei encantada com o roseiral selvagem que quase cobre o casarão por completo. Foi aí que ouvi sons vindos do armazém e chamei: "Ô de casa". Assim a conheci. Apareceu diante de meus olhos aquela mulher velhinha em traje de noiva. Controlei minha surpresa e lhe perguntei se poderia fotografar a paisagem. Eu queria mesmo fotografar. Mas o que eu não queria mais, desde o primeiro momento em que a vi, era pensar em me separar por um instante que fosse dela. Nós ficamos conversando, eu lhe mostrei logo a fotografia de meu pai e decidi que aquela noite ficaria no casarão. Ela concordou. Me apresentou a casa. Entramos pela cozinha. Me levou a um quarto onde eu dormiria. Eu via que ela andava com dificuldade. Fiquei muito apenada. A deixei na cozinha e fui na frente do lajedo respirar todo aquele encontro. Estava com a máquina de retrato na mão, fiz algumas fotos. Quando me virei para o casarão fiquei novamente impressionada com como aquele roseiral estava entranhado à alvenaria. Então arrodeei de novo para entrar pela cozinha e dessa vez observei que a noiva tinha próxima a cachorrinha e um envelope nas mãos. Recomeçamos a conversar e ela me revelou que a minha presença aqui naquele dia havia sido um desejo dos Orixás. Eu disse a ela que era estrangeira, que não entendia. Ela repetiu que eu era estrangeira como ela. Que nossa imagem se espelhava. E me falou de uma moldura sem espelho, de papéis datilografados que eu deveria buscar no armazém. Me entregou o envelope e disse que estava partindo.

Você ouve a retratista chorar? Ouve:

— E nos deixou. A mim e a essa cachorra que passei a chamar de rosa selvagem.

Você ouve a retratista chorar? Ouve mais:

— Saí de novo pro lajedo e vi o senhor Thadeu passando. Parei o carro e pedi que viesse comigo até a cozinha. Em diante procedemos com o enterro. Ela havia deixado por escrito, no envelope, instruções para seu sepultamento. Ele me contou que aquela senhora se chamava dona Filinha Mata-Boi, a antiga noiva Maria Teresa. Fiquei pregada aqui nestas terras com tudo que fui lendo. Agora preciso seguir estrada, Mãe Carminha, mas não estou conseguindo partir.

Você pode ver aparecer perto de você a aparência de um boi todo coberto em tecido branco e com a cabeça revestida por um coforongo seco. Você se lembrará da aparição dos abutres que viu na terra revoada pela passagem do carro do assassino de Zezito. Mas esse boi é diferente dos gados de Gerônimo Amâncio. Ele se assemelha a um bumba meu boi e não a um gado encaretado. Você não deve temer. Deve se sustentar nessa aparição de beleza e se levantar. E ir embora. Tua história está contada e seguirá sendo repetida. Risca um fósforo nessa tua falsa má impressão de presença e ilumina e respira o cheiro do agora e vê que é tempo de passagem. A gaveta está aberta, deixarei esta carta junto a teus papéis.

Mata Doce, domingo
Iná Obá — Mãe Carminha

Agradeço a toda pessoa que me anima escritora, especialmente: minha avó materna, mãe, tias, amigas, autoras, analista, editoras, livreiras, professoras, leitoras.

Agradeço a tio Carlos pela conversa primeira que originou este texto.

Agradeço a Luara França pelo primeiro sim a esse romance.

Aos meus editores Marcelo Ferroni e Fernanda Dias pela parceria forte e carinhosa.

1ª EDIÇÃO [2023] 4 reimpressões

ESTA OBRA FOI COMPOSTA PELA ABREU'S SYSTEM EM ADOBE GARAMOND
E IMPRESSA EM OFSETE PELA LIS GRÁFICA SOBRE PAPEL PÓLEN DA
SUZANO S.A. PARA A EDITORA SCHWARCZ EM FEVEREIRO DE 2025

A marca FSC® é a garantia de que a madeira utilizada na fabricação do papel deste livro provém de florestas que foram gerenciadas de maneira ambientalmente correta, socialmente justa e economicamente viável, além de outras fontes de origem controlada.